新物理学シリーズ 32

熱力学
現代的な視点から

学習院大学教授 理学博士
田崎 晴明 著

培風館

本書の無断複写は，著作権法上での例外を除き，禁じられています．
本書を複写される場合は，その都度当社の許諾を得てください．

はじめに

　これは，新しい構想に基づいた現代的な熱力学の教科書である[1]。理工系の大学一，二年生程度の知識があれば，熱力学の基礎とその物理学や化学への基本的な応用が独習できることを目指して書いた。また，熱力学をひと通り修得している読者にも，熱力学という理論体系の深さと美しさを再認識し，十分に楽しんでもらえるものになっていると思う。大学での半期の講義の教科書として（本書の前半を）利用することも念頭においた（1-3 節の最後を参照）。かなり分量の多い本だが，すべてを読みとおす必要はない。第 6 章までを読めば熱力学の本質とエントロピーについての深い理解がえられ，第 7 章までを読めば熱力学の構造を知りいくつかの応用をみることができる。

　本書を書く際に目標としたのは，できる限り見通しよくかつ論理的に熱力学という体系を提示すること，読み進めながら熱力学の世界を生き生きと感じることができるような一冊の本を書くこと，そして，読者（あるいは，この本を使って講義する人）が何かがごまかされたとか何かが曖昧なままに残されたという感触をもたずに進むことのできるような教科書をつくることであった。見通しのよさ，論理性というのは，単に式の変形や議論の展開のことだけをいうのではない。理論全体がどのように構築され，ひとつひとつの議論は理論全体の中でどのように位置づけられるか，さらに，物理学，自然科学という大きな枠組みの中で，われわれが展開している理論はどのような位置にありどのような視点を提供するか，といった点についても，十分論理的であり，見通しをよくすることを目指した。

　それだから，本書は，過去の「名著」に基づいた解説ではないし，熱力学の公式を手際よくまとめたハンドブックでもない。筆者なりに熱力学という学問について出発点から考え直し，再構成して，もっとも論理的で見通しがよいと思われる形で読者に再提示しようという試みである。

　無数にあるといってもよい熱力学の教科書をひもとくと，熱力学の体系

---

[1] 本書の訂正，補足などの情報をサポート web ページ
(https://www.gakushuin.ac.jp/~881791/td/) で公開している（「田崎 熱力学」で検索すればこのページが上位に出る）。

を構築する根幹の部分では，ほとんどすべての教科書が，百年以上も前に Clausius が考案した論法を利用しているのがわかる[2]。しかし，これは決してわかりやすい論法ではないし，相転移のある系への適用の正当性などの微妙な問題がある。

本書では，（もちろん従来の体系と同じ）熱力学を，少なくとも従来の教科書には見られなかった観点から，構築しつつ提示する。基本的な姿勢をあえて簡潔に表せば，

> 仕事を主役にした操作的な視点から熱力学の全体を見る。等温での操作（第二法則）と断熱下での操作（第一法則）をそれぞれ議論した後，両者を同時にとらえる枠組みを探ることで，一気に熱力学の全体像が構築される。

ということになる。この要約の真の意味は，本書を読んでいけばわかると思う。百年以上も続いた教育法に代案を提示しようというのは，単に奇をてらってのことではない。筆者自身，多くの物理学の徒と同様，旧来の熱力学が難解なことを悩み，いくつかの現代の仕事を参照しながら，少しでも見通しのよい熱力学を模索した結果として，この定式化をまとめたのである。

もちろん，ここで提示するものが，熱力学のありうる定式化の中でもっとも明解なものなどと主張するつもりはない。読者からの率直なご批判やご助言を待つ。欲をいえば，ここで示した定式化が刺激となって，様々な視点をもった科学者から，熱力学のまた別の定式化や教育法が提唱されることを願いたい。さらに，熱力学は，自然科学という巨大な営みの中の小さな一部分にすぎない。これから先，若い世代の人々が自然科学の新しい領域を開拓していく際に，本書で提示した熱力学と自然科学への視点がほんの少しでも刺激になることを願っている。

熱力学をとらえ直し，この本の形にまとめ直す作業は，筆者にとって様々な意味で意義深く，実りの多い体験だった。本書を読まれた方に，少しでもそれに近い感想をもっていただければ，それにまさる喜びはない。

1999 年 12 月

田 崎 晴 明

---

[2] わずかではあるが，Carathéodory の定式化や，Gibbs の形式を採用しているものもある。あるいは，体系の基礎づけや導出には気を使わず，必要な公式や部分的な蘊蓄だけを述べるという流派が最大派閥かもしれない。

本書で用いる記号

第 2 章から第 8 章で扱う一成分の流体の系に関して，基本的な記号を簡単にまとめる．

- **示量変数** 体積 V，物質量 N（2-1 節）
- **示量変数の組** (V, N)，まとめて $X = (V, N)$，あるいは $X = \{(V, N), (V', N')\}$ など（2-1 節）
- **温 度** T（2-4 節，3-7 節，5-2 節）
- **平衡状態** $(T; V, N)$ あるいは $(T; X), (T; X, Y)$ など（2-4 節）
- **等温操作** $(T; X) \xrightarrow{\text{i}} (T; X')$ 等温の環境下で行なう操作（3-1 節）
- **等温準静操作** $(T; X) \xrightarrow{\text{iq}} (T; X')$ 等温の環境下でゆっくりと行なう操作（3-1 節）
- **広義の等温操作** $(T; X) \xrightarrow{\text{i}'} (T'; X')$ はじめは断熱壁で覆われていた系に，温度 T' の環境下で行なう操作．操作の終わりまでには，すべての断熱壁を取り払う．（問題 5.2）
- **断熱操作** $(T; X) \xrightarrow{\text{a}} (T'; X')$ 断熱壁で覆った系に行なう操作（4-1 節）
- **断熱準静操作** $(T; X) \xrightarrow{\text{aq}} (T'; X')$ 断熱壁で覆った系にゆっくりと行なう操作（4-1 節）
- **最大仕事** $W_{\max}(T; X \to X')$ 等温操作で系が外界に行なう仕事の最大値（3-5 節）
- W_{cyc} サイクルの間に系が外界に行なう仕事 （3-2 節，5-3 節，5-5 節）
- **断熱仕事** $W_{\text{ad}}((T; X) \to (T'; X'))$ 断熱操作で系が外界に行なう仕事（4-2 節）
- **最大吸熱量** $Q_{\max}(T; X \to X')$ 等温操作で系が環境から吸収する熱の最大値（5-1 節）
- **Helmholtz の自由エネルギー** $F[T; V, N]$ あるいは $F[T; X]$（3-6 節，7-1 節）
- **圧 力** $p(T; V, N)$（3-7 節）
- **エネルギー** $U(T; V, N)$ あるいは $U(T; X)$（4-3 節）
- **エントロピー** $S(T; V, N)$ あるいは $S(T; X)$（6-1 節）

- 化学ポテンシャル　$\mu(T;V,N)$　（7-1 節）あるいは $\mu(T,p)$　（8-2 節）
- エンタルピー　$H(T;V,N)$　（7-7 節）
- **Gibbs の自由エネルギー**　$G[T,p;N]$　（8-1 節）
- T, p, N の関数としての**体積** $V(T,p;N)$　（8-1 節）
- 飽和蒸気圧　$p_v(T)$　（7-6 節）
- 沸　点　$T_b(p)$　（7-7 節）
- 臨界点　(T_c, p_c)　（7-7 節）
- 蒸発のエンタルピー　$H_{\mathrm{vap}}(T;N) = h_{\mathrm{vap}}(T)N$　（7-7 節），
  $H_{\mathrm{vap}}(p;N) = h_{\mathrm{vap}}(p)N$　（8-4 節）

本書の構成の概念図

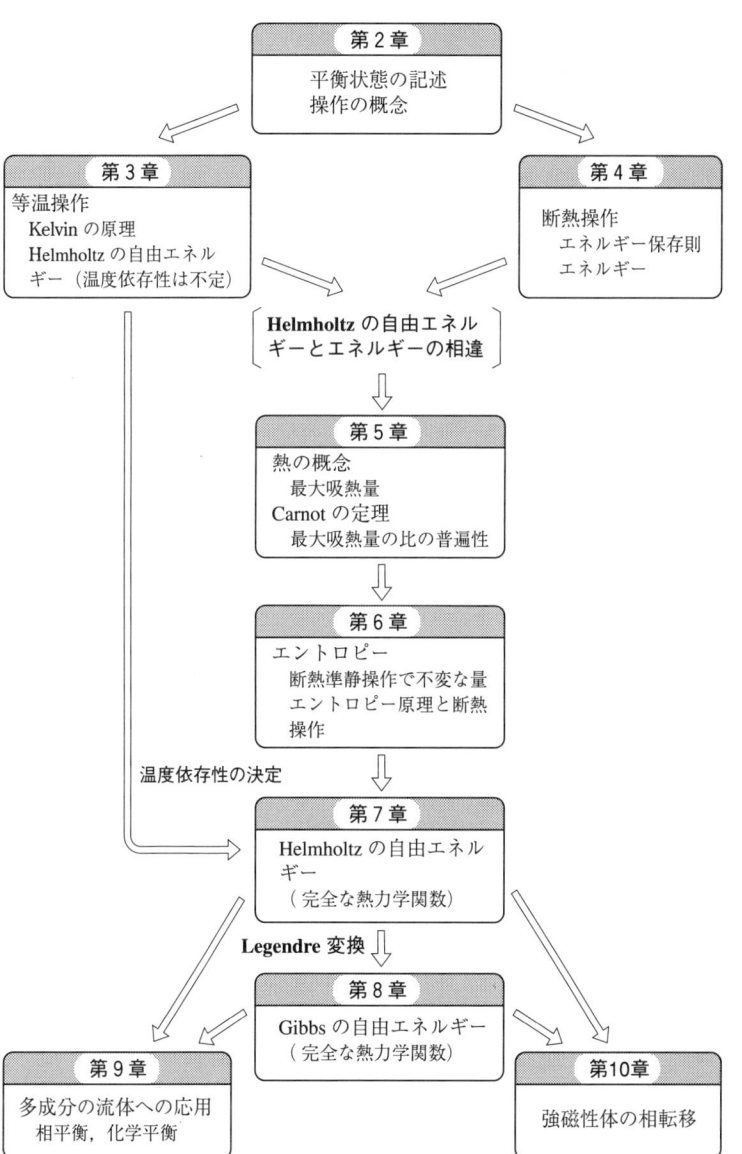

目　次

1. 熱力学とはなにか　　1〜22

- **1-1** 気体の熱力学から普遍的な熱力学へ................　1
- **1-2** 熱力学と普遍性....................................　8
- **1-3** 本書の内容について..............................　16
- **1-4** 数学についての約束..............................　20

2. 平衡状態の記述　　23〜34

- **2-1** 熱力学的な系の示量変数..........................　23
- **2-2** 熱力学の視点....................................　25
- **2-3** 操作について....................................　27
- **2-4** 等温環境での平衡状態............................　29
- **2-5** 断熱された系の平衡状態..........................　33

3. 等温操作と Helmholtz の自由エネルギー　　35〜55

- **3-1** 等温操作..　35
- **3-2** Kelvin の原理...................................　38
- **3-3** 力学におけるポテンシャルエネルギー..............　40
- **3-4** 二つのブラックボックス..........................　42
- **3-5** 最大仕事..　44
- **3-6** Helmholtz の自由エネルギー......................　47
- **3-7** 圧力と状態方程式................................　49

4. 断熱操作とエネルギー　56〜69

- 4-1　断熱操作 56
- 4-2　熱力学におけるエネルギー保存則と断熱仕事 59
- 4-3　エネルギー 61
- 4-4　理想気体における断熱操作 66

5. 熱と Carnot の定理　70〜91

- 5-1　環境との熱のやりとり 70
- 5-2　Carnot の定理 —— 最大吸熱量の比の普遍性 75
- 5-3　Carnot サイクル 77
- 5-4　Carnot の定理の証明 80
- 5-5　熱機関と効率の上限 83

6. エントロピー　92〜117

- 6-1　エントロピーの導入 92
- 6-2　エントロピーと可逆性，不可逆性 99
- 6-3　いくつかの例 105
- 6-4　エントロピーと熱 107
- 6-5　エントロピー増大則 110
- 6-6　複合状態のエントロピーとエントロピー原理 113

7. Helmholtz の自由エネルギーと変分原理　118〜151

- 7-1　Helmholtz の自由エネルギーの微分 118
- 7-2　微分形式による表現 122
- 7-3　Maxwell の関係式と簡単な応用 124
- 7-4　変分原理と変化の向き 127
- 7-5　つり合いの条件 131
- 7-6　相転移と相の共存 134
- 7-7　相図と Clapeyron の関係 139

8. Gibbsの自由エネルギー　　　152〜171

- **8-1** Gibbsの自由エネルギーの導入 152
- **8-2** Gibbsの自由エネルギーの微分といくつかの関係式 159
- **8-3** 定圧熱容量 162
- **8-4** Gibbsの自由エネルギーの性質 164

9. 多成分系の熱力学　　　172〜221

- **9-1** 多成分系のHelmholtzの自由エネルギー 172
- **9-2** 多成分系のGibbsの自由エネルギー 177
- **9-3** 浸透圧 185
- **9-4** Henryの法則 188
- **9-5** 希薄溶液における沸点上昇 191
- **9-6** 化学反応における平衡 194
- **9-7** Nernst-Planckの仮説 202
- **9-8** 水溶液中の化学平衡 204
- **9-9** 濃淡電池の熱力学 211

10. 強磁性体の熱力学　　　222〜241

- **10-1** 強磁性体の扱い 222
- **10-2** 相転移と臨界現象 224
- **10-3** Landauの擬似自由エネルギー 229
- **10-4** スケーリング仮説 237

付録　　　243〜278

- **A.** 吸熱量ゼロの等温準静操作に対応する断熱準静操作 243
- **B.** エントロピーの一意性 245
- **C.** 「熱浴」と温度一定の環境 247
- **D.** 熱機関の効率の上限 252
- **E.** 三重点について 254

- **F.** 完全な熱力学関数のまとめ 257
- **G.** 凸関数 259
- **H.** Legendre 変換 270

  関連図書 .... 279 〜 281
  演習問題解答 .... 283 〜 293
  あとがき .... 295 〜 296
  索 引 .... 297 〜 302

1. 熱力学とはなにか

初等的な気体の状態方程式を出発点に，熱力学という分野を概観する。熱力学が物理学の他の分野とどのように関わるかについて筆者の意見を述べる。最後に，本書の構成や特徴などについてまとめる。

1-1　気体の熱力学から普遍的な熱力学へ

本格的な熱力学にはじめて接する読者も，高等学校までの物理学から，熱力学についてのある程度のイメージをもっているだろう。この節では，高等学校で学習した（理想）気体の状態方程式が，これから本書で展開する熱力学といかに関連するかを概観する。これによって，読者のもっている知識やイメージが，熱力学の体系の中にどのように位置づけられるかを大ざっぱに把握してほしい。ここでは，第 2 章以降の論理的な記述のスタイルとは違い，定義や仮定をあまり明確にせず直観的に議論を進める。

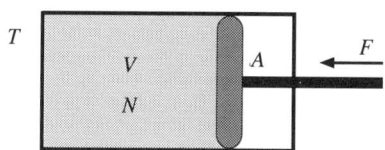

図 1.1　ピストンのついたシリンダーの中に物質量（モル数）N の理想気体が入っている。気体の体積 V を一定に保つためには，ピストンを F の力で右から押してやる必要がある。装置全体は温度 T の環境（外気）の中にある。高等学校の物理でもおなじみのこの状況を出発点にして，熱力学という学問が何を目指すかを概観する。

状態方程式と仕事

図 1.1 のように，可動なピストンのついた断面積 A のシリンダーの内部に気体を封じ込めた装置を，温度[1] T の部屋の中におく。気体の物質量[2]は N である。ピストンを操作してシリンダー内部の体積を V に固定する。読者の頭の中には，すでに $pV = NRT$ という式が浮かんでいるだろうが，先をあせらず，この式の意味を復習することから始めよう。

ピストンを静止させておくには，ピストンを右側からある力 F で押し続けなければならない[3]。この力をピストンの断面積で割った $p = F/A$ が，気体の圧力に他ならない。この設定では，$pV = NRT$ という式は，

$$p = \frac{NRT}{V} \tag{1.1}$$

と書き直すのが自然である。物質量 N，体積 V，そして温度 T が与えらたとき，気体の圧力 p は (1.1) で決まると読む。$R \simeq 8.3145$ N·m·(K·mol)$^{-1}$ は気体定数である。このように，圧力を N, V, T の関数として表した式を，一般に**状態方程式**と呼ぶ。現実の気体で，V が十分大きく T が十分高いとき，圧力はかなり正確に (1.1) で近似される。ただし，それ以外の状況では，現実の気体の圧力は (1.1) からずれる。さらに，現実の系で，T が低く V が小さくなると，気体が液体や固体に変化する**相転移**の現象さえ見られる。熱力学系の構造に応じて許される相転移の型の分類や，相転移の際に種々の物理量の間に成立する普遍的な関係の研究は，熱力学の重要なテーマである。

相転移のことはさしあたって忘れるとして，状態方程式 (1.1) に従う（仮想的な）気体についてもう少し考えていこう。このような気体を理想気体と呼ぶ。図 1.1 の状況で，ピストンを右向きに，ごくわずか Δx だけ移動させる。気体は，ピストンを右向きに F の力で押しているから，外界（つまり，操作をしているわれわれ）に $\Delta W = F \Delta x$ の仕事をする。ピストンの移動にともなう気体の体積の変化は $\Delta V = A \Delta x$ だから，$p = F/A$ を思い出すと，$\Delta W = p \Delta V$ とも書ける。よって，状態方程式 (1.1) から，気体が外界に行なう仕事は

---

[1] ケルビンなどの単位ではかる「絶対温度」である。
[2] モル数のことだと思ってよい。
[3] 現実的な設定では，ピストンの右側に外気があり，外気圧でピストンを押している。ここでは，話を簡単にするために，ピストンの右側は真空になっているとする。

1-1 気体の熱力学から普遍的な熱力学へ

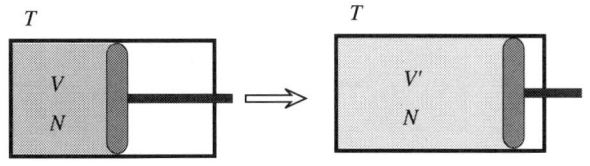

図 1.2 温度 T の環境の下で，物質量（モル数）N の理想気体が入ったシリンダーの体積を，V から V' まで変化させる。

$$\Delta W = p\Delta V = \frac{NRT}{V}\Delta V \tag{1.2}$$

となる。このように，状態方程式はピストンを動かす際に気体が行なう仕事と直結している。熱力学的な系の性質を，力学的な仕事で特徴づけていくのは，熱力学における重要なものの見方である。

次に図 1.2 のようにピストンを大きく右に動かし，気体の体積を V から V' まで変化させる。大きな体積変化の間の仕事は，微少な体積変化の際の仕事 (1.2) を足しあげれば求められそうである。このような足しあげは積分で表されるから，V から V' までの体積変化の間に気体が外界に行なう仕事は，

$$W = \int_V^{V'} \frac{NRT}{\widetilde{V}} d\widetilde{V} = NRT \log \frac{V'}{V} \tag{1.3}$$

となると考えられる。しかし，この結論は，まったくの誤りでないものの，完全に正しくはない。一般に，図 1.2 の実験をすばやく行なったときは[4]，膨張の間に気体が外界に行なう仕事は (1.3) の W よりも小さい。ピストンをゆっくり動かし，膨張がゆっくりおきるようにしてやると，気体が行なう仕事は大きくなっていく。そして，操作を限りなくゆっくり行なう極限[5]で，仕事は (1.3) の値に一致する。図 1.3 を見よ。

そういう意味で，(1.3) は **最大仕事** と呼ばれ，後の章では $W_{\max}(T; (V, N) \to (V', N))$ という記号で表される。このように，様々な操作における仕事を関連づけるのは，熱力学における基本的な方法である。意外に思うかもしれないが（少なくとも本書で）「熱力学」の主役は，「熱」ではなく，様々な仕事と，それをもとに定義される熱力学関数なの

---

[4] 本文の用語では，一般の等温操作。
[5] 本文の用語では，等温準静操作。

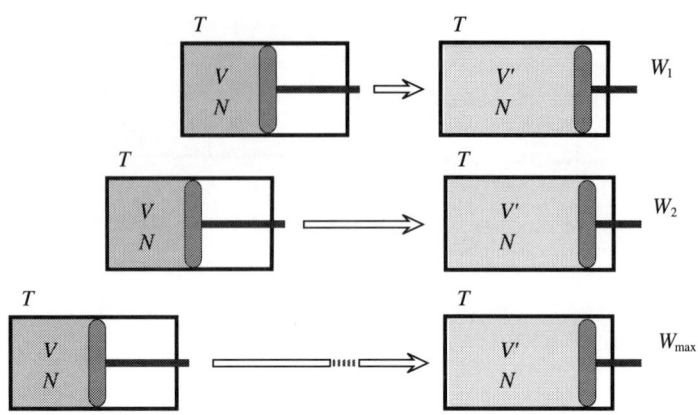

図 1.3 等温の環境での体積膨張の操作において,系が外界に行なう仕事。図の上から下にいくほど,操作をゆっくり行なう。仕事には,$W_1 < W_2 < W_{\max}$ の関係がある。操作をあまりにもすばやく行なうと,気体がピストンに「ついて来られない」ために,仕事は小さい。操作をゆっくり行なうほど,仕事は大きくなる。操作を限りなくゆっくり行なう極限で,気体から最大仕事 $W_{\max}$ を取り出すことができる。

だ。これは本質的な点なので,第 2 章以降でじっくりと議論する。最大仕事 $W_{\max}(T;(V,N) \to (V',N))$ は Helmholtz の自由エネルギーという極めて重要な量と直結しているが,この導入部でそこまで話を進めるのは避けよう。

断熱操作と可逆性

これまで,われわれの実験装置は温度 T の環境の中に置かれているとしてきた。ここで,装置全体を,たとえば発泡スチロールのような「熱を通さない」素材でできた壁で囲むことにしよう。このような壁を**断熱壁**と呼ぶ。

温度 T の外気と平衡にあった物質量 N,体積 V の気体を,装置ごと断熱壁で囲む。当然,気体の温度は T のまま変化しない。しかし,図1.4のように系を断熱壁で囲んだまま気体の体積を変化させると,気体の温度が変化する。特に体積を(限りなく)ゆっくり V から V' まで変化させる場

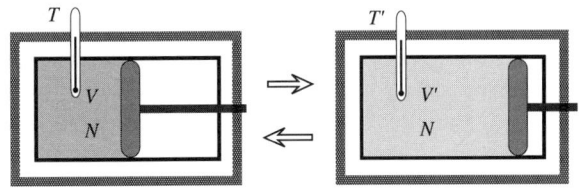

図 1.4 気体が入ったシリンダーを断熱壁で囲み，体積をゆっくり V から V' まで変化させる．このような断熱操作では，系の温度が変化する．

合[6]，はじめの温度 T と終わりの温度 T' は，

$$T^{3/2}V = (T')^{3/2}V' \tag{1.4}$$

という Poisson の関係で結ばれる[7]．この関係は，熱力学的な系におけるエネルギーの保存という一般的な法則から導くことができる．もちろん，この操作が終わった後の平衡状態でも，状態方程式 (1.1) を使って $p' = NRT'/V'$ のように気体の圧力を求めることができる．

図 1.4 の操作を今度は逆にたどり，系を断熱壁で囲んだまま，気体の体積をゆっくり V' から V まで変化させる．このときも (1.4) が成立し，気体の温度ははじめと同じ T に戻る．物質量 N はもとより変わらないから，V と T がもとに戻ったということは，気体が完全にはじめの状態に戻ったことを意味する．このような状況を称して，図 1.4 の体積変化の操作は**可逆**であるという．

ところが，同じことをよりすばやく行なうと，事情が変わってくる．やはり系を断熱壁で囲んだまま，今度はすばやく，体積を V から V' まで増加させ，続いて，体積を減少させてもとの V に戻す．こうすると，気体は，はじめの状態に戻らない．確かに物質量 N は不変であり体積もはじめと同じ V に戻るが，図 1.5 のように，温度ははじめの T よりも高い T'' になってしまう．温度が上昇する操作の実例で，簡単に理論的に扱えるものを，問題 1.1 に挙げた．

こうして上昇した温度を，何らかの操作によって，再びはじめの温度 T

---

[6] 本文の用語では，断熱準静操作．
[7] 指数が 3/2 になるのは，単原子分子からなる理想気体の場合．

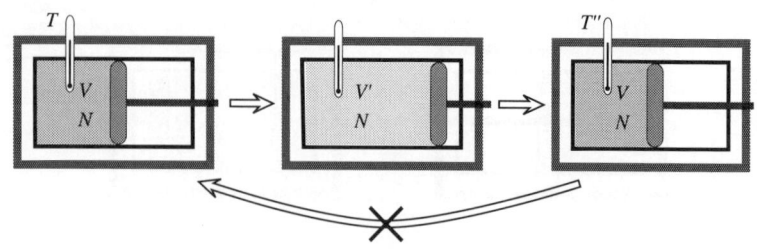

図 1.5 気体の入った装置を断熱壁で囲み，ピストンをすばやく動かして，気体を膨張させる。それからピストンを元の位置に戻すと，気体の温度が上昇し，気体ははじめと同じ状態に戻らない。問題 1.1 を参照。これは熱力学における不可逆な現象の典型例である。

に戻すことができるだろうか？断熱壁を取り去って気体を外気と接触させてやれば，これはもちろん可能である。問題にしているのは，系を断熱壁で囲んだまま，ピストンに何らかの操作を施すだけで，気体を体積 V，温度 T のはじめの状態に戻すことが可能かということだ。体積を増やしてから減らしたとき温度が上がったのだから，逆に，体積を減らしてから増やせば温度が下がるのではないか？これは，むろんうまくいかず，やはり温度は上がってしまう。結局，系が断熱壁で囲まれている限りは，ピストンをどう動かしても，気体の状態を出発点に戻すことはできないことがわかっている。では，断熱壁の内側に，より複雑なしかけを持ち込んで，それらの助けも借りることにしたらどうか？これが，断熱操作の可逆性，不可逆性という熱力学の中心的な問題である。本書の中で，この問題の一般的な解決を見ることになる。その際，エントロピーという重要な物理量を導入する。操作的なマクロな視点のみから，エントロピーを理解することが本書の前半（第 2 章から第 6 章まで）の一つの目標である。

簡単な熱機関，そして熱力学の目標

この他にも，理想気体を用いて，様々なことができる。たとえば，図 1.6 に，気体を用いて「熱エネルギー」を仕事に変換し，おもりを次々と高いところにもち上げる熱機関の一例を示した。高温の熱源の温度を維持するために同じ量の燃料を使ったとき，熱機関がどの程度仕事をしてくれるかを表す量を熱機関の効率という。自動車の燃費と同じような概念である。効

1-1 気体の熱力学から普遍的な熱力学へ 7

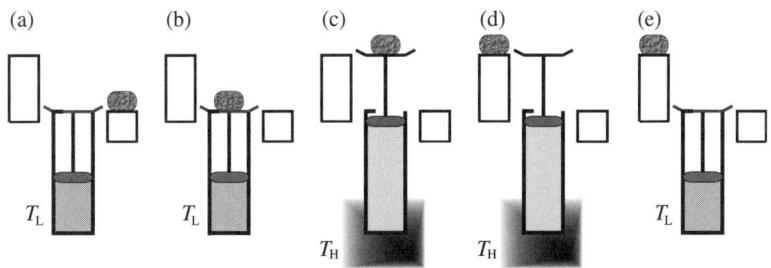

図 1.6 気体を利用して，低い所から高い所へおもりを次々ともち上げる熱機関．この装置の周囲には温度 T_L 圧力 p_0 の外気がある．簡単のため，ピストンと皿を合わせたものの質量は無視できるとしよう．(a) 気体は温度 T_L の外気と平衡にある．シリンダー内の気体の圧力は，外気圧と同じ p_0 である．(b) ピストンについた皿の上に，低い台にのっていたおもりをのせる．おもりに押されて気体が縮むところだが，皿がこれよりは下がらないようになっている．(c) 気体を温度 $T_H(>T_L)$ の熱源に接触させる．気体は膨張しておもりを上に持ち上げる．ピストンはちょうど図の位置でとまる．このとき，熱源から気体に「熱」として流れ込むエネルギーの一部がおもりを持ち上げる力学的な仕事に変換されたと考える．(d) おもりを高い台の上に移す．皿が軽くなって気体はさらに膨張するところだが，皿がこれよりは上がらないようになっている．(e) 温度 T_H の熱源をはずしてしばらく待つと，気体の温度は外気温と同じ T_L になる．この間に，エネルギーが「熱」として外気に流れ出す．以上の (a) から (e) がこの熱機関の 1 回のサイクルである．(e) が終わった後，気体とピストンの状態は出発点の (a) と同じになっているので，この過程を何度も繰り返し実行することができる．問題 1.2, 5.4 を参照．

率が高いほど燃料代がかからないので，効率の高い熱機関を設計することは人類にとって重要な課題である．図 1.6 の熱機関の効率は決して高くない（これは問題 5.4 で取りあげる）．適切な作業物質と複雑なしかけを利用して，効率のよい熱機関を設計することは，熱力学の重要な応用の一つである．もちろん，具体的な熱機関の設計の問題は，本書の範囲を越える．しかし，基礎的な熱力学の範囲でも，熱機関の効率について断言できることがある．どのような物質を用い，どのような複雑な装置を工夫しようと

も，熱機関の効率は熱源，環境の温度 T_H, T_L だけで決まる 1 よりも真に小さいある値を決して越えられないという事実が厳密に示せるのだ。もし効率が 1 なら，「熱」として吸収したエネルギーがすべて無駄なく力学的な仕事に変換される。この結果は，有限温度の世界では無駄のない完璧な熱機関は作り得ないことを一般的に示している。この驚くほど強力な結論は，1824 年の論文『火の動力，および，この動力を発生させるのに適した機関についての考察』で Carnot が導いた。Carnot のこの仕事が熱力学という分野の出発点になったといってよいだろう。

つい先ほどまでは気体の入ったシリンダーを議論していたのに，唐突に「どのような物質を用い，どのような複雑な装置を工夫しようとも」とくると，話が急に大きくなったことに戸惑うかもしれない。しかし，このような圧倒的な普遍性こそが，熱力学という学問の最大の特徴なのである。熱力学の一つの目標は，**一般的なマクロな系を対象にして，平衡状態の性質，平衡状態の間の任意の操作による移り変わり，そして，その際のエネルギーのやりとりについて，普遍的で**[8]**かつ定量的に厳密な関係を導く**ことだ。熱力学の応用範囲は極めて広い。物理学，化学，工学，気象学，生理学などに現れる様々な系と現象に適用することができる。実験と理論の一致は完璧であり，多くの分野で，熱力学は絶対的に信頼できる知識の体系として重視されている。本書で熱力学の多彩な応用について述べる余裕はないが，気体や液体の熱力学の基本の他に，化学反応系や強磁性体の問題も簡単に扱う。

1-2 熱力学と普遍性

前節で強調したように，基礎的な熱力学の関心の対象は，個々の熱力学的な系の具体的な性質ではなく，系の詳細に依存しない普遍的な性質である[9]。いうまでもないが，多様なマクロな系のふるまいから，定量化しうるような普遍的な構造が見いだされるというのは，当たり前のことではない。それは，科学の歴史を通じての様々な経験，実験，そして理論的な考

---

[8] ここでは，具体的な系に依存しないという意味で普遍的といっている。

[9] この節では筆者の個人的な科学観を述べる。以下に述べることに賛成しなくても（そもそも，この節をまったく読まなくても）本書を読む妨げにはならない。

察[10]によって得られた驚くべき発見である[11]。

科学と普遍性

しかし，この世界は Newton 力学，量子力学，あるいは，場の量子論や弦理論といったミクロな力学で支配されているといわれることが多い。熱力学は，これら力学的な世界の記述といったいどのように関わるのだろうか？熱力学は，ミクロな力学法則から得られる近似法則なのか？それとも，熱力学は，そもそも力学法則とは独立に存在する別のタイプの科学の枠組みなのか？

私は，これはどちらも完全には正しくないと思っている[12]。Newton 力学も，量子力学も，そして，熱力学も，すべてこの世界の何らかの側面を記述する普遍的な構造なのだ。この世界では，絶望的なほど多種多様の現象が生じていて，それらを漫然と眺めているだけでは，人類のささやかな論理能力によって何かを本当に理解することなどとうてい望みようもないと感じられる。しかし，世界の中で生じるできごとの中から，ターゲットを絞り，何らかの特定の側面に注目してやれば，簡潔な論理的構造が抽出できる場合がある。これは，科学の先達が長い歴史の中で見いだした驚異的な経験事実である。理想的な場合には，そうして抽出された論理的な構造は，高い普遍性をもつ「普遍的な構造」になっている。

---

[10] 熱力学の歴史については，山本義隆の [1] をすすめる。物理学者の手になる熱力学史の多くが，「過去の誤った考えは不合理であり必然的に破綻し，（現代風の）正しい考えに取って代わられる」という進歩を前提にした歴史観（悪い意味での「ホイッグ史観」）に基づいているように見えるのに対して，[1] では，かつて受け入れられていた考えが，どのような実験的証拠と論理に支えられていたか，どのような状況で最終的には破綻したかがじっくりと述べられている。現代人は，たとえば，熱を微小な粒子ととらえる「熱素説」を愚かな考えと嘲笑うことが多い。確かに熱素説は誤りであったが，その欠点を見抜くのは決して容易なことではなかった。電気現象を，電荷を担った粒子に基づいて説明する考えは，最終的には正しかったことを思い出してほしい。マクロなふるまい（熱流と電流，摩擦熱と摩擦電気，など）だけをみることで，熱と電気の本質的な違いを洞察するのは，並大抵のことではない。熱力学史の古典として知られる高林武彦『熱学史』（海鳴社）も昨今復刊された。

[11] なぜマクロな系にこれほど力強い普遍性が見いだされるかを，ミクロな世界についての知識との関連で理解することは，現代物理学の重要な課題の一つだが，今のところ完全な答えは得られていない。

[12] 以下に述べる科学観は，私の個人的な意見だが，現代の多くの科学者が同様のヴィジョンをもっていると感じる。私自身がこのような見方を明確に意識した背景には，大野克嗣氏の影響があるが，以下に述べる考えすべてに彼が賛成しているわけではない。無論，私はここで現場の研究者が感じる科学の姿を描いているだけで，まとまった科学論を展開しようとしているわけではない。

私が「普遍的な構造」というときは，大ざっぱにいって，

- 現実の世界の何らかの側面を定量的に再現する。特に，その構造による記述が限りなく精密になっていくような何らかの極限を想定することができる。
- 現実の世界の中の，注目している側面以外の様々な詳細や，観測していない未知の要素には，依存しない。
- 数学的に完結した体系になっている[13]。

といった性質をもつものを想定している。

「普遍的な構造」は，世界にそのままの形で内在していて，人間はそれに気づいて「拾ってくれば」よいというものではない。だからといって，これらの構造は，人間が自分の趣味と都合で勝手に世界に押しつけたものでもない[14]。「普遍的な構造」は，徹底的な観察，創意を凝らした実験，大胆で緻密な理論的考察の繰り返しを通じて，長い年月をかけて現実の世界から「抽出」されてくるものなのだ。私は，「普遍的な構造」が現実の世界に「宿っている」という言い方が好きだ[15]。「拾ってきた」のでもなければ，「押しつけた」のでもない。「宿っていた」ものを，理性の力で見いだしたととらえるのである。

これまでの歴史の中で，人類は数多くの普遍的な構造を世界から抽出し，それらを論理的，数理的に記述してきた。たとえば，日常スケールから天体スケールまでの物体の運動という側面から，Newton 力学という普遍的な構造が得られた。原子の構造をはじめとしたよりミクロな世界での現象からは，量子力学が得られた。そして，種々のマクロな物質が「熱」に関わって示す様々な現象から，熱力学が得られたのだ。

熱力学が完成した 19 世紀半ばには，量子力学はまったく知られていなかったばかりか，物質が分子や原子からできているという事実さえも万人

---

[13] この性質がどれほど本質的なのか，筆者にはまだわからない。

[14] 科学の理論は「客観的な真実」ではなく，科学者が社会的なプロセスを経て「作り出した」ものにすぎないとするのが，極端な社会構築主義的科学論の主張である。これは科学史と科学者の活動の表層だけを観察することで生まれた純然たる誤解である。科学のルールは単なる「社会的合意」を得ることなどよりもはるかに厳しいのだ。(だからこそ面白い！) これらの主張には，(生物学，医学，工学などを含めた広い意味での) 自然科学の一貫性と有効性を盾に十分に反論できると思うが，「普遍性」を軸にした科学の姿を積極的に提示することも，つまらない誤解を避けるためには，大切だろうと筆者は考える。

[15] 「土の塊に魂が宿る」といった日本語の伝統的な表現と同じ意味で，「宿る」という言葉を使っている。

1-2 熱力学と普遍性

の認めるところではなかった．そういった中で，様々な観察や実験に基づいて，精密科学としての熱力学が創られた．その後，統計物理学[16]が生まれ，分子論が確立され，さらに，物質のミクロな構造は量子力学に支配されていることが明らかになった．驚くべきことに，これらの「革命」がおきても，熱力学はまったく安泰だった．分子論さえ仮定しないで作られた熱力学は，何の修正も加えないまま，固体の量子論や場の量子論とさえ厳密に共存できることがわかったのだ[17]．熱力学が，まさしく「着目していない詳細や未知の要素の影響を受けない」という「普遍的な構造」ならではの力強さをもっていることを見事に示している．

普遍的な構造の一つ一つが独立して存在しうることを強調してきたが，それなら，科学とは多数の普遍的な構造の寄せ集めにすぎないのか？もちろん，そうではない．陳腐な言い方かもしれないが，科学は究極的には一つの存在であると信じる．なぜなら，数多くの普遍的な構造の間に密接な論理的な関係があるからだ．たとえば量子力学という普遍的な構造は，スケールの大きい極限で Newton 力学という構造と一致する．流体力学というまた別の普遍的な構造は，流体を構成する粒子についての Newton 力学から何らかの極限操作で得られると信じられている[18]．

このように，純粋に数理的なレベルで多くの普遍的な構造が密接に関連し合っている．熱力学や流体力学のようなマクロなスケールでの理論（現象論）は，よりミクロな「基本的な」理論の「近似」とみなすのが，還元主義の立場である．還元主義の見方が首尾一貫しているのは確かだが[19]，私は，優れた現象論は，近似などではなく，それ自身ミクロな理論から「独立して」存在し，ある普遍的な構造を厳密に記述するものだととらえている[20]．

普遍的な構造は，必ずしも Newton 力学や場の量子論のような大きな枠

---

[16] 統計物理学というのはミクロとマクロを結ぶ営み一般を指す広い言葉である．（ここで主として念頭に置いている）ミクロな力学に基づいて系のマクロな性質を導く試みは統計力学と呼ぶことが多い．

[17] 歴史的には，Planck らによる電磁場の熱力学についての考察が，量子力学の発見に本質的な役割を果たした．

[18] これは，未だ研究途上の問題で決定的な答えは得られていないが，多くの傍証はある．

[19] ただし，熱力学とよりミクロな理論との関係については，話はそれほど単純ではないことを，この節の後半で述べる．還元主義的な科学観については，S. ワインバーグ『究極理論への夢』（ダイヤモンド社）の生き生きとした解説を読むとよいだろう．

[20] 単一の現象論（たとえば流体力学の Navier-Stokes 方程式）が複数のミクロな理論（水分子の集合，空気分子の集合，高温の融解した金属などなど）に対応するという事実は重要である．

組みの理論である必要はない．世界の様々なレベルに実に多様な形で普遍的な構造が宿っている．たとえば，Newton 力学の範囲でも，基本的な粒子の運動方程式の他に，剛体の運動方程式がある．剛体の運動方程式は，剛体を構成する粒子の個数や形状，粒子どうしを結びつける力の種類などによらず，簡単で普遍的な形をとる．これ自身，完結した数学的な構造をもっており，普遍的な構造の典型例である．しかも，剛体の運動方程式は，構成粒子についての運動方程式から厳密に導けるので，Newton 力学との間には完璧な論理的な関係がある．より洗練された例として，様々な磁性体や流体における臨界現象が，もとになる系の詳細にほとんど依存しないある普遍的な構造で記述されることが挙げられる[21]．しかも，この普遍的な構造は，場の量子論の構造と数理的なレベルで等価だという予期しなかった論理的な関係さえも見いだされている．

様々な普遍的な構造と，それらの間の関係の総体こそが，基礎科学なのではないか．基礎科学の発展は，新しい普遍的な構造の発見によってもたらされることもあれば，異なった普遍的な構造の間の新しい論理的な関係の解明によってもたらされることもある．あるいは，この二つのタイプの発見があいともなって行なわれるというのが，もっとも自然な成り行きかもしれない．こうして，様々なレベルでの論理的に理解可能な普遍的な構造が，互いに論理的な関係で有機的に結び合わされた複雑で精妙な網状の構造としての基礎科学の姿が浮かび上がってくる．われわれが生を受けた現実の世界が，このような認識を許してくれるというのは，実に驚くべき事実ではないだろうか？

人類が経験と理性で織りなした普遍的な構造の網が，かつては理解不能だった様々な現象を覆うようになっていく．そして，人類の認識の進歩につれて，この網はより豊かに，そして，より精緻になっていく．このような科学観は，たった一つの「究極の」ミクロの理論が存在し，それ以外のすべての理論はそこから「近似理論」として導出されるという還元主義的な科学観よりも，少なくとも私には，はるかに魅惑的に感じられる[22]．

---

[21] このテーマには第 10 章で簡単に触れる．
[22] とはいっても，還元主義の立場と，（筆者のように）個々の普遍的な構造を重視し多くの普遍的な構造の間の論理的な関係を本質的ととらえる立場の相違は極めて微妙で，論理的なものというよりは，科学者としての価値観や直観の違いだと思う．具体的な科学の研究や論争において，このような立場の違いが論理的な行き違いやコミュニケーションの断絶を生むということはあり得ない．

熱力学へのアプローチ

本書では，マクロな世界を記述する普遍的な構造としての熱力学を提示する．特に，物質の内部構造や，分子運動についての力学・統計法則などのミクロな世界についての知識を「カンニング」せず，マクロな手段で観測できる量だけに基づいて，完結した体系を描き出したい．マクロな世界についての理論である熱力学は，ミクロな理論から独立して，それ自身が完結した体系になっていることが望ましい．もしそうであれば，ミクロを参照しないアプローチが可能であり，また，自然なはずである．

このような，ある意味で禁欲的な熱力学へのアプローチは，熱力学が成立した時期には当然のものだったろう．しかし，その後，分子論や統計物理学が成立すると，熱力学を構成する際にこれらミクロな世界についての理論を流用して議論を簡略化しようという流れが現れてきた[23)]．しかし，ミクロ理論を出発点にした熱力学へのアプローチは，少なくとも以下の三点で望ましくないと筆者は考えている．

第一点は，もはやいうまでもないが，これによってマクロな世界を記述する自立した普遍的な構造という熱力学の最大の特徴が見失われることである．熱力学の基礎づけに統計物理学を用いれば，熱力学は分子論に立脚して成立する体系だという誤解を与えかねない．

第二点は，分子論や統計物理学を出発点にして熱力学を「導出する」という考えは，物理学を経験科学として見る立場からすると，いささか不健全だということだ．これに関連した内容は本文でも詳しく論じることになるが，分子論にしろ，統計物理学にしろ，直接は検証できない多くの仮説に基づいて成立している．それでも，われわれがこれらの理論を正しいと信じているのは，数多くのマクロな経験事実が間接的に（しかし，極めて高い説得力をもって）分子論や統計物理学を裏づけるからである（問題 1.3

たとえば，脚注 19 に挙げた本の中で，Weinberg は「・・・ある科学理論が多様な種類の異なる現象にあてはまるという事実が，この理論が，もっと深い物理法則に依存しない自律的なものだということはまったく意味しない (pp. 47–48)」と書いている．これは，各々の普遍的な構造の「独立性」を重視するわれわれの立場とは相容れないと読むこともできる．しかし，それは「自律的」という言葉の用法の問題の相違に過ぎないと思ってもよい．この後の脚注 28 も参照．

23) マクロなことばだけで記述する熱力学は「難しい」といわれてきた．しかし，たとえば Boltzmann による統計物理のエントロピーの表式を用いて（熱力学の）エントロピーを説明する教育法が本当に「わかりやすい」のか？ 式が 1 行で書けて，暗記しやすいことと，本質を理解することを混同してはいないか？この本で目指したのは，わかりやすいマクロな熱力学を提示することである．

を参照)。そして，これらの経験事実の多くは，他ならぬ熱力学の分野に属するものなのだ。つまり，経験科学として見たとき，ミクロな統計物理学がマクロな熱力学の基礎だと考えるべきではなく，逆に，マクロな熱力学がミクロな統計物理学の基礎だと考えるべきなのだ[24]。

第三点は，統計物理学（統計力学）の現状に関連している。統計物理学とは，一言でいえば，大自由度の物理系において，ミクロな理論を出発点にしてマクロな現象や法則を論理的に導出する営みである。統計物理学の研究とは，特定の方法論や対象には拘束されず，科学の世界を幅広く見渡し，ミクロな世界とマクロな世界の（普遍的な）構造の間の精妙にして驚きに満ちた関係を，卓抜な理論的なアイディアによって探っていくことであると筆者は考える。それは極めて困難であり，しかしそれに見合う以上に興味深く意義深い研究分野である[25]。当然ながら，そのような企ては未だ完成にはほど遠い。現在までにある程度の一般性をもって確立しているのは，平衡統計物理学の一般的な形式である。これを用いれば，エネルギーが明確に定義できる任意の力学的な系の（熱平衡状態での）熱力学関数を計算するための表式が得られる[26]。単純に考えると，このような理論形式から熱力学が完全に導出できるような気がする。しかし，これは正しくない。熱力学の対象となるのは，単に平衡状態の性質だけでなく，平衡状態の間の（許される範囲での）任意の操作による移り変わりとその際のエネルギーのやりとりなのである。操作の前後が平衡でありさえすれば，途中でいかに荒々しい非平衡の時間変化がおきても，熱力学は定量的に厳密に適用できる。しかし，現在完成している統計物理学では，このような荒々しい時間変化を含む問題には手も足もでない。つまり，統計物理学から「導出」されるのは，熱力学のごく限られた一側面だけなのである。ミクロな理論に立脚して熱力学を導くという計画は，決して完全なものではあり得ない。

---

[24] 実際，統計物理学は熱力学を再現することを意図して作られた。別に，歴史に忠実にあれといっているのではない。（そもそも，この本での熱力学へのアプローチは，歴史に忠実ではない。）広い意味で，論理的でありたいということだ。

[25] 近年の日本のいわゆる統計物理学（統計力学）の研究の動向をみると，残念なことに，このような意味での統計物理学から派生した個別的な研究に細分化していく傾向が強いように感じられる。

[26] ただしこのような表式は，一般には非常に次元の高い積分などで与えられるので，具体的な表式が形式的に得られることと，そこから物理を読みとることとの間に本質的なギャップがある。このギャップを越えるために，様々な物理的なアイディアが必要になる。

1-2 熱力学と普遍性

さらに，すでに完成している平衡統計物理学の位置づけについても実は微妙な問題がある．平衡統計物理学では，系のミクロな状態がある統計的な（確率的なといってもよい）法則に従うことを基本的な前提として一般的な方法論を発展させる．還元主義の立場に立てば，ミクロとマクロを結ぶためのこの基本的な前提は，よりミクロの法則，つまり力学的な運動法則から導けると考えられる．このような「統計物理学の基礎づけ」の問題は，分野の創始者の Boltzmann 以来研究されていて，極めて重要な多くの知見が得られている．しかし，百年の時が経った今でも，本当に満足のいく解答はない．統計物理学の基本法則の導出には，力学法則以外の何らかの補助的な情報が必要だろうと感じている研究者[27]も少なくない．それにもかかわらず，平衡統計物理学の形式の正当性に疑問の余地はないと信じられている．その信念の根拠は，なんといっても多くの例において統計物理学が（理論と実験の定量的な一致という）成功を収めていることである．また，理論的には，ミクロな力学からの統計物理学の部分的な正当化が存在すること，そして，統計物理学が熱力学を部分的に再現すること，の双方が根拠になっている．比喩的にいえば，少なくとも現在のところは，統計物理学はミクロな力学とマクロな熱力学の**両側から**，それぞれ部分的に支えられて成立しているのだ[28]．このような事情をふまえれば，統計物

---

[27] 筆者もその一人だが．

[28] このような構図は，ある理論は必ずよりミクロな理論に基づいて正当化される，という還元主義の立場と相容れないように見えるかもしれない．（筆者が素朴な還元主義とは一線を画したいと考えていることはすでに述べた．）しかし，統計物理のこのような現状は，少なくとも以下の二つの理由で，必ずしも還元主義の破綻を意味するわけではない．まず，当然ながら，ミクロな力学からの統計物理学の基礎づけができないのは，単に現段階での人類の能力不足によるのかもしれない．いつの日かそのような導出が見いだされ，還元主義の計画が一歩完成に近づくかもしれない．あるいは，仮にミクロな力学だけに基づいた統計物理学（熱力学）の導出が本質的に不可能だとしても，還元主義を貫くことはできる．還元主義の主張を正確に述べれば，この世界を支配するミクロな基礎理論と，われわれの住む宇宙の初期条件が与えられて，原理的にはこの世界で生じるすべての現象を導き得るということだろう．（「法則」と「初期条件」を明確に分離するのは困難なのだが，そういった微妙な点にはここでは踏み込まない．）ミクロな基礎理論だけからでは，宇宙に固有の初期条件はわからない．もし初期条件が些末な役割しか果たさないのなら，これはさしたる問題ではないだろうが，もし宇宙の初期条件が何らかの特別な性質をもっていれば，ミクロな基礎理論だけでは，現実の世界は理解しきれないことになる．われわれは，後者の世界に暮らしていると仮定しよう．ところで，マクロな熱力学の法則は，ミクロな基礎法則と宇宙の初期条件の双方が合わさって，長い時間をかけて作られた普遍的な構造である．熱力学の法則の中には，宇宙の初期条件についての情報が「書き込まれている」と考えることができる．だとすれば，ミクロとマクロを結ぶ理論である統計物理学の基礎づけに，ミクロな基礎法則と熱力学の法則の**双方が必須**であることに不思議はない．（脚注 19）で挙げた本での熱力学の位置づけは，現時点で統計物理学から熱力学が完全に導けているという（決して珍しくない）誤解に基づいているように思われる．

理学から熱力学を導こうという考えは，一種の堂々巡りとみることさえできる．

1-3 本書の内容について

本書は，熱力学の基礎理論と，物理や化学への基本的な応用を詳しく解説した教科書である．仕事の概念を中心にした力学の基礎知識と，偏微分，積分，指数関数，対数関数などについての初等的な解析学の知識を仮定し，すべてをできる限り論理的に，見通しよく述べることを目指した．本書のスタイルは，完成した熱力学を解説するものではなく，いくつかの基本的な観察事実を積み重ねながら，**筋道をたてて熱力学を構成していく**ものである．本書だけで熱力学についてのしっかりした基礎知識が身につけられることを意図している．また，熱力学をひと通り学んだ読者も，本書を通して熱力学という理論体系の強力さ，深さ，美しさを再認識してもらえると思う．

熱力学の教科書は数多いが，本書では，いくつかの点で既存の教科書と一線を画した[29]．特に，エントロピーや自由エネルギーの導入については，従来の教科書のほとんどが Clausius の 1865 年の論文『熱の力学的理論の基礎方程式の，応用に便利な異なる形式について』で提示された方法を踏襲してきたのに対し，ここでは**操作的に定義される仕事を中心にした方法**を提示する．もちろん，最終的に構成される熱力学は，従来のものと等価[30]である．私見では，ここで示した定式化は，簡潔で見通しがよい．

ここで述べる熱力学の定式化は，筆者自身がまとめたものだが，当然ながら他の人々の研究，考察に多くをおっている．特に，直接の影響を受けたのは，Lieb-Yngvason による公理的な熱力学の定式化 [14] と佐々の（Lieb-Yngvason より初等的な）熱力学の定式化 [7] である．

以下，本書での熱力学の主要な特徴をまとめておく．

- 「熱」は，深く重要な概念である．しかし，現在完成している平衡状態とそれらの間の移り変わりを扱う熱力学を語るために，熱を一般的に定義する必要はない．古い熱力学では，熱を無定義概念とし

---

[29] 必要に応じて，他の教科書での定義や論法との関連について，脚注などで説明した．
[30] 微分を用いた従来の定義は，相転移のある系への適用に微妙な問題があるので，ここで示す定義の方が広いかもしれない．

1-3 本書の内容について

て導入し，熱についての直観を多用するスタイルが主流だった．本書では，熱は限定された状況で定義するに留め，熱についての直観に頼った議論は（少なくとも論理的な議論の中では）行なわない．ここでの「熱力学」の主役は，「熱」ではなく，操作的に定義する「仕事」である．「熱」は理論構成の表舞台には登場せず，密かに重要な役割を果たす，いわば「黒幕」である[31]．

- すでに述べたように，エントロピーや自由エネルギーの導入が従来のアプローチと異なっている．まず，Helmholtz の自由エネルギーとエネルギーを定義し，Carnot の定理を踏まえて両者の差に着目することで，自然にエントロピーが浮かび上がってくる．この方法では，仕事を通じてエントロピーが明示的に定義される．また，相転移などによる特異性があっても，問題は生じない．さらに，物理や化学での熱力学の応用の主役は何らかの自由エネルギーだから，はじめから自由エネルギーに親しみをもつことは有益だろう．

- 完全な熱力学関数[32]の概念は，熱力学にとって本質的である．本書では，完全な熱力学関数の考えを明確に説明するだけでなく，完全な熱力学関数と一般の状態量を記号のレベルで区別する工夫をした．

- 凸関数と Legendre 変換は，熱力学と直結した数学的な道具である．これらの道具が物理的な考察から自然に導かれることを強調した．特に，自由エネルギーの凸性から得られる状態の安定性については，変分原理との関連で詳しく議論した．凸関数と Legendre 変換の数学の初歩を付録としてまとめ，興味をもった読者への便宜をはかった．

- 数学書のスタイルを部分的に借用し，半ば公理的なスタイルで書いた．「要請」，「結果」，「導出」は，それぞれ，数学での「公理」，「定理」，「証明」に対応する[33]．■の印は，「導出」の終わりを表す．「要請」は経験から抽出した普遍的な性質のことをいう[34]．これらは，

---

[31] 相手が「黒幕」なら，正面から挑みかかることはせず，周囲の様子を徹底的に明らかにすることで，その真の姿を浮き上がらせるのが得策だろう．

[32] Gibbs は，基本的な方程式 (fundamental equations) と呼んだ．

[33] 物理学の教科書としての性格を考え，極度の厳密性を保つことは意識的に避けた．「要請」以外のところで仮定を設けている部分もあるし，記述を明解にするためにあえて明示していない技術的な仮定もある．

[34] 数学の体系の場合にもそうだが，何を「要請」とみなし何を「結果」とみなすかには，かなりの任意性がある．論証の仕方を変更すれば，「結果」と呼ばれていたものの一部を「要請」に

熱力学の範囲では決して導出されない[35]）。「要請」や「結果」の中で，熱力学の体系の中で特に本質的な役割を果たすものには（主に慣例に従って）「・・・の原理」といった名称をつけた。

本書の構成について

本書の構成について簡単に述べる（v ページの概念図を参照）。

熱力学の体系を構成する第 2 章から第 6 章までの五つの章が，本書の中核であり，もっともユニークな部分でもある。第 2 章での平衡状態とその定量的な記述から出発し，第 3 章では，等温の環境での操作に着目することで Helmholtz の自由エネルギーを導入する。ただし，この段階では Helmholtz の自由エネルギーの温度依存性は定まらない。第 4 章では，断熱された系の操作を吟味し，エネルギーを導入する。第 5 章では，まず等温操作と断熱操作での仕事の違いに注目することで，環境と系がやりとりする熱を導入する。そして最大吸熱量が，Carnot の定理が示すように，極めて普遍的な性質をもつことを見る。第 6 章では，エントロピーを論じる。Carnot の定理を通して熱を調べると，ごく自然にエントロピーの概念に到達する。エントロピーの自然な定義を採用することで，Helmholtz の自由エネルギーの温度依存性も自動的に定まる。さらに，エントロピーと断熱操作の間の本質的な関係について詳しく議論する。この部分までで，熱力学の要請はすべて登場し，熱力学の体系は完成する。

続く二つの章では，応用の上で極めて重要な Helmholtz の自由エネルギー（第 7 章）と Gibbs の自由エネルギー（第 8 章）について詳細に論じ，基本的な応用を述べる。この部分までで，熱力学の基礎理論が完成する。

残る二つの章は応用であり，読者の必要に応じて読むことができる。第 9 章では多成分の系に熱力学を拡張し，相平衡，化学平衡，平衡電気化学などへの応用を論じる。第 10 章では，強磁性体の相転移と臨界現象の問題を熱力学の観点から議論する。

付録では，本文で述べる余裕がなかった進んだ内容や数学的なことがらを取り上げる。

置き換え，それに応じて「要請」の一部を「結果」にすることもできる。それでも，最終的に得られる体系が同じものであることはいうまでもない。

[35] 力学や統計物理学などの他の普遍的な構造との関連で，基礎づけ，ないしは，より深い理解が与えられる可能性はあるが。

1-3 本書の内容について

各章の終わりに，いくつかの問題がある．問題の性格と難しさはまちまちである．本文で述べきれなかった事項を補足するための問題もいくつかあるし，問題提起を行なうものもある．長い計算や議論を必要とする問題については，原則として，かなり丁寧な誘導を行なった．あからさまに問題にしたところ以外にも，本文で導出を省略した箇所の詳細を埋めていくことは，理解を助ける大切な練習問題になるだろう．ただし，具体的な応用例についての問題を載せる余裕はなかったし，ここに挙げた問題だけで，十分な演習になるとは考えていない．たとえば，[2] のような演習書を併用してほしい．

講義について

本書を大学での講義に利用する場合，いくつかの方針が考えられる．

物理学の色彩の濃い講義の場合には，熱力学の体系を理解すること，特にエントロピーの本質を理解すること，そして Helmholtz の自由エネルギーに親しむことが主眼になるだろう．そのときは，第 2 章から第 7 章までの内容の主要なものをカバーすればよい[36]．これにはそれほど時間はかからないので，講義をする方の考えに応じた素材をつけ加える余裕が生まれるだろう[37]．第 8 章と第 10 章の内容を簡単に議論すれば，統計物理学でのスピン系の議論のための背景と動機づけが与えられる．

また，化学への応用を目指した講義であれば，第 8 章までの基礎的な部分をなるべく簡略に済ませることで，第 9 章の応用の一部を取り上げることもできると思う．化学反応論や平衡電気化学の具体的な例については本書は貧弱である．しかし，これらの応用と熱力学の基礎とのつながりについては，最大限に見通しよく書くことを目指した．

---

[36] 第 7 章で応用をいくつか扱っているのは，このような講義を想定したからである．
[37] 私は，1998 年の後期に，この本の草稿を執筆しながら，熱力学の講義を行なった．構想も完全にはまとまらず，余談も多いどちらかというと能率の悪い講義だったが，半年間で，第 7 章までの内容のほとんどをカバーすることができた．（もちろん，講義でのスタイルは，この本の記述よりは，はるかに大らかだったが．）

1-4 数学についての約束

本文に入る前に，本書で使う数学の記号，用語について簡単にまとめておく．

- 本書では，任意の $x < x'$ について $f(x) < f(x')$ が成り立つとき $f(x)$ が増加関数であるという．つまり $f(x)$ がつねに増加し続けているということである．任意の $x < x'$ について $f(x) \leq f(x')$ が成り立つとき $f(x)$ は非減少関数であるという．
  減少関数，非増加関数という言葉も同様の意味で用いる．
- 関数が連続という意味は既知とする．関数がある変数について n 回微分可能というのは，その変数についての n 階の導関数が存在する（そして連続である）という意味である．なお，単に「微分可能」というときは，「1 回微分可能」を意味する．
- 対数関数 $\log$ の底は明記しない限り e である．
- 多変数関数の引数は $f(x,y,z)$ のように全て明示し，原則として f のような省略は用いない[38]．偏微分は，

$$\frac{\partial f(x,y,z)}{\partial x} = \lim_{\varepsilon \to 0} \frac{f(x+\varepsilon,y,z) - f(x,y,z)}{\varepsilon} \tag{1.5}$$

の左辺の記号で表す（変数 y, z の値を固定し，x で微分する）．熱力学の教科書では，同じ量を

$$\left(\frac{\partial f}{\partial x}\right)_{y,z} \tag{1.6}$$

のように書くことが多いが，本書ではこの書き方は使わない．

値を代入する必要があるときは，若干だるっこしいが，混乱を避けるために，

$$\left.\frac{\partial f(x,y,z)}{\partial x}\right|_{x=a} = \lim_{\varepsilon \to 0} \frac{f(a+\varepsilon,y,z) - f(a,y,z)}{\varepsilon} \tag{1.7}$$

の左辺のような書き方をする．

- たとえば $x \searrow 0$ と書くと x を正の側から 0 に近づけることを意味し，$x \nearrow 0$ と書くと x を負の側から 0 に近づけることを意味する．

---

[38] 熱力学に限らず，関数の引数を明示するのは煩雑な作業である．また，理論の内容を深く理解している場合，引数を略して簡潔な式を書き，計算や推論を進める方が能率的なこともある．しかし，理解が不十分なまま引数を省略した書き方を続けると，理解の曖昧さを認識する機会のないままに先に進んでしまう（進んだ気になってしまう）おそれがある．

お馴染みの $x \to 0$ という書き方は，これらの二つの近づけ方で同じ結果が得られるときに用いる。

　数学書でもないのに，これらの極限を使い分けるのは衒学趣味だと思ってはいけない。たとえば 1 気圧の環境の H_2O では，$T \searrow 273.15\,\mathrm{K}$ としたとき水が得られ，$T \nearrow 273.15\,\mathrm{K}$ としたとき氷が得られることを思いだそう。

- 一般に $\varepsilon \searrow 0$ のとき (定数) $\times \varepsilon$ と同程度，あるいはより速く小さくなる量をまとめて $O(\varepsilon)$ と書く。「オーダー ε」，「ε のオーダー」などと読む。$O(\varepsilon^2)$, $O(\varepsilon^3)$ などについても同様。
- これは，数学というよりは物理の注意である。本書では，物理量を文字変数で表すとき，変数に単位（次元）も含まれているという立場をとる。たとえば ℓ が長さを表すとき，ℓ に 10 や 1000 といった数字を入れるつもりで「長さは ℓ m」とは書かない。ℓ には 10 m や 100 km のように数字と単位をかけ合わせたものが入るとして，「長さは ℓ」のように書く。これによって，単位を特定することなく $\ell = 10\,\mathrm{m} = 1000\,\mathrm{cm} = 10000\,\mathrm{mm}$ のように書くことができる。

演習問題 1.

1.1 (1-1 節) 図 1.5 で見た，気体の温度が上昇する断熱操作を具体的に構成しよう。断熱壁で囲まれた物質量 N の理想気体を扱う。はじめ，気体の体積は V，温度は T とする。まず，（これはやや非現実的だが）ピストンを気体がついてこれないほど素ばやく動かし，容器の体積を V' まで増加させる。気体は，そのあとから V' の体積全体に広がっていく。4-4 節で述べるように，このような断熱膨張では，理想気体の温度は変わらない。こうして，体積 V' 温度 T の平衡状態が得られる。次にピストンをゆっくりと押して，気体の体積を V に戻す。このときは (温度)$^{3/2}$ × (体積) = (一定) の関係が成り立つ。最終的な体積 V の平衡状態での温度 T'' を求め，それが T よりも高いことを確認せよ。

1.2 (1-1 節) 図 1.6 の熱機関で，作業物質は物質量 N の理想気体とする。シリンダーの断面積を A，おもりの質量を m，ピストンと台を合わせた質量は無視できるとして，(a) と (c) でのピストンの高さを求めよ。現実的な系の大きさと温度を想定し，このような機関がどの程度使いものになるかを検討せよ。

1.3 （1-2 節）本書の読者は，分子や原子が実在すると信じているだろう。もちろん，筆者も信じている。しかし，分子も原子も目に見えず，手でひとつひとつに触れることもできない。それでも，それらが実在すると信じるのはなぜか？ 教科書や講義で学んだというだけでは，説得力のある答えとはいえない[39]。自分なりにこの問いを検討したら，たとえば，江沢洋『だれが原子をみたか』（岩波科学の本 17）を読み，自分の答えを再検討してみよう。

---

[39] 現代の科学は科学者たちの社会的合意で作り出された壮大な物語だなどと真顔で主張する人や，完全には立証できないことを受け入れて信じるという点で，科学を信じることも創造神話を信じることも同じようなものだなどという人もいるのだ（脚注 14 参照）。こんな答えをしていては，そういった人たちの思う壺である。

2. 平衡状態の記述

　数理的な科学としての熱力学を展開していく上で，平衡状態を定量的に記述することが出発点になる。示量変数という重要な概念，外界からの操作という本質的な視点を導入した後，平衡状態の記述の問題を論じる。定義を形式的に追うだけでなく，熱力学におけるものの見方の基本を理解してほしい。

2-1　熱力学的な系の示量変数

　示量変数は，熱力学について語るための基本的な「ことば」である。さらに，われわれが熱力学的な系に働きかけるための手がかりにもなる。

　図 2.1 のように，一成分[1]の流体（つまり，気体か液体）が密閉された容器の中に閉じこめられている。この系をマクロな視点から特徴づけるのは，容器の体積 V と，物質量 N である。物質量として，たとえば質量を用いてもよい。しかし，後に気体の状態方程式 (3.34) を導入した直後に議論するように，熱力学においてはモル数を用いる方が見通しがよい[2]。体積 V と物質量 N は，われわれが系を用意する際に制御，測定できる量である。

---

　[1]多成分の系であっても，異なった成分を分離するような操作をいっさい行なわなければ（つまり，流体が複数の成分からなることに気づく理由が一つもなければ），厳密に一成分系として扱うことができる。これは，操作的な熱力学の本質的な点である。
　[2]モルというのは，物質量をはかる単位の一種（第 3 章の脚注 20 を参照）なので，「モル数」というと，質量を「グラム数」というのに似た非科学的な響きがある。ただ，いいたいことを一言で表す表現が他になかったので，あえて，わかりやすい「モル数」という言い方をした。もちろん，系の中の分子の総数を Avogadro 数で割ったのがモル数だが，熱力学では必ずしもそのように考える必要はない。

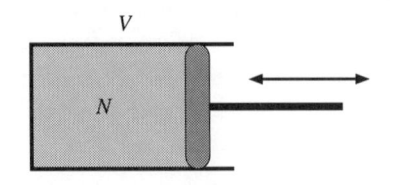

図 2.1 体積 V の容器の中に物質量（モル数）N の 1 成分の気体ないしは液体が入っている。この本の第 8 章まででは，特に断らない限り，この系（あるいは，これと同じ系をいくつか組み合わせたもの）だけを念頭において話を進める。物質量 N は系を用意した時点で固定されるが，体積 V は外界からの力学的な操作で制御できる。$X = (V, N)$ が，この系の示量変数の組である。

体積が V' で物質量が N' の系と，体積が V'' で物質量が N'' の系がある。これら二つの系を接触させ間の壁を取り除くと，結果として得られる系では，体積は $V = V' + V''$，物質量は $N = N' + N''$ のように，もとの系での対応する量の和になる。このような性質を指して，変数 V, N は，**相加的** (additive) であるという。

任意の正の実数 λ について，もとの系とそっくりだが，全体の大きさを λ 倍した新しい系を考える[3]。当然，新しい系の体積は λV，物質量は λN である。このように，**系全体の大きさを λ 倍したとき，同じように λ 倍される量は示量的** (extensive) であるという。

相加的で示量的な変数 V と N を，この熱力学系の**示量変数** (extensive variables) と呼ぶ。これらを一まとめにした (V, N) を，**示量変数の組**と呼ぶ。こうすると，示量変数の組をベクトル的に扱って，

$$\lambda(V, N) = (\lambda V, \lambda N) \tag{2.1}$$

のように書けるので便利である。

図 2.2 のように，示量変数の組が (V', N') の系と (V'', N'') の系を隣どうしに並べたものを，便宜的に一つの系とみなすと便利なことが多い。その場合の示量変数の組は，二つを並べた $\{(V', N'), (V'', N'')\}$ とする。

体積 V と物質量 N はどちらも示量変数だが，本質的な相違がある。物質量は，制御可能といっても，一度物質を容器に密閉してしまった後では

---

[3] たとえば，同じ系を二つ接触させて間の壁を除けば，2 倍の大きさの系が得られる。

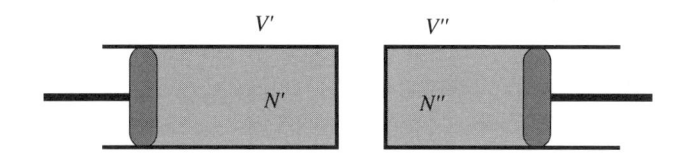

図 2.2 示量変数の組が $X' = (V', N')$ の系と $X'' = (V'', N'')$ の系を並べたもの。これを，一つの系とみなし，その示量変数の組を $X = \{X', X''\} = \{(V', N'), (V'', N'')\}$ のように書く。この系では V' と V'' という二つの示量変数が外界からの操作で制御できる。

変えられない。しかし，体積 V の方は，たとえば図 2.1 のようにシリンダーに可動なピストンをつけるといった工夫をすれば，系を用意したあとでも**純粋に力学的な操作によって制御できる**。このような力学的な操作は，これから熱力学を展開していく上で本質的な役割を果たす。

示量変数の組の構造は場合によって様々なので，示量変数の組全体を X のような一つの記号で表すと便利である。たとえば，基本的な例では $X = (V, N)$ とし，上で見た二つの系の組み合わせの場合には $X = \{(V', N'), (V'', N'')\}$ とする。いずれの場合にも，あるいは，より複雑な構造の示量変数の組についても，「系の示量変数の組を X とする」という表現ができるので，これから一般論を展開するときにはこのような記号を用いる。ただし，はじめて熱力学を学ぶ読者は，議論の具体的なイメージを見失わないために，X という記号は $X = (V, N)$ を意味すると考えて読んでいくことをすすめる。深く学び直す際に，一般の X について同じ議論が成立することを再確認すればよい。示量変数の組の定数倍 λX や，二つの示量変数の組 X, Y の組み合わせ $\{X, Y\}$ などの意味も自明だろう。図 2.2 を参照。

2-2 熱力学の視点

熱力学を本格的に議論し始める前に，熱力学的な系をどのように理解するかという基本的な立場をはっきりさせておこう。本書では，**熱力学的な**

系の外に，マクロな「力学的な世界」が存在することを前提にする。「力学的な世界」としては，マクロな物体を支配する Newton 力学の体系を想定するのが自然であり，標準的である。ただし，熱力学での議論に必要なのは，Newton の運動方程式の具体形などではなく，何らかの操作に伴って「力学的な世界」がどれだけの仕事を受け取るかという情報だけである。つまり，「力学的な世界」は各々の操作に伴う仕事を決定する枠組みでありさえすれば十分であり，Newton 力学はその一例なのである。より具体的に，力を測定するためのバネばかり，仕事を行ないはかるための糸と滑車につないだおもり，など標準的な力学の設定を思い浮かべてもよい。これから先，この「力学的世界」を単に「外界」と呼ぶことにする。

熱力学的な系は，「外界」と接してはいるが，それ自身（マクロな）力学だけでは記述しきれない。経験から知っているように，熱力学的な系は，平衡状態への緩和，発熱や吸熱，温度変化，相転移，化学反応など，力学の世界では見られなかった様々な現象を示す。そういう意味で，（マクロな）力学に支配される外界から見れば，熱力学的な系は異質な「わけのわからない」ものだといってよい。

しかし，熱力学的な系と外界がまったく相いれないわけではない。熱力学的な系には，力学的な手段で制御できる示量変数があるからだ。制御可能な示量変数は，力学的な世界と熱力学的な世界を結ぶ窓口の役割を果たす。力学的な世界である「外界」からは，示量変数は力学的な世界の一部のように見える。しかし，示量変数のふるまいは，その背後にある熱力学的な系の様々な性質を反映しているのである。

示量変数を制御することで，われわれは外界から熱力学的な系に干渉できる。そればかりでなく，示量変数の力学的な操作を通じて，示量変数を変化させたとき外界が感じる「手応え」を測ることもできる。もう少し正確にいえば，**外界からの操作によって示量変数に何らかの変化を起こす際に必要な力学的な仕事を測定することができる**。この「手応え」，あるいは「仕事」を測定することで，われわれは熱力学的な系の内部で何がおきているかについて定量的な情報を手に入れるのである。

本書では，このような考え方を熱力学の基本とする。すなわち，**示量変数への力学的な操作を通じて得られる情報が，われわれが熱力学的な系について知るべきすべてである**とみなす。これからの議論の中で，「熱力学

的な系の状態」ということをくり返し論じる．われわれが「状態」という言葉で意味している内容をもっとも生真面目に表現すれば，「定まった条件にある系において，外界からの力学的な操作で示量変数を様々なやり方で変化させたとき，どれだけの仕事が必要かを定める対応関係」であるといえる．われわれが二つの「状態」を比較して，それらが等しい，あるいは，異なっていると判断するのは，示量変数の変化と仕事との関係に着目して，それらが完全に等しいか，あるいは（部分的にせよ）異なっているかという意味においてである．

力学的な世界である外界から見た熱力学的な系は，いってみれば，「**動かせる把っ手（とって）のついたブラックボックス**」のようなものだ[4]．把っ手を動かすことは，すなわち，示量変数を制御することである．われわれは，外界の側に立って，これらの把っ手を —— ときにはがちゃがちゃと激しく，時には慎重にゆっくりと —— 動かす．それによって，われわれは熱力学的な系をある程度コントロールできるのであり，また，その操作の際の「手応え」を通して熱力学的な系の「状態」を知るのである．ブラックボックス，つまり，熱力学的な系の内部でおきていることを覗いたり，想像したりは，あえてしない．あくまで，**「把っ手」への操作とその「手応え」だけをもとにして熱力学的な系を理解していこう**というのが，基本姿勢である．

2-3　操作について

流体系において，どのような操作を考えるかを，明確にする．

2-2 節で議論したように，系の示量変数の組を外界からの力学的な操作によって変化させるのが，もっとも基本的な操作である．たとえば，系の示量変数の組が (V, N) ならば，系についたピストンを動かして V を変化させるのが力学的な操作である．図 2.2 の系のように，示量変数の組 $X = \{(V', N'), (V'', N'')\}$ に二つの体積変数がある場合には，V' と V'' の二つを変化させることができる．これは，把っ手が二つついたブラックボックスと考えられる．

---

[4] 筆者は，このような表現を（そして，おそらくは，視点をも）高橋秀俊『物理学講義：物理学汎論』（丸善）から学んだ．本書は絶版だが，2011 年 10 月にちくま学芸文庫から『高橋秀俊の物理学講義：物理学汎論』として復刊されている．

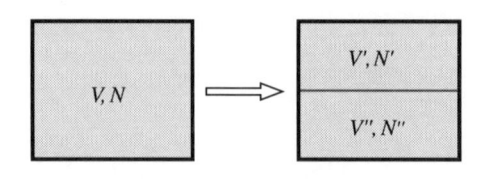

図 2.3 示量変数の組 (V, N) の系に壁を差し込んで，示量変数の組 $\{(V', N'), (V'', N'')\}$ の系に変える。

以上のような力学的な操作は，すべてマクロな力学で支配される外界から行なう。2-2 節で強調したように，外界にとって，熱力学的な系は「力学的な対象として操作できる把っ手のついたブラックボックス」である。ということは，**力学的な操作の間に熱力学的な系が外界に行なう仕事**[5]**は（少なくとも原理的には）純粋な力学的な測定から決定できる**のである。以下では，実行可能な力学的な操作について，対応する仕事が必ず定まっているということにして理論を作っていく[6]。

示量変数を介した力学的な操作の他に，以下のような「壁」に関する操作を考える。

たとえば，図 2.3 のように，示量変数の組 (V, N) の流体の系に物質をとおさない薄い壁をそっと差し込み，容器を体積 V' と V'' の二つの部分に分けることができる。新しい系の示量変数の組は $\{(V', N'), (V'', N'')\}$ である。これも，外界からの操作の一種である。系が十分に大きく壁が十分に薄ければ，壁を差し込むのに必要な仕事は実質的には無視できる[7]。これからは，これを理想化して，**壁の挿入に仕事はいっさい必要ない**としよう。

---

[5] 熱力学の本の中には，系が外界に行なう仕事に注目するものと，外界が系に行なう仕事に注目するものの二種類があるので注意が必要である。（どちらの立場をとるかで，仕事の符号が変わってくる。もちろん，熱力学の本質には何の変わりもない。）どちらの立場にも利点と欠点があり，一概に優劣はつけられない。この本では，系が外界に行なう仕事と系が環境から吸収する熱に注目するという（おそらくは，熱機関の考察に端を発する），どちらかというと伝統的な立場を採用する。

[6] 操作の途中で熱力学系が平衡にあるといった仮定はいっさい設けていない。熱力学的な系がどのような状況にあっても，把っ手を動かすのに必要な力は力学的に測定できるはずだからである。

[7] 正確にいうと，1辺の長さが L の立方体に近い系では，系の大きさを変える一般の操作に伴う仕事の大きさは L^3 のオーダーであるのに対し，壁の挿入や撤去に伴う仕事の大きさは L^2 のオーダーである。よって，L を十分に大きくとれば，後者は前者に比べて無視できる。

壁の挿入のちょうど逆にあたるのが，系の中の壁を取り除く操作である。たとえば，図 2.3 の操作を逆に見れば，体積 V', V'' の二つの部分からなる容器のしきりの壁を取り除いて，体積 V の容器に変える操作になる。壁の挿入と同様に，**壁の撤去にも仕事はいっさい必要ない**とする。

この他に，系（の一部）を新たに断熱壁（「熱」を通さない壁，2-5 節を参照）で囲む操作，系を囲っていた断熱壁を取り外して系を環境と接触させる操作も登場する。このような操作にも仕事は必要ないとする。

本書でこれから先，「何らかの操作により示量変数の組を X_1 から X_2 まで変化させる」と言うときは，これまでに説明した力学的な操作，壁に関する操作，あるいは，それらの組み合わせによって，X_1 を X_2 に変化させることを意味する。

2-4 等温環境での平衡状態

この節と次の 2-5 節では，熱力学の基盤である「平衡」，「等温の環境」，「温度」，「断熱」といった概念を議論する。明らかに，これらの概念は，力学には現れない熱力学独自のものである。温度とはいったい何か，あるいは，温度は力学とどう関係するのかといった問題を扱うのは統計物理学である。熱力学においては，われわれの経験から（理論にとって）本質的な要素を抽出し，いくつかの基本的な要請としてまとめる。この節では，温度一定の環境にある熱力学的な系の平衡状態について議論する。

大気や海水といった**環境**の中に，環境に比べて十分に小さな熱力学的な系[8]をおいたまま十分に長い時間が経過すれば，その系はマクロな観点からは時間変化が認識できない**平衡状態** (equilibrium state) に達する。しかも平衡状態の性質は，ごく少数の要素だけで決まる。これを，本書での最初の要請としよう。

要請 2.1 (等温環境での平衡状態) ある環境に熱力学的な系を置き，示量変数の組を固定したまま，十分に長い時間が経過すると，系は平衡状態に達する。平衡状態では，系の性質は時間がたっても変化しない。また，同じ環境に置いた系の平衡状態は，示量変数の組の値だけで完全に決定される。

---

[8] すでに注意したように，熱力学的な系としては，容器に入った流体を想定して読んでほしい。より一般的に言えば，外部と物質のやりとりをしない閉じた熱力学的な系を考えている。

見方を変えれば，この性質が成り立つように，十分に多くの変数を集めて示量変数の組を構成するのである．その際に本質的なのは，有限個の（しかもそれほど多くない）示量変数を考慮すれば，（マクロな視点からは）平衡状態の性質が一意に決まることだ．これは，われわれの世界に見いだされる驚くべき普遍性の一例である．なぜ現実のマクロな系がこのような強い普遍性をもっているかを解明するのは統計物理学の課題である[9]．このような普遍性をあるがままに受け入れ，そこからどのような知見が得られるかを徹底的に調べるのが熱力学の目標である．

　ここでは，環境そのものが熱力学的な系の影響を受けて変化する可能性は考えていない．これは一つの理想化だが，熱力学的な系に比べて環境が十分に大きいという状況では，十分理にかなっている．

　環境と一口にいっても，外気，海水，液体窒素など様々なものが考えられ，しかも，それらが異なった状態にあり得る．しかし，環境の中にある熱力学的な系の平衡状態だけを問題にするなら，環境の具体的な「素姓」は影響せず，その「温度」のみに意味があることをわれわれは経験的に知っている．つまり，二つの環境があったとき，たとえそれらの「素姓」が異なっていても両者の「温度」が等しければ，その中に置かれた熱力学的な系の平衡状態は等しい．この事実も，あからさまに要請しよう．

要請 2.2 (環境と温度)　各々の環境を特徴づける**温度** (temperature) T という実数の量がある．環境に置いた熱力学的な系の平衡状態を左右するのは，環境の温度だけである[10]．つまり，等しい温度の環境の中にある熱力学的な系の平衡状態は，示量変数の組が等しければ，つねに等しい．

　こうして導入した温度とは，いってみれば，その中に置いた熱力学的な系の平衡状態に関して同じように機能する環境を総称してつけた「名前」である[11]．そのような「名前」の選択には大きな自由度があるはずだが，ここでは教科書としての性格を考え，はじめから温度 T を通常の温度目盛

---

[9] このような理解はある程度進んでいるが，未だにもっとも本質的な部分は解明されていない．
[10] ここでは，平衡にある熱力学的な系の温度は一様であるとしている．しかし，内部に断熱壁でしきられた部分があるような系では，平衡状態においても，系の部分によって温度が異なることもある．複数の温度をもつこのような状態を複合状態と呼び，われわれの考えている温度一様の状態を単純状態と呼ぶことがある．この本では，6-6 節を除いて，複合状態は扱わない．
[11] 数学的な比喩を使えば，考えうるすべての環境を，その中に置いた熱力学的な系がどのような平衡状態に達するかに応じて，同値類に分類し，各々の同値類に実数を割り振ったということになる．

2-4 等温環境での平衡状態

りではかることにしよう[12]。具体的には，摂氏の温度に 273.15°C を加えた温度（単位はケルビン (K) になる），ないしはその定数倍を用いる。こうすると，温度は $T>0$ の任意の値を取る。この温度目盛りの選択の物理的な意味は 3-7 節で，本質的な意味は 5-2 節で明らかになる。

要請 2.2 を認めると，温度 T の環境下で平衡に達した系の温度もやはり T であるとするのが自然だ。これからは，そうみなすことにしよう。体積 V や物質量 N と違って，温度 T は系全体を 2 倍にしたからといって 2 倍にはならない。系の大きさが変わっても，その性質が同じなら，温度は変わらない。このように，**系全体を定数倍しても値の変わらない量は示強的** (intensive) であるという。また，温度 T のような示強的な変数を，**示強変数** (intensive variable) と呼ぶ。

要請 2.1 と 2.2 を認めれば，熱力学的な系の平衡状態をいかに記述するかという本質的な問題の答えが得られる。

結果 2.3 (平衡状態の記述) 熱力学的な系の平衡状態[13]は，環境の温度 T と示量変数の組の値 X で完全に区別できる。よって，温度と示量変数を合わせた $(T;X)$ という組で平衡状態が指定できる。

われわれは，任意の温度 $T>0$ の環境を利用できると仮定する。すると，熱力学的な系の示量変数の組を X に固定し，系を温度 T の環境の下に十分長い間置くことによって，必ず望みの平衡状態 $(T;X)$ を作り出すことができる。

温度を $T>0$ の範囲で，示量変数の組 X を許されるすべての範囲で，それぞれ動かしたとき，温度と示量変数の組を合わせた $(T;X)$ が作る（数学的な）空間を熱力学的な系の**状態空間** (state space) と呼ぶ[14]。状態空間の関数，つまり，平衡状態を一つ決めれば値が確定するような物理量を，

---

[12] はじめは温度のはかり方は決めずに議論を進め，熱力学の構造が明確になった段階で，もっとも自然な温度のはかり方を選ぶというのが，理論的な観点からはストイックなアプローチであろう。ただし，はじめから望ましい温度目盛りを採用したからといって，論理的にごまかしが入るわけではない。一方，たとえば [14] のように，「温度」や「等温の環境」といった概念を用いず，断熱操作だけを軸にして熱力学の議論を進め，完成した理論から温度を「導出する」というアプローチも可能である。純粋に理論の美しさだけを考えれば，このようなアプローチの方が優れているかもしれない。しかし，理論体系としての熱力学をある程度経験に立脚しながら把握するという目標のためには，温度一定の環境を明示的に利用する本書でのアプローチは適切だと思う。温度一定の環境の導出や，環境を仮定しないアプローチの概略については，付録 C で議論する。

[13] 正確には，単純状態。脚注 10) 参照。

[14] 正しくは，「平衡状態空間」と呼ぶべきだが，ここでは慣習に従う。

一般に，**状態量**あるいは**熱力学関数**と呼ぶ。これから先，圧力 $p(T; V, N)$, Helmholtz の自由エネルギー $F[T; X]$ など数多くの状態量を扱う。

上で，温度 T と示量変数の組 X をセミコロンで区切り，平衡状態を $(T; X)$ のように表現した。具体的に流体の系を考えて $X = (V, N)$ とすれば，平衡状態は $(T; V, N)$ と表される[15]。ここでセミコロンが示強変数 T と残りの示量変数を区切っていることに注意しよう。熱力学では示強的な量と示量的な量の区別は本質的である。後になって他の変数による表記を用いるときにも見通しがよいので，本書ではセミコロンはつねにこのような意味で用いる。また示量変数の組 X の系と示量変数の組 Y の系をまとめて一つの系とみなしたとき，その平衡状態は $(T; X, Y)$ のように書く。

流体の系が示量変数の組 (V, N) で記述されるということは，温度 T, 体積 V, 物質量 N を定めれば，平衡状態はただ一つに決まることを意味する。しかし，体積 V を決めても，容器の形状は様々であり得る。極端な話だが，流体を立方体状の容器に入れたときと，一つの辺の長さが極端に短い（たとえば分子の半径よりわずかに長い程度の）直方体の容器に入れたときとでは，たとえ二つの容器の体積が等しくても，流体のふるまいが異なっているだろう。あるいは，底面の半径に比べて高さが異常に高い円柱状の容器に流体を入れたときは，円柱を縦に置くか，横に寝かせるかで，流体への重力の影響が大きく異なり，流体のふるまいも異なってくるだろう。流体の系が示量変数の組 (V, N) で記述されると宣言することによって，上のような**容器の形状の効果や重力の効果は無視できる**ことを仮定しているのである。経験によれば，日常的なスケールの等方的な容器に日常的な密度で物質が入っている限り，このような仮定は十分に正確である。

いうまでもなく，平衡状態というのは熱力学的な系の状態の中で極めて特殊なものである。しかし，$(T; X)$ という書き方をしたときには，これが平衡状態であることを暗黙に仮定している。これから先，「平衡状態 $(T; X)$」と書くべきところを，単に「状態 $(T; X)$」と書くことがある。

---

[15] 実はこれには例外がある。7-7 節でも述べるように，気体，液体，固体の三相が共存する三重点と呼ばれる特殊な状況では，T, V, N を指定しても平衡状態は一意に定まらないのだ。その場合には，付録 E で見るように，示量変数 X の取り方を工夫する必要がある。

2-5 断熱された系の平衡状態

　工夫すれば熱力学的な系をある程度は環境の影響から遮断できるというのも、また経験からわかる事実である。たとえば、熱湯を入れたやかんを寒い部屋に置いても中のお湯がすぐに冷めてしまうわけではない。やかんを布団などでくるめばより長い時間お湯を熱いままに保つことができる。お湯を魔法瓶（ただし電気ヒーターのないもの）に入れておけば、さらに長い時間お湯は高温を保つだろう。ここで、布団や魔法瓶は、お湯から空気に「熱が逃げる」のを妨げると直観的に理解されている。このような経験を理想化して、「熱が逃げる」のを完全に防ぐような壁の存在を要請する。そのような壁を**断熱壁** (adiabatic wall) と呼ぶ[16]。「熱」の概念が登場する前に断熱壁が現れることを奇異に思うかもしれない。しかし、これから熱力学の枠組みを構築しながら見ていくように、**「熱」をあからさまに定義することなく、断熱壁に囲まれた系のふるまいだけを通じて、「断熱」という概念を明確に定義できる**のだ[17]。

　経験によれば、**断熱壁で囲まれた系も、やはり、十分に長い時間が経過すれば平衡状態に達する**。ただし、その温度は、必ずしも環境の温度と等しくはない。これらの経験事実を次のような要請としてまとめよう。

要請 2.4 (断熱系の平衡状態)　熱力学的な系を断熱壁で囲み、示量変数の組を一定値 X に固定したまま十分に長い時間が経過すると、系はある平衡状態 $(T; X)$ に達する。このときの平衡状態の温度 T は、系のはじめの状況で定まり、環境の影響を受けない。

　ここで、断熱壁で囲まれた系の平衡状態が、ある温度 T の環境下で得られる平衡状態 $(T; X)$ と完全に等しいことを要請しているのは、本質的である。また、断熱壁で囲まれた系が平衡状態に達した際に、その温度 T を決定するのは必ずしも自明な作業ではないが、われわれはこれが可能だとして議論を進める。たとえば、小さな**温度計**[18] (thermometer) を系の中に

---

[16] 断熱壁でない通常の壁を**透熱壁** (diathermal wall) と呼ぶことがある。
[17] 平衡状態についての要請 2.4 とエネルギー保存則（要請 4.3）が成り立つことが、断熱壁の本質的な特徴である。これらの要請の中には、そのような性質をもった断熱壁の存在の要請も含まれていると読んでもいい。
[18] 温度計自身も、一つの熱力学的な系であり、その状態の変化から温度を読みとることができる。このような状況を理論化したければ、付録 C の熱浴の定式化で、Y 系を注目している系、X 系を温度計とみなせばよい。

さし込むことによって，系の状態を乱さずにその温度を測定できると考えればよい[19]。

---

[19] **進んだ注**：温度計の使用が操作を主体とした熱力学へのアプローチと相いれないと思うなら，温度計を使用しない方法も考えられる。等温環境を利用して用意した様々な温度の平衡状態 $(T'; X)$ をいったん断熱壁で囲み，問題にしている断熱系での平衡状態と並べて，一連の共通の操作を施す。操作への反応から二つの状態が等しいかどうかが判定されるので，これを繰り返せば，問題にしている平衡状態の温度は原理的には決定できる。

3. 等温操作と Helmholtz の自由エネルギー

等温操作という重要な概念を導入した後，熱力学の本質ともいえる Kelvin の原理を議論する．力学のポテンシャルエネルギーの性質をヒントに，Helmholtz の自由エネルギーを定義する．Helmholtz の自由エネルギーは，温度一定の環境下の熱力学系を完全に特徴づける熱力学関数であり，本書において中心的な役割を果たす．実測できる物理量である圧力と Helmholtz の自由エネルギーの関係をつける．

3-1 等温操作

温度一定の環境にある熱力学的な系への操作について考えていこう．

一般の等温操作

はじめ，系は温度 T の環境で，平衡状態 $(T; X_1)$ にある．系を温度 T の環境においたまま，2-3 節に述べたような操作によって，示量変数の組を X_1 から X_2 まで変化させる．この際，操作をゆっくり行なうといった制限は設けない．操作の途中で，系の全体，あるいは一部を断熱壁で囲んでもかまわない．ただし，操作が終了するまでに，すべての断熱壁を取り去らなくてはならない．操作が終わった後，示量変数の組を X_2 に固定して十分に長い時間待てば，要請 2.1 により，系は新しい平衡状態 $(T; X_2)$ に落ち着く．このように，温度一定の環境下で，ある平衡状態 $(T; X_1)$ を別の平衡状態 $(T; X_2)$ に移す操作を**等温操作** (isothermal operation) と呼び，記号的に，

$$(T; X_1) \xrightarrow{\mathrm{i}} (T; X_2) \tag{3.1}$$

のように書く。ここで，矢印の上の i は等温 (isothermal) を表す。

一般に，等温操作の途中での熱力学的な系の状態は平衡からほど遠い。たとえば，シリンダー内に流体を入れてピストンを動かせば，密度の差や複雑な流れが生じるはずである。ピストンの動きが速ければ，流体の運動は極めて複雑になり，乱流が生じることもある。つまり，操作 (3.1) の途中での系の「状態」は，一般には**熱力学のことばだけでは記述しきれない複雑なもの**である。よって，等温操作の間，系が決して「等温」なわけではない。操作によって一時的に温度が上がったり下がったりすることは多いだろうし，さらには，温度の測定や定義が意味をもたない非平衡の状態をとるのが普通だろう。ここで「等温操作」ということばで表したいのは，あくまで「<u>等温</u> 環境の中で行なうだけで系の内部の温度は途中はどうなっても気にしない <u>操作</u>」程度の意味なのだ[1]。

等温準静操作と逆向きの操作

操作 (3.1) において，示量変数の時間変化があまり速くなければ，流体中に大きな流れは生じないだろう。そのとき，操作の途中での系の状態は，何らかの平衡状態にかなり近いのではないかと期待される。この考えをおし進めると，**示量変数の時間変化が非常にゆっくりしているために，操作の途中でも系はいつでも平衡状態にあるとみなせるような極限的な操作**を想定することができる。このようなゆっくりした操作を，一般に準静的 (quasistatic) であるという。そして，準静的な等温操作を，**等温準静操作** (isothermal quasistatic operation) と呼ぶ。平衡状態 $(T; X_1)$ から平衡状態 $(T; X_2)$ への等温準静操作を，

$$(T; X_1) \xrightarrow{\text{iq}} (T; X_2) \tag{3.2}$$

のように表す。

平衡状態にある流体の中に十分に薄い壁をそっと差し込むとき，系はつねに平衡状態にあるはずだ。本書では，壁を差し込むときはいつでもこの条件が満たされているという理想化を行ない，**壁の挿入は常に準静的な操作であるとする**。

しかし，その逆の壁の撤去は一般には準静的とはほど遠い。極端な例だ

---

[1] 「等温操作」という言葉を用いないことも考えたが，今日ではあまりにも一般になっていて，かつ多義的に用いられているので，あえてこの用語を用いる。

が，たとえば図 2.3 の右図で $N' \neq 0$, $N'' = 0$（つまり下の部屋が真空）なら，壁を取り除くや流体がすさまじい勢いで下の部屋に流れ込む．他方，図 2.3 の左図の平衡状態に壁を挿入して作った右図の状態では，上下の部屋の状態は元来つりあっている．このときは，壁を撤去しても，系は平衡状態にあるので壁の撤去は準静的である．つまり，**壁の両側の状態がすでに「つりあっている」ときに限り，壁の撤去も準静的な操作**である[2]．お互いにつり合っている二つの状態は必ずしもそっくり同じである必要はないことを注意しておこう．たとえば，100°C, 1 気圧の水と 100°C, 1 気圧の水蒸気は明らかに異なった状態だが，これらは完全につり合う．詳しくは 7-6 節を参照．

これと同様に，系を断熱壁で覆う操作はいつでも準静的であり，系を覆っていた断熱壁を取り去る操作は，系の温度が環境の温度にもともと等しいときに限り，準静的である．

等温準静操作 (3.2) において，示量変数の組の動きを完全に逆向きにたどれば，ちょうど逆向きの等温準静操作

$$(T; X_2) \xrightarrow{\mathrm{iq}} (T; X_1) \tag{3.3}$$

が得られる．二つの操作 (3.2) と (3.3) それぞれの途中では，系は常に平衡状態にあるので，逆向きの操作の間での系のふるまいは，もとの操作でのふるまいをそっくりそのまま時間反転したものになる．操作の途中で系が外界に及ぼす力は，途中の平衡状態に応じて決まる．よって，順方向の操作 (3.2) の間に系が外界に行なう仕事を W とすれば，逆方向の操作 (3.3) の間に系が外界に行なう仕事はちょうど $-W$ になる．操作 (3.2) とその逆向き (3.3) が共に可能であることを，

$$(T; X_1) \xleftrightarrow{\mathrm{iq}} (T; X_2) \tag{3.4}$$

のように表現する[3]．

---

[2] 壁の両側の状態がつり合っていなくても，壁に小さな穴をあけて流体をゆっくり通してやれば，「ゆっくりとした」変化がおきる．しかし，本書ではこのような操作は「準静的」とみなさない立場をとる．いずれにせよ，このような操作は用いない（唯一の例外は問題 7.10 の Joule-Thomson の実験）．

[3] 一部の教科書では，(3.4) のように逆向きの操作が考えられる操作を「可逆」な操作と呼ぶ．本書でも可逆ということばを用いるが，それは，断熱操作についてである．熱力学では，「準静的」，「可逆」といった概念の意味が曖昧になりがちなので注意が必要だ．これらの点については，6-2 節で議論する．付録 C も参照．

もちろん，準静的でない一般の等温操作 $(T;X_1) \xrightarrow{\text{i}} (T;X_2)$ についても，示量変数の値がちょうど逆向きに変化するような操作 $(T;X_2) \xrightarrow{\text{i}} (T;X_1)$ を行なうことはできる．しかし，その場合，操作の途中での系の状態は，平衡状態とは限らず，操作の経過に依存する．操作の途中での系の状態にまで注目すれば，逆向きの操作は元の操作をそのまま時間反転したものではない．そのために，二つの操作における仕事についての簡単な関係も成り立たない．これは，準静的な操作とそうでない操作の本質的な相違点である．

3-2 Kelvin の原理

この節では，Kelvin の原理[4]という熱力学の基本的要請の一つについて議論する．これは，「『熱』を自由に仕事に変えることはできない」と表現されていた経験事実をしっかりした理論的枠組みの中で述べたものであり，熱力学の本質を表しているといってもよい．

示量変数の組 X で記述される系が，はじめ平衡状態 $(T;X)$ にある．この系に等温操作を施した結果，最終的にはじめと同じ状態 $(T;X)$ に戻るとする．このように，ぐるりと輪を描くような操作を**等温サイクル** (isothermal cycle) と呼ぶ．1回のサイクルの間に，系が外界に行なう仕事を W_{cyc} と書く．Kelvin の原理とは，以下のような主張である[5]．

要請 3.1 (Kelvin の原理) 任意の温度における任意の等温サイクルについて，

$$W_{\text{cyc}} \leq 0 \tag{3.5}$$

が成り立つ．

いい換えれば，**等温サイクルが外界に対して正の仕事をすることはあり**

---

[4] William Thomson が後に Kelvin 卿となったので，「Thomson の原理」という方が正確かもしれない．

[5] Kelvin の原理を熱力学の第二法則と呼ぶことがある．ただし，流儀によっては，Clausius の原理（これは，本書では議論しない），最大仕事の原理（結果 3.3)，Planck の原理（結果 6.4)，エントロピー原理（結果 6.5) などを第二法則と呼ぶこともある．たしかに，これらの主張は熱力学の一つの本質を異なった形で表現しているとみることができる．多くの熱力学の教科書や演習書に，第二法則のこれらの異なった表現（の内のいくつか）が互いに「同値」であるという記述がみられる．ただし，このような「同値性」の「証明」は，多くの場合論理的にあまり厳しくなく，熱力学における他の様々な仮定を暗に用いていることが少なくないことは知っておくべきだろう．ちなみに，第一法則は，エネルギー保存則（要請 4.3) である．4-2 節を参照．

得ないという主張だ。その意味を理解するため，仮に Kelvin の原理が破られたらどうなるか考えてみよう。一周して元の状態に戻る間に外界に正の仕事をするサイクルが，少なくとも一つは存在する。このサイクルを何回もくり返し実行すれば，温度一定の環境にあって，自分自身は変化せず，次々と外界に仕事をし続ける，つまり，力学的エネルギーを供給し続ける装置が得られることになる。「熱」という概念はまだ導入していないが，この装置は環境から「熱」としてエネルギーを吸収し，それを力学的エネルギーに変換して外界に供給していると解釈できる。よって，ここでエネルギー保存則が破られているわけではない。それでも，このような装置が存在すればとてつもなく便利なことは確かである。われわれを包む空気や広大な海水は実質的には温度一定の環境とみなせるから，空気中や海水中にこのような装置を置きさえすれば燃料をいっさい用いずに発電を続けることができる。いわゆる「エネルギー問題」は完全に解決する。このような便利な装置を**第二種の永久機関** (perpetual machine of the second kind) と呼ぶ[6]。

Kelvin の原理 3.1 は，この世界に第二種の永久機関が存在し得ないことをいっている[7]。われわれは，この原理を要請し，熱力学の理論を展開していく。Kelvin の原理は，われわれが暮らす世界についての経験事実である。少なくとも，古来から多くの発明家が（巨万の富を手にすることを夢見ながら）様々な熱機関を考案して工夫した範囲では，第二種の永久機関は決して実現できなかった。生物の進化のプロセスは，人間よりもはるかに経験が長く技巧に長けたエンジニアであるといってよい。しかし，われわれの知る限り，いかなる生物も Kelvin の原理を破って第二種の永久機関を実現してはいない。光エネルギーを化学的エネルギーに変換する光合成のプロセスは存在するが，有限温度の環境からエネルギーを汲み上げて生命活動に利用する「熱合成」が行なわれている形跡はない。

現在のところ，Kelvin の原理を，力学や量子力学などの「よりミクロな」

---

[6] エネルギー保存則をあからさまに破るような（やはり，経験事実に基づいて実現不可能と信じられている）装置を，第一種の永久機関と呼ぶ。（どうでもいいことだが，擬似科学の世界では「フリーエネルギー」というと，後に登場する熱力学の自由エネルギー (free energy) ではなく，何らかの第一種永久機関を指すそうだ。）

[7] 第二種の永久機関はサイクルであることに注意しよう。サイクルという条件がなければ，圧縮した気体や充電した電池のように，等温の環境下で外界に正の仕事を行なう系はいくらでも存在する。

物理学の体系から満足のいく形で導くことはできない。そういう意味で，Kelvinの原理は純粋な経験法則である。しかし，この原理に「証明」がないことを不服に思う必要はない[8]。物理学の基本的要請は，様々な経験事実から普遍的な側面を抽出して設定すべきものだ。光合成のような驚異的なプロセスさえ生み出してしまう生物進化の機構が決して第二種の永久機関を作り出さなかったという事実は，Kelvinの原理の極めて説得力のある実験的検証なのだ。

最後に，Kelvinの原理3.1の簡単な帰結として次の結果を見よう。

結果 3.2 (等温準静サイクルの行なう仕事)　等温準静操作によって作られるサイクル $(T; X) \xrightarrow{\text{iq}} (T; X)$ を等温準静サイクルと呼ぶ。任意の温度における任意の等温準静サイクルについて，$W_{\text{cyc}} = 0$ が成り立つ。

導出：まず，Kelvinの原理から $W_{\text{cyc}} \leq 0$ である。この等温準静サイクルを逆向きに行なったものも，等温サイクルであり，それが外界に行なう仕事は $-W_{\text{cyc}}$ である。このサイクルにKelvinの原理を使うと，$-W_{\text{cyc}} \leq 0$，つまり $W_{\text{cyc}} \geq 0$ となる。はじめの不等式と合わせて $W_{\text{cyc}} = 0$ を得る。∎

3-3　力学におけるポテンシャルエネルギー

完全な熱力学関数の一つであるHelmholtzの自由エネルギーを導入するのがこの章の主な目標である。その動機づけを与えるために，Newton力学におけるポテンシャルエネルギー（以下では，ポテンシャルと略す）の性質を思い出しておこう。

簡単な例として，摩擦のないNewton力学で記述される3次元空間の中の一つの質量 m の粒子を考える。粒子の位置座標を $\mathbf{r}$，粒子に働く力のポテンシャルを $V(\mathbf{r})$ とする。はじめ粒子は，位置 $\mathbf{r}_1$ に（ポテンシャル力以外の何らかの力によって）固定されている。そこに，外から（ポテンシャル力以外の）力を加えて，粒子を新しい位置 $\mathbf{r}_2$ まで移動し，そこで再び固定する。この操作の間に，操作している相手に対して粒子が行なう仕事

---

[8] たとえば，重力の逆二乗則も，天体の運動や直接の実験などの経験を理想化して得られる。この法則の「証明」はない。たしかに一般相対性理論から逆二乗則を「導く」ことはできるが，それは「証明」ではない。むしろ話は逆で，逆二乗則との整合性は，相対論を正当化するためのもっとも基本的なチェック項目なのだ。

3-3 力学におけるポテンシャルエネルギー

$W_{\text{mech}}(\mathbf{r}_1 \to \mathbf{r}_2)$ は,

$$W_{\text{mech}}(\mathbf{r}_1 \to \mathbf{r}_2) = V(\mathbf{r}_1) - V(\mathbf{r}_2) \tag{3.6}$$

で与えられる。はじめと終わりに粒子は静止しているから, $V(\mathbf{r}_1)$ と $V(\mathbf{r}_2)$ は, それぞれ, はじめと終わりの粒子の全力学的エネルギーである。(3.6) は力学的エネルギーの保存則の一つの表現であり, 「**はじめと終わりの力学的エネルギーの差が, 仕事の形で外界に取り出される**」と読むことができる。

ここで重要なのは, (3.6) の関係は, 粒子を $\mathbf{r}_1$ から $\mathbf{r}_2$ へ動かす過程によらず成立することである。粒子をすばやく動かそうが, 遠回りしてぎざぎざに動かそうが, (3.6) はつねに厳密に成り立つ。

力学での (3.6) に類した関係を探っていくことが, 熱力学の構成の最初の重要なステップになる。その際, 位置座標 $\mathbf{r}$ は, 状態を指定する変数の組 $(T; X)$ に対応する。まず, 3-6 節では, (3.6) の W_{mech} を最大仕事 $W_{\max}$ で, ポテンシャル $V(\mathbf{r})$ を Helmholtz の自由エネルギー $F[T; X]$ で置き換えた関係を示す。さらに, 4-3 節では, (3.6) の W_{mech} を断熱仕事 W_{ad} で, ポテンシャル $V(\mathbf{r})$ をエネルギー $U(T; X)$ で置き換えた関係を示す。

多くの力学の教科書で, 粒子を非常にゆっくりと運ぶ場合だけについて (3.6) を議論している。念のために, この節の残りで一般の操作について (3.6) を示しておこう (問題 3.2 を参照)。

粒子の移動は時刻 $t = t_1$ から $t = t_2$ の間に起こすとし, この間に外界から (ポテンシャル力の他に) 粒子に加える力を $\mathbf{F}(t)$ とする。粒子にポテンシャル力と $\mathbf{F}(t)$ の合力が働くので, 運動方程式は,

$$m\frac{d^2}{dt^2}\mathbf{r}(t) = -\text{grad}V(\mathbf{r}(t)) + \mathbf{F}(t) \tag{3.7}$$

である。もちろん $\mathbf{r}(t)$ は時刻 t における粒子の位置である。時刻 t での粒子の全力学的エネルギーは,

$$E(t) = \frac{m}{2}\left(\frac{d}{dt}\mathbf{r}(t)\right)^2 + V(\mathbf{r}(t)) \tag{3.8}$$

である。外力 $\mathbf{F}(t)$ が働いているので, $E(t)$ は保存量ではない。運動方程

式 (3.7) を用いて $E(t)$ の時間微分を求めると，

$$\frac{d}{dt}E(t) = m\frac{d}{dt}\mathbf{r}(t) \cdot \frac{d^2}{dt^2}\mathbf{r}(t) + \frac{d}{dt}\mathbf{r}(t) \cdot \mathrm{grad} V(\mathbf{r}(t))$$
$$= \frac{d}{dt}\mathbf{r}(t) \cdot \mathbf{F}(t) \tag{3.9}$$

となる。

一方，時刻 t から $t+\Delta t$ の間に粒子が外界に行なう仕事 ΔW は，

$$\Delta W = \{\mathbf{r}(t+\Delta t) - \mathbf{r}(t)\} \cdot \{-\mathbf{F}(t)\} + O((\Delta t)^2)$$
$$= -\Delta t \frac{d}{dt}\mathbf{r}(t) \cdot \mathbf{F}(t) + O((\Delta t)^2)$$
$$= -\Delta t \frac{d}{dt}E(t) + O((\Delta t)^2) \tag{3.10}$$

である[9]。

ここで (3.9) を使った。求める仕事は，ΔW を $t=t_1$ から $t=t_2$ まで足し合わせた（積分した）ものなので，

$$W_{\mathrm{mech}}(\mathbf{r}_1 \to \mathbf{r}_2) = -\int_{t_1}^{t_2} dt \frac{d}{dt}E(t) = E(t_1) - E(t_2)$$
$$= V(\mathbf{r}_1) - V(\mathbf{r}_2) \tag{3.11}$$

のように求める (3.6) が得られる。最後の等式を導くのに，$t=t_1, t_2$ で粒子が静止していることを用いた。

3-4 二つのブラックボックス

エネルギー保存則 (3.6) は，粒子が外界にした仕事をもとにして，粒子の感じるポテンシャル $V(\mathbf{r})$ を求める関係と見ることもできる。たとえば，図 3.1 の (a) のように，（黒い）箱の中にバネにつながれた粒子があり，粒子に取りつけた把っ手が箱の外にでているとしよう。この把っ手を外界から様々に動かして粒子の位置を変え，その際に外界が受け取る仕事を測定する。この作業を様々な位置 $\mathbf{r}$ について行ない，(3.6) を用いれば，ブラックボックスの中を覗くことなく，ポテンシャル $V(\mathbf{r})$ を完全に知ることができる[10]。

---

[9] $O((\Delta t)^2)$ の意味については，1-4 節を参照。

[10] 当然ながら，様々な $\mathbf{r}$ における $V(\mathbf{r})$ の差がわかるだけで，$V(\mathbf{r})$ 全体に定数を足す不定性は残る。しかし，ポテンシャルとは元来そういう不定性をもつ。

3-4 二つのブラックボックス

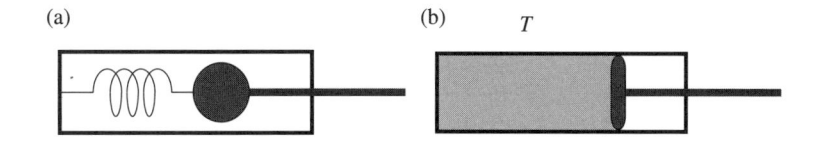

図 3.1 二つの「把っ手のついたブラックボックス」を比較することで，力学的な系と温度一定の熱力学的な系の本質的な違いが明らかになる。(a) のように，力学的なバネに把っ手のついた系では，把っ手を外界から様々に動かしたときの「手応え」（つまり仕事）から，バネのポテンシャルエネルギーを求めることができる。これが可能なのは，把っ手のはじめと終わりの位置が同じなら，操作の間の仕事は，途中の把っ手の動かし方に依存しないという重要な性質のためである。ところが，(b) のように温度一定の環境と接した「空気バネ」に把っ手のついた系では，把っ手を動かす速さに応じて仕事の大きさが変わってしまう。

次に図 3.1 の (b) のように，同じ箱がピストンのはまったシリンダーになっていて，把っ手が箱の外に出ている状況を考える。このしかけの周囲は，温度 T の環境である。大雑把に考えれば，気体の入った注射器は「空気バネ」のようにふるまうから，このブラックボックスも力学的バネのブラックボックスと同じように扱えそうに思える。先ほど同様，把っ手を動かす際の仕事を測定すれば，「空気バネ」の「ポテンシャルエネルギー」を求められるかもしれない。

しかし，ここで力学的な系と温度一定の熱力学的な系の本質的な違いが現れる。等温操作においては，**ある平衡状態から別の平衡状態に移る際に系が外界に行なう仕事が，操作の具体的な方法に依存して変わってしまう**のである。

簡単な例を見よう。図 3.2 のように，温度一定の環境にピストンのはまったシリンダーを置き，ピストンの左側に気体を入れる。話を簡単にするために，ピストンの右側は真空としよう。ピストンを動かして気体を膨張させる。(a) では，ピストンを比較的ゆっくりと動かす。気体はつねにピストンに右向きの力を及ぼしているから，この操作の間に気体は外界に対して正の仕事をする。他方，(b) では，やや極端な話ではあるが，気体が追いついて来られないほどの猛烈な速さでピストンを一気に右端まで動

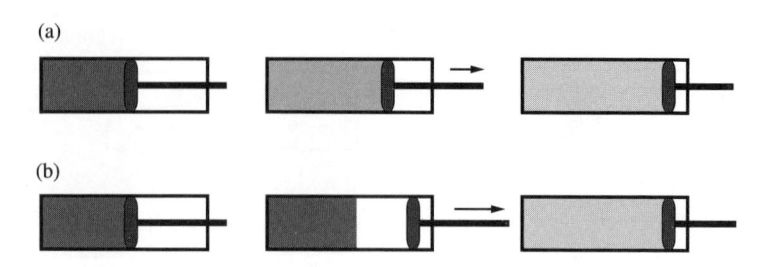

図 **3.2** 気体を膨張させる二つのやり方。(a) では，ピストンをゆっくり動かすので，気体は常にピストンを右に押し，外界に対して正の仕事をする。一方，(b) では，気体がついて来られないほどすばやくピストンを動かすので，気体は外界に対して仕事をしない。

かす[11]。気体がついて来ないのでピストンの左側は一時的に真空になり，(ピストンの右側はもともと真空なので) ピストンは力を受けない。ピストンが完全に右側に移動したあとから気体は真空だった領域にも広がっていき，やがては平衡に達する。結局，この操作の間に気体は外界に仕事をしない。しかし，系のはじめの状態も終わりの状態も (a) と (b) とでそれぞれ完全に等しい。明らかに，等温操作における仕事は，操作の方法に依存する。

3-5 最大仕事

温度一定の環境にある熱力学系についても，工夫すれば，(3.6) に類した関係を用いて，ポテンシャルエネルギーに相当する自由エネルギーを導入することができる。その要になるのが，最大仕事である。

最大仕事の定義

示量変数の組 X で記述される系において，等温操作

$$(T; X_1) \xrightarrow{\mathrm{i}} (T; X_2) \tag{3.12}$$

を考える。(3.12) の形の様々な操作について，操作の間に系が外界に行なう仕事を求める。それらの中の最大値を $W_{\max}(T; X_1 \to X_2)$ と書き，**最大仕事** (maximum work) と呼ぶ。定義から明らかに，はじめの状態 $(T; X_1)$

---

[11] これがあまりにも無茶だと思うなら，いったんピストンのすぐ左側に薄い壁を差し込み，ピストンを移動した後に壁を取り除くことを考えればよい。

と終わりの状態 $(T; X_2)$ を決めれば, $W_\text{max}(T; X_1 \to X_2)$ は一通りに決まる. 最大仕事について, 次の重要な結果が成り立つ (問題 3.3 参照).

結果 3.3 (最大仕事の原理)　最大仕事 $W_\text{max}(T; X_1 \to X_2)$ は, 任意の等温準静操作 $(T; X_1) \xrightarrow{\text{iq}} (T; X_2)$ の間に系が外界に行なう仕事に等しい.

図 3.2 や図 1.3 で見た「操作をゆっくり行なう方が仕事は大きい」という直観からも, 最大仕事の原理をある程度納得できる. ただし, 最大仕事の原理は, 操作の方法を特定しない, 考えられるあらゆる操作に及ぶ結論であることに注意したい.

最大仕事の原理の一つの帰結として, 等温準静操作の間に系が外界に行なう仕事は, はじめと終わりの状態だけで決まり, 操作の方法に依存しないことがわかる. これは, 力学の場合と似た便利な性質である.

<u>最大仕事の原理 3.3 の導出</u>: 任意の等温準静操作 $(T; X_1) \xrightarrow{\text{iq}} (T; X_2)$ を選んで固定する. この操作の間に系が外界に行なう仕事を W とする. この W が $W_\text{max}(T; X_1 \to X_2)$ であると示したい. 準静的とは限らない任意の等温操作 $(T; X_1) \xrightarrow{\text{i}} (T; X_2)$ を取り, その間に系が外界に行なう仕事を W' とする. 等温準静操作はそのまま逆向きに行なえるので, 後に選んだ等温操作に続いて, はじめに決めた等温準静操作を逆向きに行なえば,

$$(T; X_1) \xrightarrow{\text{i}} (T; X_2) \xrightarrow{\text{iq}} (T; X_1) \qquad (3.13)$$

のように, はじめの状態に戻る等温サイクルが得られる. 3-1 節で見たように, 逆向きの等温準静操作の間に系が外界に行なう仕事は $-W$ である. よって, 等温サイクル (3.13) の間に系が外界に行なう仕事は, $W_\text{cyc} = W' - W$ である. Kelvin の原理 (要請 3.1) から $W_\text{cyc} \le 0$ なので, $W' \le W$ が得られる. 後から選んだ等温操作は任意だったから, W は最大仕事に他ならない. ∎

最大仕事の原理 (結果 3.3) により, 二つの状態を結ぶ (勝手に選んだ) 等温準静操作において系が外界に行なう仕事を測定すれば, 最大仕事が決定できる. これから先では, 考えている熱力学的な系についてこのような測定が実際に行なわれ, 最大仕事 $W_\text{max}(T; X_1 \to X_2)$ が完全に決定されたとして議論を進めていく.

最大仕事の性質

最大仕事の基本的な性質をまとめておく。

3-1 節で見たように，等温準静操作を逆向きに行なう際に系が外界に行なう仕事は，もとの操作での仕事の符号を反転したものである。この事実と最大仕事の原理から，直ちに

$$W_{\max}(T; X_1 \to X_2) = -W_{\max}(T; X_2 \to X_1) \tag{3.14}$$

が得られる。

互いに何らかの操作で移り合える X_1, X_2, X_3 を取る。二段階の等温準静操作

$$(T; X_1) \xrightarrow{\text{iq}} (T; X_2) \xrightarrow{\text{iq}} (T; X_3) \tag{3.15}$$

をひとまとめに考えれば，$(T; X_1)$ から $(T; X_3)$ に至る等温準静操作になっている。二段階の操作 (3.15) の間に系が外界に行なう仕事は，それぞれの段階での仕事の和だから，

$$W_{\max}(T; X_1 \to X_3) = W_{\max}(T; X_1 \to X_2) + W_{\max}(T; X_2 \to X_3) \tag{3.16}$$

という和の規則が成り立つ。

示量変数の組 X と Y で記述される二つの系を並べて一つの系とみなす。等温準静操作

$$(T; X_1, Y_1) \xrightarrow{\text{iq}} (T; X_2, Y_2) \tag{3.17}$$

を実現する一つの方法は，各々の系での等温準静操作

$$(T; X_1) \xrightarrow{\text{iq}} (T; X_2), \quad (T; Y_1) \xrightarrow{\text{iq}} (T; Y_2) \tag{3.18}$$

を独立に行なうことである[12]。系が全体として外界に行なうのは，二つの操作における仕事の和だから，最大仕事の**相加性** (additivity)

$$W_{\max}(T; \{X_1, Y_1\} \to \{X_2, Y_2\})$$
$$= W_{\max}(T; X_1 \to X_2) + W_{\max}(T; Y_1 \to Y_2) \tag{3.19}$$

が成り立つ。同様に $\lambda > 0$ について，系の性質を変えずに大きさを λ 倍

---

[12] 等温準静操作 (3.17) が一般に (3.18) のように分解できるわけではない。最大仕事を求める際には，任意の等温準静操作を用いてよいので，(3.18) のように分解できる特別な操作を考えたのである。

したとき，系のする仕事も λ 倍になるという**示量性**

$$W_{\max}(T; \lambda X_1 \to \lambda X_2) = \lambda W_{\max}(T; X_1 \to X_2) \tag{3.20}$$

も成り立つとしよう。

3-6　Helmholtz の自由エネルギー

最大仕事を利用すれば，力学のポテンシャルに類した性質をもつ状態量 **Helmholtz の自由エネルギー** (Helmholtz free energy) が定義できる。Helmholtz の自由エネルギーは完全な熱力学関数の一つであり，本書では中心的な役割を果たす。

Helmholtz の自由エネルギーの定義

示量変数の組 X で記述される系を考える。各々の T に対して，示量変数の組の適当な値 $X_0(T)$ を固定し，（温度 T での）基準点と呼ぶ。系全体を λ 倍すると，基準点も $X_0(T)$ から $\lambda X_0(T)$ に変わるようにしておく。

単一の容器の中の物質量 N の流体の場合，基準点の一般的な形は，

$$X_0(T) = (V_0(T, N), N) \tag{3.21}$$

である。系を λ 倍して N を λN にしたとき，$X_0(T)$ が $\lambda X_0(T)$ になることを要請すると，関数 $V_0(T, N)$ は，T のみの関数 $v(T)$ を使って，$V_0(T, N) = v(T)N$ と書けることになる。よって基準点は，

$$X_0(T) = (v(T)N, N) \tag{3.22}$$

となる。関数 $v(T)$ は，等温操作だけを考察している今の段階では定まらないが，6-1 節でエントロピーを導入するときに決定する。

任意の温度 T と，$X_0(T)$ から何らかの操作で到達できる任意の X について，Helmholtz の自由エネルギー $F[T; X]$ を，

$$F[T; X] = W_{\max}(T; X \to X_0(T)) \tag{3.23}$$

と定義する[13]。最大仕事 $W_{\max}(T; X \to X_0(T))$ は T, X, $X_0(T)$ を決め

---

[13] 多くの教科書で，まずエネルギー U とエントロピー S を定義し，そこから $F = U - TS$ として Helmholtz の自由エネルギーを定義する。本書では，まず最大仕事から F を，断熱仕事から U を (4-3 節) 定義し，$S = (U - F)/T$ の関係を通じてエントロピーを導入する (6-1 節)。このように，他の教科書とは，これらの量の登場する順番は異なっている。しかし，当然だが，これらの量の間の関係はまったく変わらない。

れば一つに決まるし,基準点 $X_0(T)$ はすでに固定してある。よって,状態 $(T;X)$ を一つ決めれば,$F[T;X]$ の値は一つに決まる。つまり $F[T;X]$ は状態量,あるいは熱力学関数である[14]。示量変数をわずかに動かす際の仕事は小さいはずだから,$F[T;X]$ は X について連続と要請する。また,温度がわずかに変化しても仕事は大きくは変わらないだろうから,(実際にそうするのだが)$X_0(T)$ を T の連続関数に選べば,$F[T;X]$ は T についても連続になる[15]。

もちろん,基準点 $X_0(T)$ (あるいは関数 $v(T)$) が決まっていないので,Helmholtz の自由エネルギーの温度依存性はまだ決まらない。だが,これは理論の不備ではない。今のところ系の温度を変化させるような操作を考察していない以上,この段階で温度依存性を議論しないのは自然である[16]。

Helmholtz の自由エネルギーの性質

基準点の示量性と,最大仕事の示量性 (3.20) から,

$$F[T;\lambda X] = W_{\max}(T;\lambda X \to \lambda X_0(T))$$
$$= \lambda W_{\max}(T;X \to X_0(T)) = \lambda F[T;X] \qquad (3.24)$$

となり,Helmholtz の自由エネルギーも示量的な状態量とわかる。

また,示量変数の組 X と Y で記述される系を組み合わせて示量変数の組 $\{X,Y\}$ で記述される単一の系とみなすとき,それぞれの系の基準点 $X_0(T), Y_0(T)$ を組み合わせた $\{X_0(T), Y_0(T)\}$ を新たな系の基準点とする。最大仕事の相加性 (3.19) から直ちに,

$$F[T;X,Y] = F[T;X] + F[T;Y] \qquad (3.25)$$

となり,Helmholtz の自由エネルギーの相加性が示される。

基準点 $X_0(T)$ と何らかの操作で結ばれる任意の X_1, X_2 について,定

---

[14] $F[T;X]$ に角かっこを用いるのはミスプリントではない。これは,Helmholtz の自由エネルギーが完全な熱力学関数であることを表す表記法なのだが,その意味については 7-1 節で詳しく説明する。

[15] **進んだ注**:本書で用いる $(T;X)$ という状態の記述法が三重点などでは破綻することを 2-4 節で述べたが,そのことを考慮に入れても一般に $F[T;X]$ は T, X について連続である。付録 E, H を参照。

[16] 技術的には,ここで温度依存性を決めずに Helmholtz の自由エネルギーを導入し,後に 6-1 節でエントロピーを決めるときに同時に Helmholtz の自由エネルギーの温度依存性を決めるのが,本書でのアプローチの一つの特徴になっている。

義 (3.23) と最大仕事の性質 (3.14), (3.16) から，

$$\begin{aligned}F[T;X_1]&-F[T;X_2]\\&=W_{\max}(T;X_1\to X_0(T))-W_{\max}(T;X_2\to X_0(T))\\&=W_{\max}(T;X_1\to X_0(T))+W_{\max}(T;X_0(T)\to X_2)\\&=W_{\max}(T;X_1\to X_2)\end{aligned}\tag{3.26}$$

が得られる．重要な関係なので，力学における仕事とポテンシャルの関係 (3.6) に形を合わせてもう一度書くと，

$$W_{\max}(T;X_1\to X_2)=F[T;X_1]-F[T;X_2]\tag{3.27}$$

である．すなわち，**熱力学的な系がある状態から別の状態へ等温操作で移る際に系が外界に行なう仕事の最大値は，二つの状態の Helmholtz の自由エネルギーの差に等しい．**Helmholtz の自由エネルギーは，等温操作において，力学におけるポテンシャルエネルギーに相当する役割を果たすといえる．

自由エネルギー (free energy) というのは，このような意味で，われわれが「自由に取り出して利用できるエネルギー」という意味合いをもっている．すると，「自由に利用できないエネルギー」というものがあることが示唆されるが，この「不自由エネルギー」がエントロピーという本質的な量と関わっていることが第 6 章で明らかになる．

3-7　圧力と状態方程式

この節では，体積をわずかに変化させる等温操作に注目して，重要な状態量である圧力を導入しよう．

圧力と Helmholtz の自由エネルギー

平衡状態 $(T;V,N)$ に，等温準静操作

$$(T;V,N)\xrightarrow{\text{iq}}(T;V+\Delta V,N)\tag{3.28}$$

を施し，体積を V から $V+\Delta V$ まで変化させる．ここで，体積変化 ΔV は V に比べて十分に小さいとする．

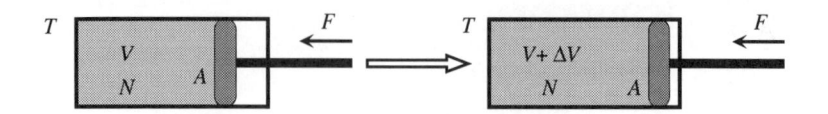

図 3.3 ピストンを力学的な操作で動かすことで,流体の入ったシリンダーの体積を変化させる。この際に流体が外界に対して行なう仕事から,圧力が定義される。

体積 V を力学的に制御するしかけとして,たとえば図 3.3 のような,断面積 A のピストンのついたシリンダーを考える。やや技巧的だが,ピストンの右側は真空だとしよう。この装置を温度 T の環境に置く。はじめ,ピストンは金具のようなもので固定されている。V を変化させるためにこの金具をはずすのだが,このとき気を抜いていると,ピストンがものすごい勢いで飛び出し準静操作にならない。そこで,金具をはずす際にピストン(についた把っ手)にちょうどよい大きさ F の力を加え,ピストンを静止させておく。それから,ピストンを押す力をわずかずつ弱めていくと,ピストンはゆっくり移動する。体積がちょうど $V + \Delta V$ になったところで,再びピストンを金具で固定すれば,操作 (3.28) が終了する。

操作 (3.28) の間に系が外界に行なう仕事は,最大仕事の原理 3.3 により,$W_{\max}(T;(V,N) \to (V+\Delta V,N))$ である。同じ仕事を外界のマクロな力学のことばで書くこともできる。ピストンの移動距離を $\Delta \ell$ と書き,操作の間に力がほとんど変化しないとすれば[17],

$$W_{\max}(T;(V,N) \to (V+\Delta V,N)) = F\Delta\ell + O((\Delta\ell)^2) \quad (3.29)$$

である。一般に,平らな面に力が働いているとき,力の大きさを面の面積で割った量を**圧力** (pressure) という。このときの圧力を $p = F/A$ と書き,$A\Delta\ell = \Delta V$ を使えば,(3.29) は,

$$W_{\max}(T;(V,N) \to (V+\Delta V,N)) = p\Delta V + O((\Delta V)^2) \quad (3.30)$$

となる。この式を逆にみれば,上で力学的な量として導入した p を,熱力学的な系の状態 $(T;V,N)$ によって定まる状態量とみなすことができる。

---

[17] 図 3.3 のように,外側の人がピストンを F という力で押しながら,力と反対向きに $\Delta \ell$ 進めば,外から系にした仕事は $-F\Delta\ell$ である。求める W は,系が外界にした仕事だから,符号を変えればよい。

3-7 圧力と状態方程式

すると, 状態量としての圧力は,

$$
\begin{aligned}
p(T;V,N) &= \lim_{\Delta V \searrow 0} \frac{W_{\max}(T;(V,N) \to (V+\Delta V,N))}{\Delta V} \\
&= \lim_{\Delta V \searrow 0} \frac{F[T;V,N] - F[T;V+\Delta V,N]}{\Delta V} \\
&= -\frac{\partial}{\partial V} F[T;V,N]
\end{aligned}
\tag{3.31}
$$

のように, Helmholtz の自由エネルギーと結ばれる。ここで (3.27) を使った。圧力は, 操作的に決定できる代表的な状態量であり, 熱力学系の性質を知るための重要な鍵になる。圧力は任意の状態 $(T;V,N)$ において正で有限の値をとり, T, V, N の連続関数であることを要請する[18]。

ここで, (3.31) の (V,N) をそのまま $(\lambda V, \lambda N)$ に置き換えた関係と, Helmholtz の自由エネルギーの示量性 (3.24) を使えば,

$$
p(T;\lambda V,\lambda N) = -\frac{\partial F[T;\lambda V,\lambda N]}{\partial(\lambda V)} = -\frac{\lambda \partial F[T;V,N]}{\lambda \partial V} = p(T;V,N)
\tag{3.32}
$$

となる。圧力は示強的な熱力学関数であるという経験事実 (ないしは, 流体の静力学からの要請) が再現される。

任意の T と N について, (3.31) を基準点 (3.22) から任意の V まで積分すれば,

$$
F[T;V,N] = -\int_{v(T)N}^{V} dV'\, p(T;V',N)
\tag{3.33}
$$

のように, Helmholtz の自由エネルギーが ($v(T)$ の任意性を除いて) 決まる。これは, 測定可能な力 (圧力) を通して Helmholtz の自由エネルギーを決定するための具体的な手続きである。

状態方程式

具体的な系において, 平衡状態での流体の圧力 $p(T;V,N)$ を T, V, N の関数として表現した式を, その系の**状態方程式** (equation of state) と呼ぶ[19]。状態方程式は, 個々の熱力学系に応じて決まるもので, 何らかの一

---
[18] これは, Helmholtz の自由エネルギー $F[T;V,N]$ が V について微分可能だという要請だといってもよい。(**進んだ注**: 三重点があっても, この連続性と微分可能性は成り立つ。付録 E を参照。)

[19] 状態方程式という言葉で, たとえば, エネルギー $U(T;V,N)$ を T, V, N の関数として表現した式などをも指す場合がある。本書では, これは「エネルギーの表式」のように具体的に表現する。「状態方程式」という言葉は圧力に限って用いる。

般論で決まるわけではない。**熱力学の理論体系からは，具体的な系の状態方程式は決定できないことを強調しておこう。**熱力学の役割は，状態方程式の満たすべき普遍的な制限を議論したり，状態方程式の特定の形に依存しない普遍的な原理や法則を追求することである。熱力学の応用では，具体的な状態方程式と熱力学の一般論の組み合わせによって様々な強力な結果を導いていく。具体的な系の状態方程式を知る最良の方法は，実験によって様々な温度と密度での系の圧力を測定することである。単純なモデル化を行なった後なら，統計物理学の手法を用いて，状態方程式を計算できる場合もある。

気体についての一連の実験から，適当な温度範囲で，体積が十分に大きいとき，気体の圧力が，

$$p(T;V,N) \simeq \frac{NRT}{V} \tag{3.34}$$

と表されることが見いだされた。ここで，R は**気体定数** (gas constant) と呼ばれる定数である。一般に，定数 R は気体の種類に依存するはずだが，物質量の単位を巧みに選べば，全ての気体について R の値を共通にすることができる。このような物質量の単位の一つが，モル (mol) である[20]。温度をケルビン (K)，力をニュートン (N)，距離をメートル (m)，物質量 N をモル (mol) で測るとき，気体定数は $R \simeq 8.3145\, \text{N·m·(K·mol)}^{-1}$ となる。

2-4 節では，温度目盛りの選び方を皮相的に与えたが，より物理現象に即した言い方をすれば，(3.34) が成り立つように選んだのがわれわれの温度だったといえる。このように温度を選ぶことを，**理想気体温度**を用いると表現することがある。

すべての T, V, N について，圧力が正確に

$$p(T;V,N) = \frac{NRT}{V} \tag{3.35}$$

で与えられるような仮想的な気体を考えることがある。それが，1-1 節で

---

[20] 分子論的な観点からすれば，1 モルとは Avogadro 数個の分子の集まりを指す量である。そこで，12 個を指す「ダース」が単位でないのと同じように，「モル」も単位ではないという考えが生じる。(「個」は単位ではないという立場をとる。リンゴが，横に 5 個，縦に 5 個，方陣状に並んでいるときの総数は 25 個^2 ではない。) これは筋の通った考え方ではあるが，熱力学的なマクロな視点では，分子の個数は決して認識できないので，「モル」を一人前の単位として扱うことに意味がある。「ダース」が認識できて「個」が認識できないという状況があり得ないことを思いだそう。いずれにせよ，本文でも述べたように，「モル」という概念は分子論に依存せず純粋にマクロな観測事実だけに基づいて定式化できるのである。

も扱った**理想気体** (ideal gas) である。正確に理想気体としてふるまう系は現実には存在しないし[21]，知られているすべての現実の系は低温で相転移をおこし液体（あるいは固体）になり定性的にも理想気体とはほど遠いふるまいを見せる。理想気体は，高温，低密度の気体の性質を議論するために便利な理論的な「おもちゃ」とみなすべきだろう。そういう意味で，熱力学の体系を構築していく際に理想気体の存在を仮定して利用するのは好ましくないという考え方がある[22]。本書では，理想気体は，基本的には一つの例として登場するにすぎず，理論の構成の中では温度目盛りの調整のためだけに用いる。

理想気体の Helmholtz の自由エネルギーを求めよう。状態方程式 (3.35) を (3.33) に代入し，簡単な積分を実行すれば，

$$F[T;V,N] = -\int_{v(T)N}^{V} dV' \frac{NRT}{V'} = -NRT \log \frac{V}{v(T)N} \qquad (3.36)$$

となる[23]。理想気体の場合の関数 $v(T)$ はエントロピーを定義した後 (6.31) で定める。理想気体の Helmholtz の自由エネルギーの最終的な表式は (7.9) である。

上で，Helmholtz の自由エネルギーとはわれわれが「自由に利用できるエネルギー」の意味であると書いた。理想気体の Helmholtz の自由エネルギー (3.36) は体積 V についての減少関数である。つまり，温度が変わらないまま気体の体積が増えれば「自由に使えるエネルギー」は減少する[24]。考えてみれば，圧縮された気体というのは膨張する際に仕事をする能力を持っているから，この解釈はもっともである。

---

[21] (3.35) よりは現実の系に近い理論的なモデルとして，van der Waals の状態方程式がある。問題 3.4 を見よ。
[22] たとえば，Clausius は理想気体を論証の道具として積極的に用いて熱力学を構築したが，Kelvin は理想気体を用いない理論構築にこだわったという [1]。
[23] ここで log の引数が無次元になるようにした。こうしておくと，様々な量の次元（単位）を把握するのに便利である。
[24] 多くの読者がすでにご存知のように，体積が変わっても，理想気体の内部エネルギーは変化しない。4-4 節を参照。

演習問題 3.

3.1 (3-2 節) 重力の効果を利用した次のような第二種永久機関のアイディアがある。これが,なぜ第二種永久機関として機能しないかを考察せよ。

図 3.4 のように,非常に細長いシリンダーの中に気体が入っている。以下のサイクルを等温の環境下で行なう。(a) シリンダーが水平に置いてある。(b) シリンダーの右端を動かさないように,シリンダーを垂直に倒す。シリンダーが長いので,重力の効果で気体がシリンダーの底に集まり,シリンダー上部は実質的に真空になる。(c) ピストンを押し下げる。シリンダー上部が真空なので,仕事は実質的に必要ないし,気体の分布も変化しない。(d) シリンダーをはじめと同じ水平の位置に戻す。(e) ピストンを引き出して,はじめの状態に戻す。

(a) と (d) で,装置全体の位置エネルギーが等しいので,(b) でシリンダーを倒す際に外界に取り出される仕事と (d) でシリンダーをもち上げるのに必要な仕事はほとんど等しい。前者で得られた仕事を後者にそのまま利用すれば[25],これらの操作はほとんどエネルギーを使うことなく実行できる。一方,(c) でピストンを押し込むとき仕事は必要なく,(e) の膨張の際には気体が(環境から熱を吸収して)外界に正の仕事をする。これらの仕事には歴然たる差がある。よって,サイクルが一周すると,この装置は外界に正の仕事をする。

3.2 (3-3 節) ポテンシャル $V(\mathbf{r}_1, \ldots, \mathbf{r}_N)$ で表される力を受ける N 粒子の系について,(3.6) に相当する関係を導け。

量子力学を知っている読者は,量子力学において (3.6) に対応する事実をどのように定式化すべきかを考察せよ。操作を行なう外界は「古典的」な存在として扱うべきであろう。(これは難しい問題で,筆者も完全な答えを知らない。このような「操作問題」は,いわゆる「観測問題」と表裏一体の同程度に本質的な問題といえよう。)

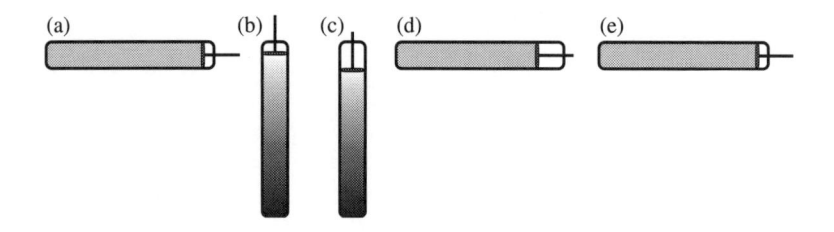

図 **3.4** 重力による密度の変化を利用した第二種永久機関。

---

[25] 同じ装置を 2 台用意して,一方で (b) を行なうとき,連動して,他方で (d) を行なうという方法もある。

演習問題 3.

3.3 （3-5 節）最大仕事の原理 3.3 を要請とすれば，Kelvin の原理 3.1 は結果にできることを示せ．

3.4 （3-7 節）van der Waals は，理想気体の (3.35) よりも現実的な圧力の表式として，van der Waals 方程式

$$\tilde{p}(T; V, N) = \frac{NRT}{V - bN} - \frac{aN^2}{V^2} \tag{3.37}$$

を提唱した．ここでは，$V > bN$ の範囲のみを考える．パラメター $a > 0$ は気体分子間の相互作用の効果を表し，パラメター $b > 0$ は気体分子の体積の効果を表す．以下，N を固定する．

T をとめて $\tilde{p}(T; V, N)$ を V の関数とみなす．ある $T_c > 0$ があって，$T > T_c$ では $\tilde{p}(T; V, N)$ は V の減少関数だが，$T < T_c$ では $\tilde{p}(T; V, N)$ は V の減少関数ではなくなる．T_c を求め，この事実を示せ．様々な T の値について $\tilde{p}(T; V, N)$ のグラフの概形を描け．(計算機を利用できるなら，そうするのもよい．ただし，やみくもにプロットする前に，自分が何を見たいかをよく考え，パラメターの値とプロットの範囲を決めるべきである．)

実は $\tilde{p}(T; V, N)$ が V の減少関数でなくなる T については，$\tilde{p}(T; V, N)$ は物理的に意味のある圧力ではない．物理的な圧力をいかにして求めるかは，問題 7.8 で取り上げる．

(3.33) を形式的に利用して，(3.37) に対応する Helmholtz の自由エネルギー $\widetilde{F}[T; V, N]$ を求めよ．$\tilde{p}(T; V, N)$ が物理的でないことに対応して，こうして得られる自由エネルギーも，物理的に不完全なところのある擬似自由エネルギーである．問題 7.8 と 10-3 節を参照．

4. 断熱操作とエネルギー

断熱壁に囲まれた系での操作，つまり断熱操作に着目することで，熱力学的な系のエネルギーを導入する。断熱準静操作は，本書全体を通じて重要な役割を果たす。

4-1 断 熱 操 作

温度一定の環境で行なう等温操作に対して，系を断熱壁で囲んで行なう操作を断熱操作と呼ぶ。Carnot は，現実の世界での複雑な操作や過程を理想化し，等温操作と断熱操作の組み合わせで代表させるという手法を開発した。この手法は，熱力学において基本的な役割を果たす。

断熱操作と断熱準静操作

熱力学的な系が平衡状態 $(T;X)$ にある。この系を断熱壁で囲み，2-3 節で議論した様々な操作を行ない，示量変数の組を X から X' まで変化させる。操作はゆっくり行なってもいいし，すばやく荒々しく行なってもよい。操作が終わった後，系を断熱壁で囲んだまま長い時間が経てば，要請 2.4 により，系は新たな平衡状態 $(T';X')$ に達する。最終的な示量変数の組 X' はわれわれが自由に選ぶことができるが，最終的な温度 T' はわれわれが決めるのではなく，系が（操作に応じて）自ら決めることに注意しよう。このようにして，ある平衡状態 $(T;X)$ から別の平衡状態 $(T';X')$ を得る操作を**断熱操作** (adiabatic operation) と呼び，記号的に，

$$(T;X) \xrightarrow{\mathrm{a}} (T';X') \tag{4.1}$$

と表現する。矢印の上の a は adiabatic (断熱) の頭文字である[1]。

準静操作の考えも，等温の場合 (3-1 節) と同様である。示量変数を変化させる力学的な操作を極めてゆっくり行なった場合，あるいは薄い壁を差し込んだ場合，系は操作の途中もつねに平衡状態にあると考えられる。このような断熱操作を**断熱準静操作** (adiabatic quasistatic operation) と呼ぶ。壁を取り除く操作は，壁の両側の状態がつり合っているときに限り，断熱準静操作になる。何らかの断熱準静操作によって，平衡状態 $(T;X)$ から別の平衡状態 $(T';X')$ が得られることを，

$$(T;X) \xrightarrow{\mathrm{aq}} (T';X') \tag{4.2}$$

と表現する。示量変数の組 X から X' に何らかの操作で到達できるなら，任意の T について断熱準静操作 (4.2) は実行可能である。ただし T' はわれわれの自由にはならない。示量変数をわずかにゆっくり変化させたとき，温度はわずかに変化するのが自然なので，(4.2) では T' は X' に連続に依存することを要請しよう。

等温準静操作の場合と同様，断熱準静操作はそっくりそのまま逆向きに実行できる。もとの断熱準静操作の間に系が外界にする仕事を W とすれば，逆向きの断熱準静操作で系が外界にする仕事は $-W$ である。操作 (4.2) とその逆向きの操作が共に可能であることを，

$$(T;X) \xleftrightarrow{\mathrm{aq}} (T';X') \tag{4.3}$$

のように表現する。

どのような断熱操作が可能か

断熱操作によってどのように温度が変化するかは，個々の熱力学的な系によってまちまちである。しかし，経験によれば，どのような熱力学的な系においても，摩擦や撹拌といった形で外界から系に仕事をしてやることで，系の温度を好きなだけ上げることができる。本書では，この事実を基本的な要請とする。

要請 4.1 (温度を上げる断熱操作の存在) $(T;X)$ を任意の平衡状態とする。$T' > T$ を満たす任意の温度 T' について，示量変数の組を変えない断

---

[1] 文献によって，「断熱」という言葉に「ゆっくり操作する」という意味をもたせることがある。本書では，断熱というのは，単に断熱壁で囲むことを意味する。

熱操作

$$(T;X) \xrightarrow{\mathrm{a}} (T';X) \tag{4.4}$$

が存在する。この操作の際，外界から系に正の仕事を行なう必要がある[2]。

たとえば 1-1 節の図 1.5 で見たように，気体をすばやく膨張させてから収縮させれば，このような温度上昇の断熱操作を実現できる。（問題 1.1 を解いていない読者は解いてほしい。）あるいは，流体の入ったシリンダーについたピストンをがちゃがちゃと往復させてやると流体中に流れが生じ，それが摩擦や粘性によって消失する際に「摩擦熱」が発生して系の温度が上がるといったことを思ってもよい。

温度を上げる操作についての要請 4.1 と断熱準静操作の基本的な性質から，断熱操作に関する重要な性質を導くことができる。

結果 4.2 (断熱操作の存在) 示量変数の組 X から X' へ何らかの操作で移ることが可能だとする。T, T' を任意の温度とするとき，二つの断熱操作

$$(T;X) \xrightarrow{\mathrm{a}} (T';X'), \quad (T';X') \xrightarrow{\mathrm{a}} (T;X) \tag{4.5}$$

のうちの少なくとも一方が必ず実現できる。

<u>導出</u>：まず $(T;X)$ に断熱準静操作を行ない X を X' まで変化させる。このとき最終的な温度 T'' はわからないが，とにかく断熱準静操作 $(T;X) \xrightarrow{\mathrm{aq}} (T'';X')$ が得られる。ここで $T' \geq T''$ なら，この操作と温度を上げる操作についての要請 4.1 で保証されている (4.4) を組み合わせて，

$$(T;X) \xrightarrow{\mathrm{aq}} (T'';X') \xrightarrow{\mathrm{a}} (T';X') \tag{4.6}$$

が得られる。つまり，$(T;X) \xrightarrow{\mathrm{a}} (T';X')$ が実現される。逆に $T' \leq T''$ なら，断熱準静操作がそのまま逆にたどれることを用いて，

$$(T';X') \xrightarrow{\mathrm{a}} (T'';X') \xrightarrow{\mathrm{aq}} (T;X) \tag{4.7}$$

とできるので，$(T';X') \xrightarrow{\mathrm{a}} (T;X)$ が実現できる。■

---

[2] 要請 4.1 の本質的な主張は，「断熱壁で囲まれた系に，外界から任意の正の量の仕事を行なうことができる」という点である。Kelvin の原理（要請 3.1）は何が許されないかについての主張であるのに対し，要請 4.1 は何が可能かについての主張であることに注意。

4-2　熱力学におけるエネルギー保存則と断熱仕事

3-4 節では, 力学的な系が外界に行なう仕事は中途の経路によらずはじめと終わりの状態だけで決まるのに対し, 温度一定の熱力学的な系が外界に行なう仕事は操作の方法や途中経過に依存することを見た. 興味深いことに, 断熱壁で囲まれた熱力学的な系では, 仕事が途中経過によらない. 本書ではこの重要な実験事実を, 熱力学を作っていく上での基本的な原理として要請する. この要請は,「断熱」という概念の本質を,「熱」という考えを用いずに, 表現したものだといってもよい.

要請 4.3 (熱力学におけるエネルギー保存則)　任意の断熱操作の間に熱力学的な系が外界に行なう仕事は, はじめの平衡状態と最終的な平衡状態だけで決まり, 操作の方法や途中経過には依存しない.

断熱操作というとき, 操作をゆっくり行なうといった仮定は入っていないことを再度強調しておく. この要請をエネルギー保存則と呼ぶ理由は, 次の節ではっきりする. これは, 19 世紀の半ばに Joule が様々な巧みな実験を行なって確立した実験事実である[3]. 同時期に Mayer, Helmholtz らも, 主として理論的な観点から同様な主張をしている. また, それよりも早く, Carnot は未発表の本の中で同じような考えを述べているという. エネルギー保存則 (要請 4.3) と Kelvin の原理 (要請 3.1) は, 熱力学を支える大きな二つの柱であり, 前者を熱力学の第一法則, 後者を熱力学の第二法則と呼ぶことがある. エネルギー保存則が熱力学と通常の力学の共通点を表し, Kelvin の原理が熱力学と力学の本質的な相違点を表しているといえよう[4].

エネルギー保存則 (要請 4.3) により,

$$(T;X) \xrightarrow{\mathrm{a}} (T';X') \tag{4.8}$$

という断熱操作が可能なら, 操作の間に系が外界にする仕事は $(T;X)$ と

---

[3] Joule 以前にも, 第一種永久機関 (熱を含めていっさいの入力なしに, エネルギーを生み出す装置) を作りだそうとして失敗した無数の人々の苦い経験があり, それが第一法則の発見の下地になったと考えられる. (ついでに述べておけば, 現代の物理学者が, 擬似科学者が考案したと称する第一種永久機関を信じない理由は, それらが熱力学の第一法則の「信念に反する」からではない. 再現可能な実験事実が提示されないというのが, 本当に意味のある唯一の理由である.)

[4] しかし, 熱力学の基本的な要請は二つや三つ程度ではすまないので, 第 n 法則という呼び方をあまり文字どおりに取らない方がいいだろう. 熱力学の第三法則とも呼ばれる Nernst-Planck の仮説については, ずっと先に 9-7 節で触れる.

$(T'; X')$ だけで決まる. この仕事を $W_{\mathrm{ad}}((T; X) \to (T'; X'))$ と書き, **断熱仕事**と呼ぶ.

最大仕事 $W_{\max}$ について 3-5 節で見たのと類似の性質が, 断熱仕事 W_{ad} についても成立する. もし,

$$(T_1; X_1) \xrightarrow{\mathrm{a}} (T_2; X_2), \quad (T_2; X_2) \xrightarrow{\mathrm{a}} (T_3; X_3) \tag{4.9}$$

という二つの断熱操作が可能なら, 断熱操作 $(T_1; X_1) \xrightarrow{\mathrm{a}} (T_3; X_3)$ は少なくともこれらの二つの組み合わせとして実現できる. このとき, 断熱仕事については明らかに和の規則

$$W_{\mathrm{ad}}((T_1; X_1) \to (T_3; X_3))$$
$$= W_{\mathrm{ad}}((T_1; X_1) \to (T_2; X_2)) + W_{\mathrm{ad}}((T_2; X_2) \to (T_3; X_3)) \tag{4.10}$$

が成り立つ.

系に何の操作も行なわないというのも一種の断熱操作だから

$$W_{\mathrm{ad}}((T; X) \to (T; X)) = 0 \tag{4.11}$$

が成り立つ. そこで, $(T; X) \xrightarrow{\mathrm{a}} (T'; X')$ と $(T'; X') \xrightarrow{\mathrm{a}} (T; X)$ という操作が共に可能な場合には, (4.10) で $(T_1; X_1) = (T_3; X_3) = (T; X)$, $(T_2; X_2) = (T'; X')$ とおいて (4.11) を使えば,

$$W_{\mathrm{ad}}((T; X) \to (T'; X')) = -W_{\mathrm{ad}}((T'; X') \to (T; X)) \tag{4.12}$$

という関係が得られる. ただし, 一般には $(T; X) \xrightarrow{\mathrm{a}} (T'; X')$ という操作が可能でも, 逆向きの $(T'; X') \xrightarrow{\mathrm{a}} (T; X)$ が可能とは限らない. もちろん, 示量変数の組を X' から X に戻してやることはいつでも可能だが, そうして断熱操作 $(T'; X') \xrightarrow{\mathrm{a}} (T''; X)$ を行なっても最終的な温度 T'' がはじめの温度 T と一致する保証はない[5].

断熱仕事の示量性

$$W_{\mathrm{ad}}((T; \lambda X) \to (T'; \lambda X')) = \lambda W_{\mathrm{ad}}((T; X) \to (T'; X')) \tag{4.13}$$

や, 断熱操作 $(T; X) \xrightarrow{\mathrm{a}} (T'; X')$ と $(T; Y) \xrightarrow{\mathrm{a}} (T'; Y')$ がともに可能な場合の相加性

---

[5] 6-2 節の結果を先取りすると, 一般に $T'' \geq T$ であり, 断熱準静操作を行なうと $T'' = T$ となる.

$$W_{\mathrm{ad}}((T;X,Y) \to (T';X',Y'))$$
$$= W_{\mathrm{ad}}((T;X) \to (T';X')) + W_{\mathrm{ad}}((T;Y) \to (T';Y')) \quad (4.14)$$

も,最大仕事の場合と同様に成り立つとしよう.

4-3 エネルギー

最大仕事から Helmholtz の自由エネルギーを (3.23) のように定義したのと同じようにして,断熱仕事を用いて新しい状態量であるエネルギーが定義できる.これは,現代の物理学を貫く基本的な量であるエネルギーのひとつの形態である.

エネルギーの定義と基本的な性質

基準の温度 T^* と示量変数の組の基準点 X^* を適当に定める.系全体を λ 倍して X を λX に変えるとき,X^* も λX^* に変わるようにしておく.単一の容器の中の物質量 N の流体の場合には,正の定数 v^* を適当に選んで,

$$X^* = (v^*N, N) \quad (4.15)$$

とすればよい.

基準点 X^* から示量変数の組 X に何らかの操作で到達できるとする.任意の温度 T について,断熱操作の存在についての結果 4.2 より,断熱操作 $(T;X) \xrightarrow{\mathrm{a}} (T^*;X^*)$ か $(T^*;X^*) \xrightarrow{\mathrm{a}} (T;X)$ の少なくとも一方が可能である.状態 $(T;X)$ の**エネルギー** (energy) あるいは**内部エネルギー** (internal energy) を,一つ目の操作が可能なとき,

$$U(T;X) = W_{\mathrm{ad}}((T;X) \to (T^*;X^*)) \quad (4.16)$$

と,二つ目の操作が可能なとき,

$$U(T;X) = -W_{\mathrm{ad}}((T^*;X^*) \to (T;X)) \quad (4.17)$$

と定義する.二つの操作が共に可能なときには (4.12) の関係があるので,二つの定義 (4.16), (4.17) は一致する.こうして状態量 $U(T;X)$ が定義された[6].温度や示量変数をわずかに変化させるために必要な仕事は小さい

---

[6] エネルギーは,エントロピー S と示量変数の組 X の関数として表現したとき完全な熱力

はずだから，エネルギー $U(T;X)$ は T, X について連続であることを要請する[7]。

エネルギー $U(T;X)$ の定義にも不定性は残っているが，それは単に基準点の選び方の自由度，いいかえれば，エネルギー全体に定数を足し引きする自由度にすぎない．ポテンシャル的な量には必然的にこのような不定性が残るものである[8]．

断熱仕事の示量性 (4.13)，相加性 (4.14) と基準点の示量性を使えば，エネルギーも示量性

$$U(T;\lambda X) = \lambda U(T;X) \tag{4.18}$$

と相加性

$$U(T;X,Y) = U(T;X) + U(T;Y) \tag{4.19}$$

をもった状態量であることがわかる．

Helmholtz の自由エネルギーの差と最大仕事を結ぶ (3.27) と同様の基本的な関係がエネルギーと断熱仕事についても成り立つ．つまり，断熱操作 $(T;X) \xrightarrow{a} (T';X')$ が可能なとき，

$$W_{\mathrm{ad}}((T;X) \to (T';X')) = U(T;X) - U(T';X') \tag{4.20}$$

となる．ことばで表せば，**熱力学的な系がある状態から別の状態へ断熱操作で移る際に，系が外界にする仕事は，二つの状態のエネルギーの差に等しい**．(4.20) は力学的な系における仕事とポテンシャルエネルギーの関係 (3.6) と同じ形をしている．熱力学的な系も，力学的な系と同様のエネルギー保存則を満たすのである．これが，要請 4.3 をエネルギー保存則と呼んだ理由である．これからは，エネルギー保存則という言葉で (4.20) を指すことも多い．

関係 (4.20) の導出：基準点 $(T^*;X^*)$ と二つの状態 $(T;X), (T';X')$ の間にどういう向きの断熱操作が可能かに応じて，以下の三つの場合に分ける必要がある．

$$(T^*;X^*) \xrightarrow{a} (T;X) \xrightarrow{a} (T';X') \tag{4.21}$$

関数になる．そのときだけ，$U[S,X]$ のように角かっこによる表現を用いる．付録 F を参照．
[7] **進んだ注**：この要請は，三重点では破綻する．付録 E を見よ．
[8] 力学のポテンシャルエネルギーや電磁気学の電位を思い出すとよい．

4-3 エネルギー

$$(T;X) \xrightarrow{\mathrm{a}} (T^*;X^*) \xrightarrow{\mathrm{a}} (T';X') \tag{4.22}$$

$$(T;X) \xrightarrow{\mathrm{a}} (T';X') \xrightarrow{\mathrm{a}} (T^*;X^*) \tag{4.23}$$

断熱操作の可能性についての結果 4.2 により,これらの三つの内の少なくとも一つが成り立つ.たとえば (4.21) の場合を考えると,エネルギーの二つ目の定義 (4.17) と断熱仕事の和の規則 (4.10) を用いて,

$$\begin{aligned}
&U(T;X) - U(T';X') \\
&= -W_{\mathrm{ad}}((T^*;X^*) \to (T;X)) + W_{\mathrm{ad}}((T^*;X^*) \to (T';X')) \\
&= -W_{\mathrm{ad}}((T^*;X^*) \to (T;X)) \\
&\quad + \{W_{\mathrm{ad}}((T^*;X^*) \to (T;X)) + W_{\mathrm{ad}}((T;X) \to (T';X'))\} \\
&= W_{\mathrm{ad}}((T;X) \to (T';X')) \tag{4.24}
\end{aligned}$$

のように (4.20) が示される.残る二つの場合にも定義 (4.16), (4.17) を適切に用いれば,ほぼ同様に (4.20) が示される.∎

次の結果は基本的である.

結果 4.4 (エネルギーは温度の増加関数) 任意の熱力学的な系において,(示量変数の組 X を固定すれば) エネルギー $U(T;X)$ は温度 T の増加関数[9]である.

導出:温度を上げる操作についての要請 4.1 で保証される断熱操作では,系が外界にする仕事は必ず負である.よって (4.20) から直ちに,任意の X と $T < T'$ を満たす任意の温度 T, T' について

$$U(T;X) - U(T';X) = W_{\mathrm{ad}}((T;X) \to (T';X)) < 0 \tag{4.25}$$

つまり, $U(T;X) < U(T';X)$ が成り立つ.∎

定積熱容量

温度 T が変化したとき,エネルギー $U(T;X)$ がどの程度変化するかは,**定積熱容量** (heat capacity at constant volume)

$$C_{\mathrm{v}}(T;X) = \frac{\partial}{\partial T} U(T;X) \tag{4.26}$$

---

[9] 言葉の用法については,1-4 節を参照.

という状態量で表される[10]。

熱容量を測定する方法について簡単に考えておこう。断熱壁で囲んだ熱力学的な系に（最終的には）示量変数の組を変えないようにして微小な仕事 ΔW を行なった際の，系の温度上昇を ΔT とする。それらの比 $\Delta W/\Delta T$ が熱容量 $C_v(T;X)$ である。外から仕事 ΔW を行なう方法には様々なものが考えられるが，系が最終的に到達する平衡状態は仕事を行なう方法によらず仕事の大きさだけで決まることが，エネルギー保存則 4.3 （とエネルギーが温度の増加関数であること）によって保証されている。具体的な方法としては，温度を上げる操作についての要請 4.1 のところで述べたように，ピストンをがちゃがちゃ動かしてもよいが，たとえば Joule が実際に行なったように，流体中に羽根車を入れてそれを外力によってぐるぐると回転させることもできる。より簡潔な方法は，断熱した系の中に電熱線を通し，外から一定時間電流を流して系の温度を上げることである（図 4.1）。この場合，仕事 ΔW は外の電源が行なった電気的な仕事になる。本書にはほとんど登場しないが，電気的な仕事は力学的な仕事と同列に扱うことができる。（つまり電源は「外界」の一部であり，「環境」の一部ではない。第 5 章の 脚注 5 を参照。） エネルギー保存則 4.3 が電気的な仕事を含めて成立することは，やはり Joule が先駆的な実験で確かめている。ちなみに，電熱線からの発熱（正確にいえば，電熱線からのエネルギー移動による熱力学的な系の温度上昇）は 「Joule 熱」と呼ばれている。

エネルギーが示量的なので，それを示強変数 T で微分した定積熱容量 $C_v(T;X)$ は示量的な状態量である。示量的な状態量は物質の総量に比例するので，物質固有の性質を表すために，定積熱容量を示量的なパラメターで割って規格化した**定積比熱** (specific heat at constant volume) という量を用いる。たとえば，熱容量を物質量で割った $c_v(T;X) = C_v(T;X)/N$ は（物質量の単位が mol なら）定積モル比熱と呼ばれる。

---

[10] これは，物体を「熱」をためておける容器のようなものとみなし，温度を上げるのにどの程度「熱」が必要かという比例係数を「熱の容量」とみなしたことに基づく歴史的な名称である。ある意味で熱素説時代の遺物といってもよい。すぐ後で見るように，熱というのはエネルギーの移動の一形態にすぎないのだから，熱容量という用語は（今となっては）不適切であり，むしろ「内部エネルギー容量」とでも呼ぶべきであろう。

4-3 エネルギー

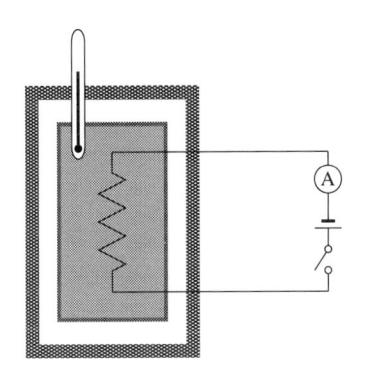

図 4.1 熱容量を測定する一つの方法。断熱壁で囲んだ系の中に電熱線を通しておく。外部の電源によって電熱線に ΔW だけの仕事を行なった際の系の温度上昇 ΔT を求めれば，系の定積熱容量は $C_\mathrm{v}(T;X) \simeq \Delta W/\Delta T$ となる。同じ装置で，系の体積を一定に保つ代わりに系の圧力を一定に保つことにすると，定圧熱容量 $C_\mathrm{p}(T,p;N)$ をはかることができる。多くの場合，現実の実験で測定可能なのは，定圧熱容量である。8-3 節を参照。現代の科学における熱容量測定の技術は極めて進んでいて，極低温から高温にいたる広い温度領域で正確に熱容量を測定するための様々な方法が知られている。

エネルギー保存則の意味

最後にエネルギー保存則の意味について，少し議論しておく。分子運動論を知っている読者は，エネルギー $U(T;X)$ を熱力学的な系を構成しているすべての粒子の全力学的エネルギー（つまり，ポテンシャルエネルギーとすべての運動エネルギーの和）とみなしているだろう。むろん，それは正しい。そう考えると，仕事とエネルギーの関係 (4.20) は，力学におけるエネルギー保存則そのものということになる。これも，ある意味で正しい。それなら，なぜエネルギー保存則 4.3 を実験事実に基づく要請としたのだろうか？この原理は，力学のエネルギー保存則の単純な帰結として「証明」できるものである以上，ここで「仮定」しなくてもよいのでないか，という疑問があるかもしれない。

確かに，熱力学の対象となるマクロな系といえども力学の法則に従う多数の粒子からなり，全体としてエネルギー保存の法則に従うというのが，

現代の物理学の常識である。筆者もそれに疑いを抱くわけではない。しかし，このような常識はそもそもどのようにして確立されたのだろう？ Newton 力学（あるいは量子力学）が数学的な体系として完成したとき，論理的必然としてマクロ系でのエネルギー保存則が導かれるのだろうか？実はそうではない。

よく考えてみると，マクロな物質を構成する数多くの粒子たちの運動も Newton 方程式（あるいは Schrödinger 方程式）で記述されるという「事実」はまったく当たり前のものではない。人類はこの「事実」を直接検証したことはないし，今後することもないだろう。マクロな物質中の無数の粒子たちの動きを実験的に観察することは，技術的な，あるいは本質的な様々な理由により不可能である。万が一そのような実験データが得られたとしても，Newton 方程式に従う膨大な粒子の運動を計算するのは実質的に不可能であり，実験と理論モデルの比較は行なえないだろう。だとすれば，われわれはなぜマクロな物質にも Newton 力学あるいは量子力学が適用できると信じるのだろう？それは，他でもない **エネルギー保存則に代表される熱力学的な観察事実が，マクロな物質が Newton 力学（あるいは量子力学）に従う数多くの粒子から構成されているという仮説と完璧に整合しているからなのだ**。経験科学としての論理的な順序についていえば，まず熱力学におけるエネルギー保存則という**実験事実**があり，そこから分子運動論的な考察を経て，マクロな物質にも力学的考察が適用できるという信念が生まれてくるということになる。

4-4　理想気体における断熱操作

理想気体におけるエネルギーと断熱準静操作について調べておこう。

理想気体のエネルギー

Gay-Lussac，後には Joule が行なった気体の断熱膨張の実験を理想化して述べることからはじめる。図 4.2 のように，体積 V の容器を壁でしきって体積 V' と $V-V'$ の二つの部分に分ける。体積 V' の部分に一種類の気体を物質量 N だけ入れ，温度 T の環境で平衡状態に落ちつかせる。残りの体積 $V-V'$ の部分は真空にしておく。次に体積 V の容器全体を断熱

4-4 理想気体における断熱操作

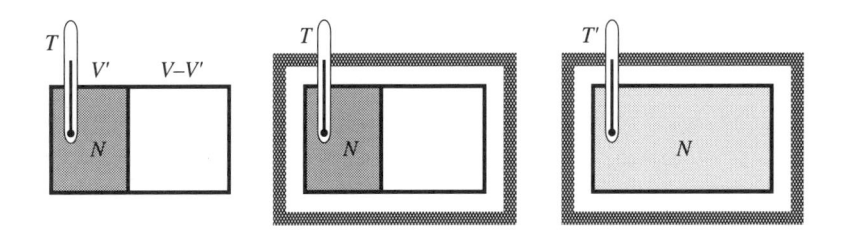

図 4.2 Gay-Lussac が行なった気体の断熱膨張の実験。断熱壁で囲んだ容器の中で気体を真空の領域に自由に膨張させる。気体の温度は、最終的にはじめとほとんど同じ温度に落ちつくことが見いだされた。この事実を理想化して、理想気体のエネルギーは体積に依存しないとする。

壁で囲み、しきりの壁を取り除く。こうして断熱操作

$$(T; V', N) \xrightarrow{\text{a}} (T'; V, N) \tag{4.27}$$

が得られる。この操作の間に系は外界に仕事をしないので、エネルギー保存則 (4.20) から

$$0 = U(T; V', N) - U(T'; V, N) \tag{4.28}$$

が成り立つ。

室温、常圧での実験によれば、操作 (4.27) の後の気体の温度 T' は、はじめの温度 T とほぼ等しい[11]。この結果を理想化して $T = T'$ が正確に成り立つとすれば、(4.28) から

$$U(T; V, N) = U(T; V', N) \tag{4.29}$$

となる。この関係を理想気体の性質であると要請しよう。ことばでいえば、**理想気体のエネルギーは体積 V によらない**[12]。

次に体積 V を一定に保ち、物質量 N の気体の定積熱容量を測定する。測定の結果、かなり広い温度と圧力の範囲で熱容量は温度によらず一定で、

---

[11] Gay-Lussac の実験では、温度計の目盛りはいったん低下し、しばらくの時間の後に再びはじめと同じ温度に上昇したという。これは、壁を取り除いた直後には気体の大きな流れが生じており、その流れが運動エネルギーをもつために、気体の (内部) エネルギーが一時的に低下したことの現れと解釈されている [1]。もちろん、このような極端な非平衡の状態を単純な熱力学で扱うことはできない。それでも、操作の前後の平衡状態に着目すれば、熱力学は定量的に厳密に適用できるのである。

[12] この性質は、実は状態方程式 (3.35) の必然的な結果であることを 7-3 節で見る。

定数 c を用いて

$$C_{\mathrm{v}}(T;V,N) \simeq cNR \tag{4.30}$$

と表されることがわかる。ここで R は気体定数（3-7 節参照）であり，定数 c は気体の種類に応じて決まる[13]。気体分子運動論や統計物理学のモデル計算からは，

$$c = \begin{cases} 3/2 & \text{単原子分子の（理想）気体について} \\ 5/2 & \text{二原子分子の（理想）気体について} \end{cases} \tag{4.31}$$

という結果が得られ，（ある温度範囲では）実測値とも比較的よく一致している。そこで理想気体では，(4.30) を理想化した

$$C_{\mathrm{v}}(T;V,N) = \frac{\partial}{\partial T}U(T;V,N) = cNR \tag{4.32}$$

がある定数 c について正確に成り立つと要請しよう。

物質量 N を固定すれば，(4.29) から $U(T;V,N)$ は T のみの関数ということになる。他方 $U(T;V,N)$ の T 依存性については (4.32) があるので，これを積分して

$$U(T;V,N) = cNRT + Nu \tag{4.33}$$

という**理想気体のエネルギーの表式**が得られる。ここで u はエネルギーの基準点の選び方に応じて決まる定数である。定数 u は化学反応を議論するまでは，本質的な役割を果たさない。圧力についての (3.35) とエネルギーについての (4.33) を合わせると，理想気体の熱力学的な性質が完全に決定される。

理想気体における断熱準静操作

理想気体のエネルギーの関数形がわかったので，断熱準静操作について調べてみよう。断熱準静操作

$$(T;V,N) \xrightarrow{\mathrm{aq}} (T';V',N) \tag{4.34}$$

では体積の変化に伴って温度が変化する。両者の関係を知るために変化が小さいとして，

$$V' = V + \Delta V, \quad T' = T + \Delta T \tag{4.35}$$

---

[13] 伝統的には定数 $\gamma = 1 + c^{-1}$ を用いる。5-5 節を参照。

4-4 理想気体における断熱操作

と書く。圧力と力の関係を思い出せば，操作 (4.34) の間に系が外界にする仕事 ΔW は，

$$\Delta W = p(T; V, N)\Delta V + O((\Delta V)^2) = \frac{NRT\Delta V}{V} + O((\Delta V)^2) \quad (4.36)$$

と表せる[14]。状態方程式 (3.35) を使った。他方，エネルギー保存則 (4.20) とエネルギーの表式 (4.33) から

$$\Delta W = U(T; V, N) - U(T + \Delta T; V + \Delta V, N) = -cNR\Delta T \quad (4.37)$$

のように仕事 ΔW を表すこともできる。(4.36), (4.37) を等しいとおけば，

$$\frac{\Delta T}{\Delta V} = -\frac{T}{cV} + O(\Delta V) \quad (4.38)$$

が得られる。$\Delta V \to 0$ の極限では，これは微分方程式

$$\frac{dT}{dV} = -\frac{T}{cV} \quad (4.39)$$

になる。V と T の初期値を決めれば，断熱準静操作を行なう限りは，T は V の関数になる。その関数の満たす微分方程式が (4.39) ということである。

微分方程式 (4.39) は変数分離型なので，

$$c\int \frac{dT}{T} = -\int \frac{dV}{V} \quad (4.40)$$

のように T と V について別個に積分すれば $c\log T = -\log V + $定数 のように解ける。こうして，

$$T^c V = 定数 \quad (4.41)$$

という関係が得られる。理想気体では，断熱準静操作を行なう限り，V と T は常に (4.41) の関係を満たしながら変化しなくてはならない。式の中の定数は V と T の初期値から定まる。(4.41) は **Poisson の関係式** と呼ばれている。

---

[14] **進んだ注**: 厳密にいうと，断熱操作で体積を微小変化させたとき観測される圧力が，等温操作を通じて定義された圧力 $p(T; V, N)$ と等しいことは自明でなく，証明を要する。(筆者は，この事実を，佐々真一氏に指摘されて，認識した。) これはあまりに技術的な問題なので，本書では議論しない。

5. 熱と Carnot の定理

等温操作において系が環境から吸収する熱という概念を導入する。熱力学にとって，歴史的な意味でも，論理的な意味でも，もっとも本質的な Carnot の定理について述べる。Carnot 自身の動機づけであった熱機関の効率の問題を議論する。本書での Carnot の定理の最大の応用は，次章でのエントロピーの導入である。

5-1 環境との熱のやりとり

まだ，ここまでに「熱」という概念は登場していない。ただ，「断熱」という表現を通じて，間接的に「熱」ということがいわれただけであった。この節では，等温操作の際に系が環境とやり取りする熱を定式化し，最大吸熱量という重要な量を定義する。

ただし，一般的な状況に適用できる「熱」の定義を与えることはしないし[1]，また，本書でこれから先，熱を積極的に取り上げることもしない。おもしろいことに，最終的な熱力学の体系は，基本的には熱という概念をいっさい用いないで，定式化することができる[2]。本書でも，熱についての考察は必要最小限に留め，最終的には熱についてあからさまに語る必要のない体系を作り，それを応用することを目指す。

---

[1] そのような熱の定義が可能かどうかも定かではない。ただし，より広い状況での熱の定義については，問題 5.1, 5.2 を参照。

[2] 1-3 節では熱は「黒幕」だと書いた。ただし，(未完成の) 非平衡の熱力学などまでを視野にいれれば，熱の概念はもっと本質的な形で必要になるかもしれない。

環境から吸収する熱

示量変数の組 X で記述される系で,任意の等温操作

$$(T;X) \xrightarrow{\text{i}} (T;X') \tag{5.1}$$

を行なう。操作 (5.1) の間に系が外界に行なう仕事を W とする。操作 (5.1) の間に系のエネルギーは $U(T;X) - U(T;X')$ だけ減少する。この系が純粋に力学的な系なら,あるいは,操作 (5.1) が断熱操作なら,(3.6),(4.20) により仕事はエネルギーの減少と等しく,

$$W = U(T;X) - U(T;X') \tag{5.2}$$

が成り立つはずである。しかし,熱力学的な系における等温操作では,等式 (5.2) は一般には成り立たない。実際,理想気体の等温での膨張では,左辺の仕事は正だが,右辺のエネルギーの差は (4.33) より 0 である。より一般に,(5.2) の右辺ははじめと終わりの状態だけで決まるが,左辺の仕事は操作の途中経過に依存する(3-4 節)。

(5.2) が成り立たないということは,外界が系から得た(力学的)エネルギー W と系が失ったエネルギー $U(T;X) - U(T;X')$ がつり合わないことを意味する。広い意味でのエネルギー保存則が完全に破綻してしまうと考えるのは非建設的だろう。この状況でも何らかの意味でエネルギー保存則が成り立つと考えることにしよう。すると,(5.2) が成り立たないときには,**熱力学的な系は何らかの方法で温度一定の環境と直接にエネルギーのやりとりをしているとみなすべきである**。他には,エネルギーの「でどころ」が考えられないからだ。2-2 節などで強調したように,外界とやり取りするエネルギー W は,外界の力学的なふるまいを観察することで決定できる。これに反して,今考えつつある,系と環境との直接のエネルギーのやり取りは,われわれに見ることのできない間に「こっそり」行なわれるとみなす。このようなエネルギーのやり取りの形態を**熱** (heat) と呼ぶのである。具体的には,操作 (5.1) の間に系が環境から受け取った熱(正確にいえば,熱という形で受け取ったエネルギー)Q を,(5.2) に熱の項を加えたエネルギー保存の式

$$W = U(T;X) - U(T;X') + Q \tag{5.3}$$

により定義する[3]。

これは極めて重要な定義なので，特に次のようにまとめ直しておこう。

定義 5.1 (等温操作における吸熱量の定義) 任意の等温操作 $(T; X) \xrightarrow{\mathrm{i}} (T; X')$ をとり，その間に系が外界に行なう仕事を W とする．この操作の間に系が環境から熱として受け取るエネルギーは

$$Q = W + U(T; X') - U(T; X) \qquad (5.4)$$

である[4]．

熱 Q の意味をよりはっきりさせるために，(5.4) を

$$U(T; X') - U(T; X) = -W + Q \qquad (5.5)$$

と書き直そう．(5.5) の左辺は操作 (5.1) の間の系のエネルギーの変化量を，右辺は実際に系が外（＝外界＋環境）から受け取ったエネルギーを表している．われわれは，やりとりされたエネルギーを，**外界（＝力学的世界）からの仕事としてあからさまに認識できる部分** $-W$ とそれ以外の部分とに分け，後者を環境から受け取った熱 Q とみなすのである[5]．くり返しになるが，われわれが熱のやりとりを直接に認識することはできない[6]．エネルギー変化と仕事の収支を合わせることによってのみ，熱のやりとりを知ることができるのだ．

こうして，ようやく熱力学の体系の中に「熱」の概念が現れた．しかし，(5.4) は，ある等温操作 (5.1) の間に系が受け取った熱を表しているにすぎないことに注意しよう．たとえば $Q(T; X)$ とでも書けるような状態量としての「熱」が定義されたわけではない．熱というのは，あくまでもエ

---

[3] (5.3) の関係を熱力学第一法則と呼ぶ文献もある．その場合にも，法則の根幹は，熱力学系においてもエネルギー保存則が成立することだと考えたい．

[4] この定義の簡単な拡張について，問題 5.1 と 5.2 を見よ．

[5] より一般の過程を考えると，仕事と熱の区別は，微妙な問題になる．一つの筋のとおった立場は，**外界のマクロな状況の変化から確定できるエネルギーの移動は，すべて仕事とみなす**ことである（著者は，原則として，この立場をとる）．すると，電熱線による Joule「熱」の発生や，流体中の羽根車を回すことによる温度上昇は，「仕事」とみなされる．いずれも，発電機や羽根車につけたおもりの落下距離などからエネルギーを確定できるからである．（進んだ注：だが，話は単純ではない．ピストンの移動に伴う仕事の場合には，外界から熱力学的な系に正の仕事を行なうことができるだけでなく，熱力学的な系に外界へ正の仕事をさせることもできる．ところが，上の Joule「熱」や羽根車の回転の場合，同じ手段で系に正の仕事をさせることはできない．これらの「仕事」は，ピストンの移動 —— より一般に，示量変数の変化 —— による仕事とは本質的に異なっているのだ．）

[6] ただし，環境と系が接触する部分の温度勾配の測定などによって間接的に熱の移動を観測する実験の手法もある．熱の測定については，付録 C，特に脚注 1 と C.2 節，も参照．

ネルギーの移動の一形態であり，熱に相当する状態量が定義されることは決してない[7]。これは，現代的な熱力学が生まれるために，必須の認識であった。

熱と分子論

分子論的な立場からは，「熱という形でのエネルギーの移動」も基本的には系と外の世界との力学的なエネルギーのやりとりとみなされる。ただし，その際のエネルギーの移動は，分子どうしが衝突し合って運動エネルギーをやりとりするといったミクロなレベルで生じていると想像する。このような過程はわれわれには観測不可能だから，認識不可能な「熱」によるエネルギーの移動とみなされることになる。もしもミクロなレベルでのエネルギー交換を力学的仕事と認識できる視点があれば，「熱」という概念は消失し，全てのエネルギーのやりとりは仕事とみなされるだろう。同時に，環境の概念もなくなり，系の外側には力学的な外界だけが残ることになる。

だからといって，人間の測定能力や知識の不完全性のために熱力学というものの見方が存在すると考えてはいけない。われわれのまわりのマクロな系が，大きく隔たった二つのスケールでのエネルギーの移動を利用しているというのは，人間の能力とは無関係な客観的な事実なのである。仮に人間にミクロなスケールでのエネルギーの移動が認識できたとしても，異なったスケールでのエネルギーの移動を別個に取り扱い，マクロなスケールでの普遍的な構造としての熱力学を発展させたに違いない。

現代的な熱力学が成立する以前の科学者の多くは，「熱」を物体に蓄えられた「熱素」という特別の物質とみなし，その総量は保存すると考えていた。このように書くと，それらの人々はエネルギー $U(T; X)$ の存在に気がついており，それを「熱」ないしは「熱素」という名前で呼んでいたのではないかと（好意的に）解釈したくなるかもしれない。しかし，本質的なのは，何という名前で呼ぶにしろ，$U(T; X)$ という量が増減するために，

---

[7] たとえば，$T < T'$ について，$(T; X) \to (T'; X)$ という，X を変えずに，温度を上昇させる操作を考える。この操作は，たとえば，系を温度 T' の環境に接触させることで実現できる。(これは，広義の等温操作になる。問題 5.1, 5.2 を参照。) この際，エネルギーは熱としてのみ移動するので，状態 $(T'; X)$ には「熱がたまっている」といいたくなる。しかし温度を上げる操作についての要請 4.1 で見たように，熱がまったく介在しない方法でも，同じ操作を実現することができるのだ。

目に見える方法（われわれの用語では「仕事」）と目に見えない方法（われわれの用語では「熱」）の二種類があるという点である．熱素説時代の科学者はこの事実を認識していなかったと思われる．

最大吸熱量

等温操作 (5.1) の間に系が吸収する熱は，操作の間に系が外界にする仕事 W を使って，(5.4) のように書ける．ここで，はじめの状態 $(T;X)$ と終わりの状態 $(T;X')$ を固定したまま，等温操作 (5.1) を様々に変え，吸熱量 Q を最大にすることを考える．(5.4) の右辺でエネルギーに依存する部分は操作の選び方によらないので，仕事 W を最大にすればよい．仕事 W の最大値は 3-5 節で詳しく調べた最大仕事である．$W_{\max}$ と同様な記号を用いて，等温操作における**最大吸熱量**を，

$$Q_{\max}(T;X \to X') = W_{\max}(T;X \to X') + U(T;X') - U(T;X) \qquad (5.6)$$

と書こう．さらに最大仕事と Helmholtz の自由エネルギーの関係 (3.27) を使えば，

$$Q_{\max}(T;X \to X') = F[T;X] - F[T;X'] + U(T;X') - U(T;X) \qquad (5.7)$$

のように書ける．最大吸熱量を決定するためには，熱を直接測定する必要はなく，様々な等温準静操作と断熱準静操作における仕事を測定すれば十分なのである．

互いに何らかの操作で移りあえる X_1, X_2, X_3 について，最大仕事の和の規則 (3.16) から，最大吸熱量も同じ和の規則

$$Q_{\max}(T;X_1 \to X_3) = Q_{\max}(T;X_1 \to X_2) + Q_{\max}(T;X_2 \to X_3) \qquad (5.8)$$

を満たす．示量変数の組 X と Y の系を組み合わせた等温操作

$$(T;X,Y) \xrightarrow{\text{i}} (T;X',Y') \qquad (5.9)$$

について，最大仕事の相加性 (3.19) とエネルギーの相加性 (4.19) から，最大吸熱量の相加性

$$Q_{\max}(T;(X,Y) \to (X',Y'))$$
$$= Q_{\max}(T;X \to X') + Q_{\max}(T;Y \to Y') \qquad (5.10)$$

が成り立つ．同様に，示量性

$$Q_{\max}(T; \lambda X \to \lambda X') = \lambda Q_{\max}(T; X \to X') \tag{5.11}$$

も成り立つ．

5-2 Carnotの定理 —— 最大吸熱量の比の普遍性

示量変数の組 X で記述される熱力学的な系をとり，環境との熱のやりとりに着目する．温度 T の環境で，系が任意の状態 $(T; X_0)$ から別の状態 $(T; X_1)$ に等温操作で移る際に，系が吸収し得る熱の最大値は $Q_{\max}(T; X_0 \to X_1)$ である．この量は正とする[8]．

異なった温度 T' において $Q_{\max}(T; X_0 \to X_1)$ と比較すべき量を考えたい．単純に $Q_{\max}(T'; X_0 \to X_1)$ を持ってくるのも必然性に欠けよう．温度 T' のときに比較すべき二つの状態は系そのものに決めてもらうことにして，断熱準静操作

$$(T; X_0) \xleftrightarrow{\text{aq}} (T'; X_0'), \quad (T; X_1) \xleftrightarrow{\text{aq}} (T'; X_1') \tag{5.12}$$

が可能なように X_0' と X_1' を選ぶ．そして，$Q_{\max}(T; X_0 \to X_1)$ に対応する温度 T' での吸熱量として $Q_{\max}(T'; X_0' \to X_1')$ を考える（図5.1）．

熱力学におけるもっとも意味深く重要な結果の一つである Carnot の定理を述べよう．

結果 5.2 (Carnot の定理) 最大吸熱量の比

$$f(T', T) = \frac{Q_{\max}(T'; X_0' \to X_1')}{Q_{\max}(T; X_0 \to X_1)} \tag{5.13}$$

は，熱力学的な系の選択，(5.12) を満たす参照点の具体的な選び方に依存せず，二つの温度 T と T' だけで定まる．特に，われわれの採用している温度目盛りでは，

$$f(T', T) = \frac{T'}{T} \tag{5.14}$$

となる．

吸熱量の比 $f(T', T)$ は **Carnot 関数** (Carnot function) と呼ばれる．Carnot の定理の本質的な主張は，$f(T', T)$ が参照点や系に依存しない普

---

[8] 任意の $T > 0$ と X_0 について，この条件を満たす X_1 が必ず存在する．問題 5.3 を見よ．

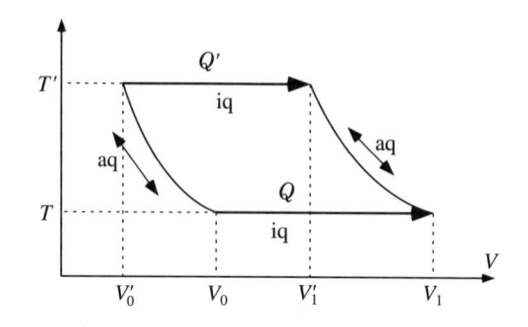

図 5.1 温度 T と T' において図のような等温準静操作をとり，それぞれでの吸熱量を $Q = Q_{\max}(T; X_0 \to X_1)$, $Q' = Q_{\max}(T'; X'_0 \to X'_1)$ とする。これらの吸熱量の比 Q'/Q は温度 T, T' のみで決まる普遍的な量であり，T'/T に等しいというのが Carnot の定理の主張である。図では，示量変数の組 $X = (V, N)$ の単一の容器の中の流体の系を想定している。物質量 N は変化しないので，$X_0 = (V_0, N)$, $X_1 = (V_1, N)$, $X'_0 = (V'_0, N)$, $X'_1 = (V'_1, N)$ として V-T 平面に操作の様子を示した。

遍的な量だという点である。Carnot 関数がちょうど T'/T になったのは，われわれがたまたま**熱力学の普遍的な性質**に照らしてもっとも自然な**温度目盛り**を使っていたことを意味するにすぎない。このような温度目盛りを用いることを，**絶対温度**を採用すると表現することがある[9]。

Carnot は，熱素説的な枠組みの中で熱機関の効率の上限を導く仕事をした。結果 5.2 は Carnot の業績そのものではないが，その核心は Carnot によるといってよい。

Carnot の定理の主要部分の証明は，節を改めて行なう。この節の残りで，Carnot 関数の普遍性を仮に認め，われわれの温度目盛りでは Carnot 関数 $f(T', T)$ が T'/T に等しいことを示しておこう。

<u>等式 (5.14) の導出</u>：Carnot 関数 $f(T', T)$ の値は熱力学的な系の選択に依存しないので，理想気体で具体的な計算を行なえばよい。

---

[9] Carnot の定理を得るまでは，任意性の高い経験温度を用い，Carnot 関数に基づいて普遍的な絶対温度を再定義するというのが，理論的には，よりストイックな立場である。(多くの熱力学の教科書に，そのような議論が見られる。) ただし，われわれのように，はじめから「正しい」温度を用いることが，論理的に劣っているわけではない。

5-3 Carnot サイクル

最大吸熱量を自由エネルギーとエネルギーで表す関係 (5.7) と，理想気体の自由エネルギーの表式 (3.36) とエネルギーについての (4.29) より

$$Q_{\max}(T;(V_0,N)\to(V_1,N)) = F[T;V_0,N] - F[T;V_1,N]$$
$$= NRT\log\frac{V_1}{V_0} \quad (5.15)$$

となる。次に任意の温度 T' に対して (5.12) に対応する断熱準静操作

$$(T;V_0,N) \xleftrightarrow{\text{aq}} (T';V_0',N), \quad (T;V_1,N) \xleftrightarrow{\text{aq}} (T';V_1',N) \quad (5.16)$$

を取る。(5.15) と同様に，

$$Q_{\max}(T';(V_0',N)\to(V_1',N)) = NRT'\log\frac{V_1'}{V_0'} \quad (5.17)$$

である。

ここで Poisson の関係 (4.41) から $T^c V_0 = (T')^c V_0'$, $T^c V_1 = (T')^c V_1'$ が成り立つので，$V_1/V_0 = V_1'/V_0'$ とわかる。これと，吸熱量についての (5.15), (5.17) から，最大吸熱量の比は，

$$f(T',T) = \frac{Q_{\max}(T';(V_0',N)\to(V_1',N))}{Q_{\max}(T;(V_0,N)\to(V_1,N))} = \frac{T'}{T} \quad (5.18)$$

となる。∎

5-3　Carnot サイクル

Carnot の定理の証明のために，**Carnot サイクル** (Carnot cycle) と呼ばれる一連の操作に注目する。前節で導入した四つの状態とそれらを結ぶ操作を組み合わせた

$$(T';X_0') \xrightarrow[\text{(a)}]{\text{iq}} (T';X_1') \xrightarrow[\text{(b)}]{\text{aq}} (T;X_1) \xrightarrow[\text{(c)}]{\text{iq}} (T;X_0) \xrightarrow[\text{(d)}]{\text{aq}} (T';X_0') \quad (5.19)$$

が Carnot サイクルである。矢印の下の (a), (b), (c), (d) という記号は，以下の議論を追うのに便利なように，図 5.2, 5.3 に対応させて各々の操作につけた名前であり，本質的な意味はない。また，$Q_{\max}(T;X_0\to X_1) > 0$ であった。

系は状態 $(T';X_0')$ から出発し，温度 T' での等温準静操作 (a) の後，断熱準静操作 (b) によって温度 T に達し，温度 T での等温準静操作 (c) の後，断熱準静操作 (d) によって再び出発点の $(T';X_0')$ に戻る。ぐるっと

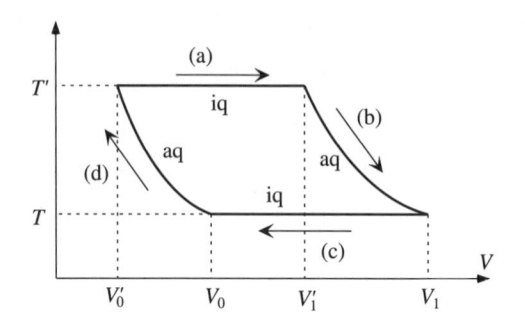

図 5.2　単一の容器の中の流体を用いた Carnot サイクルの例。変数の取り方は，図 5.1 と同じ。

回って出発点に戻る操作なので，サイクルと呼ぶ。ただし一周の間に二つの温度一定の環境と相互作用するので，等温サイクルではない。図 5.2 を参照。このようなサイクルは熱機関の効率を議論するために Carnot が導入したものである。熱機関の効率についての Carnot の結果については，5-5 節で取り上げる。

Carnot サイクルには二つの異なった温度における等温準静操作が現れる。(a) の等温操作 $(T'; X'_0) \xrightarrow{\text{iq}} (T'; X'_1)$ で，系は温度 T' の環境から $Q_{\max}(T'; X'_0 \to X'_1)$ だけの熱を吸収[10]する。(c) の等温準静操作 $(T; X_1) \xrightarrow{\text{iq}} (T; X_0)$ で，系は温度 T の環境から $Q_{\max}(T; X_1 \to X_0) = -Q_{\max}(T; X_0 \to X_1) < 0$ の熱を吸収する。同じことを，$Q_{\max}(T; X_0 \to X_1) > 0$ の熱が系から発生して環境に流れ込むといってもよい。図 5.3 を参照。

Carnot サイクルが一周する間に外界に行なう仕事を W_{cyc} とする。熱としてのエネルギーの出入りについての今の考察から，

$$W_{\text{cyc}} = Q_{\max}(T'; X'_0 \to X'_1) - Q_{\max}(T; X_0 \to X_1) \tag{5.20}$$

という関係があることがわかる。あまりにも導出が唐突だと思われるといけないので，地道に各操作での仕事を求めることで，(5.20) を再導出しておこう。等温準静操作における仕事は最大仕事で表現し，断熱操作での仕

---

[10] Carnot の定理が証明されれば，T も T' も正だから，この吸熱量は正であることがわかる。証明のためには，この量の符号を知る必要はない。

5-3 Carnot サイクル

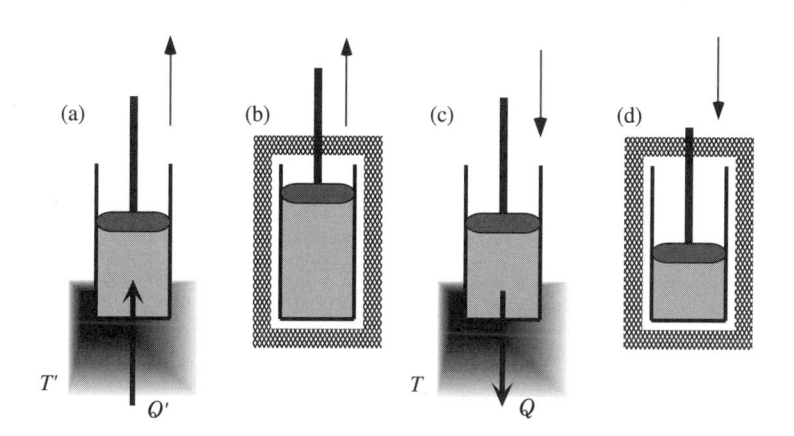

図 **5.3** 図 5.2 の Carnot サイクルの模式図。(a) 温度 T' の環境での膨張の操作, (b) 断熱膨張の操作, (c) 温度 T の環境での圧縮の操作, (d) 断熱圧縮の操作の四つの操作をくり返してもとの状態に戻る。この間に系は, (a) では温度 T' の環境から $Q' = Q_{\max}(T'; X_0' \to X_1') > 0$ の熱を吸収し, (c) では温度 T の環境に $Q = Q_{\max}(T; X_0 \to X_1) > 0$ の熱を放出する。これが, Carnot サイクルを「熱機関」として見る立場である。

事はエネルギー保存則 (4.20) で評価すると,

$$\begin{aligned}
W_{\text{cyc}} =& W_{\max}(T'; X_0' \to X_1') + W_{\text{ad}}((T'; X_1') \to (T; X_1)) \\
& + W_{\max}(T; X_1 \to X_0) + W_{\text{ad}}((T; X_0) \to (T'; X_0')) \\
=& W_{\max}(T'; X_0' \to X_1') + U(T'; X_1') - U(T; X_1) \\
& + W_{\max}(T; X_1 \to X_0) + U(T; X_0) - U(T'; X_0') \\
=& Q_{\max}(T'; X_0' \to X_1') + Q_{\max}(T; X_1 \to X_0) \quad (5.21)
\end{aligned}$$

となる。最後は最大吸熱量についての (5.6) を用いた。

このように一つの環境から熱を吸収し, 別の環境に熱を放出しつつ, 二つの熱量の差に相当する仕事を外界に行なうのが, 熱機関の特徴である。

5-4　Carnot の定理の証明

一つの環境と相互作用するサイクルには Kelvin の原理 (要請 3.1) をあてはめて解析することができるが，二つの環境を利用する Carnot サイクルにその方法は使えない。そこで，やはり **Carnot** サイクルを行なう別の系を用意し，二つの系を上手に組み合わせて，全系は（実質的には）一つの環境とだけ相互作用する等温サイクルを行なうようにする。そうすれば，Kelvin の原理 3.1 を適用することができる。これは，Carnot が発見した熱力学における非常に強力な論法である。

これまで考えていたものの他に，示量変数の組が Y の任意の熱力学的な系を用意する[11]。元の系と同様に，温度 T の平衡状態 $(T; Y_0), (T; Y_1)$ と温度 T' の平衡状態 $(T'; Y_0'), (T'; Y_1')$ を用意し，これらの間に等温準静操作

$$(T; Y_0) \xleftrightarrow{\text{iq}} (T; Y_1), \quad (T'; Y_0') \xleftrightarrow{\text{iq}} (T'; Y_1') \tag{5.22}$$

と断熱準静操作

$$(T; Y_0) \xleftrightarrow{\text{aq}} (T'; Y_0'), \quad (T; Y_1) \xleftrightarrow{\text{aq}} (T'; Y_1') \tag{5.23}$$

が取れるとしよう。また，$Q_{\max}(T; Y_0 \to Y_1) > 0$ とする。

これらの四つの状態を結ぶ次のような逆回りの Carnot サイクルを考える。

$$(T'; Y_1') \xrightarrow[(\bar{\text{a}})]{\text{iq}} (T'; Y_0') \xrightarrow[(\bar{\text{d}})]{\text{aq}} (T; Y_0) \xrightarrow[(\bar{\text{c}})]{\text{iq}} (T; Y_1) \xrightarrow[(\bar{\text{b}})]{\text{aq}} (T'; Y_1') \tag{5.24}$$

矢印の下の $(\bar{\text{a}}), (\bar{\text{b}}), (\bar{\text{c}}), (\bar{\text{d}})$ の記号は各々の操作につけた名前である。図 5.2 の記号に対応させ，操作を逆向きに行なうことを上につけた線で表現している。(5.24) は，もとの Carnot サイクル (5.19) で示量変数の組を X から Y に置き換えたものと比べて，ちょうど反対向きに回るサイクルになっている。このサイクルは，$(\bar{\text{c}})$ の等温操作で温度 T の環境から $Q_{\max}(T; Y_0 \to Y_1)$ の熱を吸収し，$(\bar{\text{a}})$ の等温操作で温度 T' の環境に $Q_{\max}(T'; Y_0' \to Y_1')$ の熱を放出する[12]。

ここで正の定数 α を

$$\alpha = \frac{Q_{\max}(T; X_0 \to X_1)}{Q_{\max}(T; Y_0 \to Y_1)} \tag{5.25}$$

---
[11] これまでの系とそっくり同じものでも構わない。
[12] 逆回りの Carnot サイクルは，冷却器になっている。問題 5.5 参照。

5-4 Carnot の定理の証明

と定める。Y 系をそのまま α 倍にした系を考える。最大吸熱量の示量性 (5.11) から，この系は $(\bar{c})$ に対応する $(T; \alpha Y_0) \xrightarrow{\text{iq}} (T; \alpha Y_1)$ という操作の間に $Q_{\max}(T; \alpha Y_0 \to \alpha Y_1) = \alpha Q_{\max}(T; Y_0 \to Y_1)$ だけの熱を吸収する。ところが (5.25) より，この吸熱量は X 系の (c) での発熱量 $Q_{\max}(T; X_0 \to X_1)$ に等しい。

そこで，X 系での (c) の操作 $(T; X_1) \xrightarrow{\text{iq}} (T; X_0)$ と α 倍した Y 系での $(\bar{c})$ の操作 $(T; \alpha Y_0) \xrightarrow{\text{iq}} (T; \alpha Y_1)$ を同時に行なうことを考える。そうすると，示量変数の組 $(X, \alpha Y)$ の複合系についての等温準静操作

$$(T; X_1, \alpha Y_0) \xrightarrow{\text{iq}} (T; X_0, \alpha Y_1) \tag{5.25b}$$

が得られる。最大吸熱量の相加性 (5.10) と上の段落での評価を使えば，

$$\begin{aligned} Q_{\max}&(T; (X_1, \alpha Y_0) \to (X_0, \alpha Y_1)) \\ &= Q_{\max}(T; X_1 \to X_0) + Q_{\max}(T; \alpha Y_0 \to \alpha Y_1) \\ &= 0 \end{aligned} \tag{5.25c}$$

がいえる。**等温準静操作 (5.25b) を全体としてみれば，系は環境とまったく熱をやりとりしないのだ。それなら，(5.25b) は，等温準静操作であるとともに，（実質的には）断熱準静操作でもあるとみなしていいだろう** — というのが Carnot の着想だった。

これは熱力学の本質に迫るきわめて重要なアイディアだが，残念ながら，かなり大雑把な議論でもある。そもそも最大吸熱量が 0 というのは，操作全体で総計したとき系と環境の間の熱のやりとりが 0 ということを意味するに過ぎない。操作の途中では系と環境は熱をやりとりしており，総計としてたまたま吸熱量と発熱量がバランスしているというのが普通だろう[13]。

幸いにも，この Carnot の着想を自然に厳密にできることがわかっている（よって，厳密さに深入りしたくない読者はこの着想をそのまま認めて先に進んでいいと思う）。等温準静操作 (5.25b) そのものを断熱操作とみなすのは無理があるが，実は，始状態も終状態も完全に (5.25b) と一致する

$$(T; X_1, \alpha Y_0) \xrightarrow{\text{aq}} (T; X_0, \alpha Y_1) \tag{5.26}$$

---

[13] 進んだ注：仮に操作の途中の任意の時刻で吸熱率と発熱率がバランスするような特殊な状況を考えるとしても，（等温環境で行なう）等温操作と（断熱環境で行なう）断熱操作を同一視してよいかは本質的に難しい問題である。

という断熱準静操作が存在することが示されるのだ[14]。この事実の証明は付録 A で述べることにして，Carnot の定理の証明を進めよう。

ここから先の構成はずっと単純である。(a) の $(T'; X_0') \xrightarrow{\text{iq}} (T'; X_1')$ と (ā) の $(T'; Y_1') \xrightarrow{\text{iq}} (T'; Y_0')$ の α 倍を単に組み合わせた等温準静操作

$$(T'; X_0', \alpha Y_1') \xrightarrow{\text{iq}} (T'; X_1', \alpha Y_0') \tag{5.27}$$

(b) の $(T'; X_1') \xrightarrow{\text{aq}} (T; X_1)$ と (d̄) の $(T'; Y_0') \xrightarrow{\text{aq}} (T; Y_0)$ の α 倍を単に組み合わせた断熱準静操作

$$(T'; X_1', \alpha Y_0') \xrightarrow{\text{aq}} (T; X_1, \alpha Y_0) \tag{5.28}$$

そして，(d) の $(T; X_0) \xrightarrow{\text{aq}} (T'; X_0')$ と (b̄) の $(T; Y_1) \xrightarrow{\text{aq}} (T'; Y_1')$ の α 倍を単に組み合わせた断熱準静操作

$$(T; X_0, \alpha Y_1) \xrightarrow{\text{aq}} (T'; X_0', \alpha Y_1') \tag{5.29}$$

を用意する。四つの操作 (5.27), (5.28), (5.26), (5.29) を続けて行なうことで，サイクル

$$(T'; X_0', \alpha Y_1') \xrightarrow[\text{(a,ā)}]{\text{iq}} (T'; X_1', \alpha Y_0') \xrightarrow[\text{(b,d̄)}]{\text{aq}} (T; X_1, \alpha Y_0)$$
$$\xrightarrow[\text{(c,c̄)}]{\text{aq}} (T; X_0, \alpha Y_1) \xrightarrow[\text{(d,b̄)}]{\text{aq}} (T'; X_0', \alpha Y_1') \tag{5.30}$$

が得られる。Carnot サイクル (5.19) と逆 Carnot サイクル (5.24) を連動させ，(c,c̄) の部分を断熱準静操作に置き換えたといってもよい。このサイクルは，温度 T' での等温操作 (a,ā) 以外の各操作が断熱操作であり，またすべての操作が準静的なので，温度 T' での等温準静サイクルになっている。よって，Kelvin の原理 3.1 から導かれた結果 3.2 により，サイクル (5.30) の間に系が外界に行なう仕事 W_{cyc} は 0 であることがわかる。

同じ仕事 W_{cyc} をサイクル (5.30) の定義から直接求めよう。この際，等温準静操作 (5.25b) と断熱準静操作 (5.26) において系が外界にする仕事は等しいことに注意する。これは最大吸熱量が 0 であること (5.25c) と，エネルギー保存則 (4.20), (5.6) の帰結である。よって，サイクル (5.30) における仕事はもとの Carnot サイクル (5.19) と逆 Carnot サイクル (5.24) における仕事の和になる。単一の Carnot サイクルの行なう仕事は，(5.20) の

---

[14] 田中琢真氏の私信（2014 年 12 月）による。

ように求められるので，結局，

$$
\begin{aligned}
W_{\text{cyc}} &= Q_{\max}(T'; X_0' \to X_1') - Q_{\max}(T; X_0 \to X_1) \\
&\quad - \alpha Q_{\max}(T'; Y_0' \to Y_1') + \alpha Q_{\max}(T; Y_0 \to Y_1) \\
&= Q_{\max}(T'; X_0' \to X_1') - \frac{Q_{\max}(T; X_0 \to X_1)}{Q_{\max}(T; Y_0 \to Y_1)} Q_{\max}(T'; Y_0' \to Y_1')
\end{aligned}
\tag{5.31}
$$

と評価できる．α の定義 (5.25) を用いた．これを $W_{\text{cyc}} = 0$ に代入すれば，

$$
\frac{Q_{\max}(T'; X_0' \to X_1')}{Q_{\max}(T; X_0 \to X_1)} = \frac{Q_{\max}(T'; Y_0' \to Y_1')}{Q_{\max}(T; Y_0 \to Y_1)}
\tag{5.32}
$$

という等式が得られる．これは，まさに最大吸熱量の比が熱力学的な系と参照点の選び方に依存しないことを示している．Carnot の定理が示された．

5-5 熱機関と効率の上限

Carnot の研究の動機となった，熱機関とその効率の問題を取り上げる[15]．驚くべきことに，**熱機関の効率には環境の温度だけで決まる普遍的な上限があり**，（熱力学の法則が正しい限り）どのように熱機関の設計を工夫しても，その上限を越える効率をもった機関を作ることはできない．これは，熱力学の出発点となった 1824 年の論文『火の動力，および，この動力を発生させるのに適した機関についての考察』で，Carnot が導いた結果である．

熱機関とその効率

簡単にいうと，**熱機関とは，熱の形でエネルギーを受け取って，それを力学的なエネルギーに変換する装置**である．熱機関は，そのままでは利用不可能な熱エネルギーを利用可能な仕事に変えるという，現代文明に不可欠なしかけである[16]．

$T_{\text{H}} > T_{\text{L}}$ とし，温度 T_{H} と T_{L} の二つの環境と，熱機関として働く熱力学的な系を用意する（図 5.4）．はじめ，系は平衡状態にある．高温（温度

---
[15] この節をとばして先を読んでもよい．
[16] 熱機関とちょうど逆の働きをする冷却器，あるいは，ヒートポンプについては，問題 5.5 を参照．

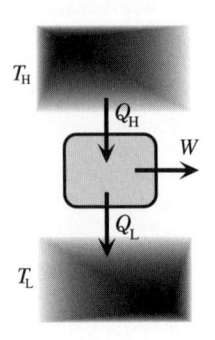

図 5.4　一般的な熱機関の概念図。一周して出発点の状態に戻る間に，熱機関は温度 T_H の高温の環境（熱源）から Q_H の熱を受け取り，温度 T_L の低温の環境に Q_L の熱を放出し，外界に $W = Q_\mathrm{H} - Q_\mathrm{L}$ の仕事をする。外にした仕事と受け取った熱の比 $\epsilon = W/Q_\mathrm{H}$ を熱機関の効率という。

T_H) の環境のもとで系に等温操作 (あるいは, 広義の等温操作, 問題 5.2) を行なうと, 系は環境から正の熱 Q_H を吸収する。続いて (必要なら) 系に何らかの断熱操作を行なう。低温 (温度 T_L) の環境のもとで系に等温操作 (あるいは, 広義の等温操作) を行なうと, 系は環境に正の熱 Q_L を放出する。最後に, (必要なら) 系に断熱操作を行ない, はじめと同じ状態に戻す。以上が熱機関のサイクルである[17]。エネルギー保存則から, 1 回のサイクルの間に機関は外界に $W = Q_\mathrm{H} - Q_\mathrm{L}$ の仕事を行なう。ここで, 受け取ったエネルギー Q_H の内のどの程度が利用可能な仕事に変換されたかという割合

$$\epsilon = \frac{W}{Q_\mathrm{H}} = 1 - \frac{Q_\mathrm{L}}{Q_\mathrm{H}} \tag{5.33}$$

を熱機関の**効率** (efficiency) という。

熱機関としての Carnot サイクル

Carnot サイクルは, 理論上の存在だが, 典型的な熱機関である。Carnot サイクルの吸熱量 Q_H と発熱量 Q_L については, Carnot の定理の (5.13), (5.14)

---

[17] 二つの環境と, より複雑に相互作用する過程を考えることもできる。付録 D では, 極めて一般的な熱機関を扱う。

5-5 熱機関と効率の上限

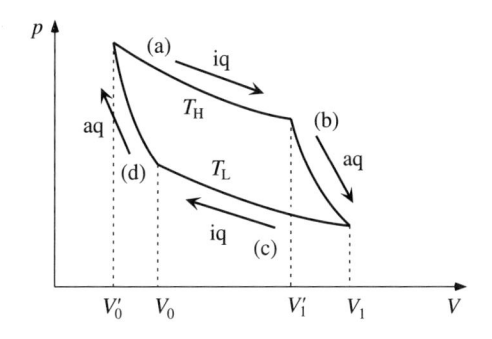

図 5.5　p-V 図上での Carnot サイクルの模式図。図を正確に描くともっとつぶれた形になる。

より $Q_\mathrm{H}/Q_\mathrm{L} = T_\mathrm{H}/T_\mathrm{L}$ であることがわかっているから，効率 (5.33) は，

$$\epsilon_0 = 1 - \frac{T_\mathrm{L}}{T_\mathrm{H}} \tag{5.34}$$

となる。Carnot サイクルの効率は，1 よりも真に小さい。たとえば $T_\mathrm{H} = 2T_\mathrm{L}$ のとき，効率 ϵ_0 はたったの 1/2 である。せっかく吸収したエネルギーのうちの半分を，利用せずに無駄に捨ててしまうのだ。$T_\mathrm{L}/T_\mathrm{H} \to 0$ となるとき，つまり，高温の環境の温度 T_H が低温の環境の温度 T_L に比べて限りなく高くなるとき，効率は 1 に限りなく近づく。

特に単一のシリンダー内の気体を用いた Carnot サイクル

$$(T_\mathrm{H}; V_0', N) \xrightarrow[\mathrm{(a)}]{\mathrm{iq}} (T_\mathrm{H}; V_1', N) \xrightarrow[\mathrm{(b)}]{\mathrm{aq}} (T_\mathrm{L}; V_1, N)$$

$$\xrightarrow[\mathrm{(c)}]{\mathrm{iq}} (T_\mathrm{L}; V_0, N) \xrightarrow[\mathrm{(d)}]{\mathrm{aq}} (T_\mathrm{H}; V_0', N) \tag{5.35}$$

を考えよう（図 5.2, 5.3）。流体のサイクルに関する議論では，図 5.5 のように横軸を体積 V，縦軸を圧力 p とした p-V 図の上に操作の軌跡を図示するのが慣例になっている[18]。このように図示すると，図中の曲線が囲む面積が，（準静的な）サイクルが一周する間に外界に行なう仕事に等しい。もし Carnot サイクルに用いた気体が理想気体なら，図中 (a), (c) の等温準静操作の曲線は，それぞれ，$pV = NRT_\mathrm{H}$, $pV = NRT_\mathrm{L}$ で定まる。また (b),

---

[18] ただし，p-V 図の上に曲線を描くだけで操作が明確に定義されると考えてはいけない。一般には，p-V 平面（あるいは，より一般の状態空間）の中の与えられた曲線を実現する具体的な操作は無数にある。6-4 節に関連する議論がある。

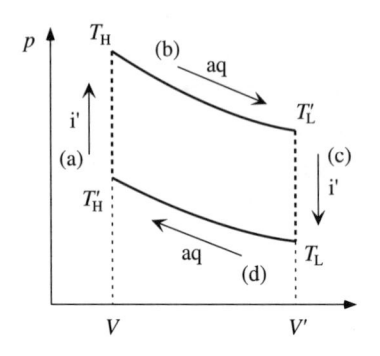

図 5.6 ガソリンエンジンの理想化である Otto サイクルの p-V 図による表示。このサイクルでの操作と対応するエンジンの過程は以下のとおり。気体の温度を上げる (a) の操作はガソリンの爆発による圧力と温度の急激な上昇，(b) の断熱膨張は爆発後の気体の膨張，気体の温度を下げる (c) の操作は気体の冷却，(d) の断熱圧縮はガソリンと空気の混合気体の圧縮の過程に，それぞれ，対応する。実際のエンジンでは，(c) の後に燃焼した気体を排出して新たなガソリンと空気の混合気体を導入する過程がある。実際のエンジンは内燃機関であり，(a) での温度上昇を燃料の爆発で実現しているところを，Otto サイクルでは高温の熱源との接触におきかえている。

(d) の断熱操作は，Poisson の関係から T を消去した $p^c V^{c+1} =$ (定数)，あるいは，$pV^\gamma =$ (定数) によって決まる。ただし $\gamma = 1 + c^{-1}$ である[19]。

Otto サイクル

　熱機関の研究は，熱力学の主要なテーマの一つであり，様々なタイプの熱機関が調べられている。本書で，多彩な例を議論する余裕はないが，一例としてガソリンエンジンの動作を模倣して作られた Otto サイクルを見ておこう。周知のように，ガソリンエンジンは，ガソリンを燃焼させて一つの温度の環境（大気）の中で動作する内燃機関である。これに対して，Otto サイクルは，二つの温度一定の環境を利用して動作する熱機関である。

　体積 $V' > V$ を固定する。物質量 N の理想気体の系における次のようなサイクルを考える。対応する p-V 図を図 5.6 に示した。

---

[19] (4.31) のように $c = 3/2, 5/2$ なら，それぞれ，$\gamma = 5/3, 7/5$ である。

5-5 熱機関と効率の上限

$$(T'_\mathrm{H}; V, N) \xrightarrow[(a)]{i'} (T_\mathrm{H}; V, N) \xrightarrow[(b)]{aq} (T'_\mathrm{L}; V', N)$$
$$\xrightarrow[(c)]{i'} (T_\mathrm{L}; V', N) \xrightarrow[(d)]{aq} (T'_\mathrm{H}; V, N) \tag{5.36}$$

はじめ気体は平衡状態 $(T'_\mathrm{H}; V, N)$ にある。(a) の操作は気体の体積を一定にしたままで，系を T_H の環境に接触させ，気体の温度を T_H まで上げる広義の等温操作である（問題 5.2 を参照。）。ただし $T_\mathrm{H} > T'_\mathrm{H}$ とする。これは，ガソリンが爆発して（ピストンが動かないうちに）シリンダー内の気体の圧力と温度が一気に上昇する過程を模倣している。断熱準静操作 (b) では，気体の体積を V から V' まで増加させ，気体に外界に対して仕事をさせる。もちろん，これは爆発した高温高圧の気体が膨張する過程に対応する。続く広義の等温操作 (c) では気体の体積を一定にしたまま，系を温度 T_L の環境と接触させ，気体を温度 T_L まで冷却する。ここで $T_\mathrm{L} < T'_\mathrm{L}$ とする。さいごの断熱準静操作 (d) で気体の体積を V' から V に圧縮し，系の状態を出発点に戻す。これは，ガソリンと空気の混合気体を圧縮する過程を模倣している。ただし，ガソリンエンジンの場合には，(c) の後で燃焼後の気体を排出し新たに空気とガソリンの混合気体をシリンダー内に導入する過程が入る。

Otto サイクルの効率を調べよう。操作 (a) で気体が温度 T_H の環境から熱として吸収するエネルギーは $Q_\mathrm{H} = U(T_\mathrm{H}; V, N) - U(T'_\mathrm{H}; V, N) = cNR(T_\mathrm{H} - T'_\mathrm{H})$ であり，操作 (c) で気体が温度 T_L の環境に熱として放出するエネルギーは $Q_\mathrm{L} = U(T'_\mathrm{L}; V', N) - U(T_\mathrm{L}; V', N) = cNR(T'_\mathrm{L} - T_\mathrm{L})$ である[20]。よって (5.33) により，この Otto サイクルの効率は，

$$\epsilon = 1 - \frac{Q_\mathrm{L}}{Q_\mathrm{H}} = 1 - \frac{T'_\mathrm{L} - T_\mathrm{L}}{T_\mathrm{H} - T'_\mathrm{H}} \tag{5.37}$$

となる。さらに Poisson の関係式 (4.41) により

$$(T_\mathrm{H})^c V = (T'_\mathrm{L})^c V', \quad (T_\mathrm{L})^c V' = (T'_\mathrm{H})^c V \tag{5.38}$$

なので，変形して

$$T'_\mathrm{L} = \left(\frac{V}{V'}\right)^{1/c} T_\mathrm{H}, \quad T_\mathrm{L} = \left(\frac{V}{V'}\right)^{1/c} T'_\mathrm{H} \tag{5.39}$$

となり，これを (5.37) に代入すれば，

---

[20] 広義の等温操作での熱のやりとりについては，問題 5.2 を参照。

$$\epsilon = 1 - \left(\frac{V}{V'}\right)^{1/c} = 1 - \frac{T_\mathrm{L}}{T'_\mathrm{H}} \tag{5.40}$$

である．ここで $T'_\mathrm{H} < T_\mathrm{H}$ であることを使うと，

$$\epsilon < 1 - \frac{T_\mathrm{L}}{T_\mathrm{H}} = \epsilon_0 \tag{5.41}$$

となり，Otto サイクルの効率は Carnot サイクルの効率をこえないことがわかる．

熱機関の効率の普遍的な上限

(5.34) や (5.40) のように効率が 1 よりも小さいのは，Carnot サイクルや Otto サイクルの独自の性質なのだろうか？より巧妙な操作を考案すれば，より高い効率をもった熱機関を設計，製作することができるのだろうか？Carnot はこのような問題設定を自ら行ない，それに対して，決定的な答えを出した．

結果 5.3 (熱機関の効率の上限) 温度 T_L と T_H の環境（ただし $T_\mathrm{L} < T_\mathrm{H}$）を利用した任意の熱機関の効率 ϵ は，不等式

$$\epsilon \leq 1 - \frac{T_\mathrm{L}}{T_\mathrm{H}} = \epsilon_0 \tag{5.42}$$

を満たす．

いい換えれば，**Carnot サイクルよりも効率のいい熱機関は存在し得ない**のである．(5.41) の上限は Otto サイクルだけの性質ではなかったのだ．定量的に厳密で，しかも普遍的に成立する結果を導くという熱力学の性格を示す素晴らしい結果である．

ここでは，Carnot のアイディアに沿った直観的な論法で結果 5.3 を示そう[21]．ただし，この議論は厳密ではない．付録 D で，より一般の場合に適用できる厳密な議論を紹介する．

仮に不等式 (5.42) を破るような熱機関が存在したとしよう．上と同様，この機関は一周の間に，温度 T_H の環境から Q_H の熱を吸収し，温度 T_L の環境に Q_L の熱を放出し，外界に $W = Q_\mathrm{H} - Q_\mathrm{L}$ の仕事をする[22]．そして，効率 (5.33) が $\epsilon = W/Q_\mathrm{H} > \epsilon_0$ を満たすとする．

---

[21] 5-4 節の Carnot の定理の証明は，これから述べるアイディアを形式化したものになっている．
[22] 以下の議論では，$Q_\mathrm{H}, Q_\mathrm{L}, \widetilde{Q}_\mathrm{H}, \widetilde{Q}_\mathrm{L}, W, W_0$ はいずれも正の量にとった．

5-5 熱機関と効率の上限

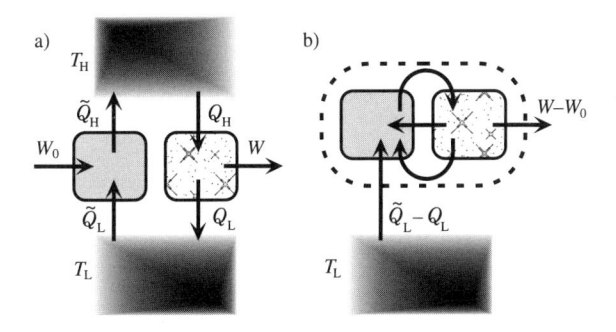

図 5.7 熱機関の効率の上限を導くための Carnot のアイディア。図に現れる $Q_H, Q_L, \widetilde{Q}_H, \widetilde{Q}_L, W, W_0$ はいずれも正の量である。a) 逆 Carnot サイクル（左）と効率 $\epsilon > \epsilon_0$ をもつ仮想的な熱機関（右）を連動させて運動する。b) $\widetilde{Q}_H = Q_H$ となるように調節する。二つの機関を一つの系とみなし、環境との熱の収支だけに着目すれば、この系は環境 T_L からのみ $\widetilde{Q}_L - Q_L$ の熱を吸収し、外界に $W - W_0 > 0$ の仕事を行なう第二種永久機関になっていると結論される。この状況は、第二種永久機関を否定した Kelvin の原理と矛盾する。

温度 T_H の環境に $\widetilde{Q}_H$ の熱を放出し、温度 T_L の環境から $\widetilde{Q}_L$ の熱を吸収する逆向きの Carnot サイクルを用意する。この逆 Carnot サイクルは、外界から $W_0 = \epsilon_0 \widetilde{Q}_H$ の仕事をされる。全体の大きさを適当に定数倍して、発熱量 $\widetilde{Q}_H$ を先ほどの Q_H に等しく取る。

ここで、はじめの熱機関と逆 Carnot サイクルを連動させて運転する（図 5.7）。すると、熱機関の吸熱量 Q_H と逆 Carnot サイクルの発熱量 $\widetilde{Q}_H$ が等しいので、この連動サイクルは温度 T_H の環境とは実質的には熱のやり取りはしないと思われる。それなら、連動サイクルは、温度 T_L の環境から $\widetilde{Q}_L - Q_L$ の熱を吸収し、外界に

$$W - W_0 = \epsilon Q_H - \epsilon_0 \widetilde{Q}_H = (\epsilon - \epsilon_0) Q_H > 0 \tag{5.43}$$

だけの仕事をすることになる。しかし、これは第二種永久機関であり、Kelvin の原理 3.1 に矛盾する。よって、不等式 (5.42) が示された[23]。

---

[23] この「証明」を真面目に検討すると、連動サイクルが温度 T_L の環境下での等温サイクルになっている保証がない。5-4 節の場合とはちがって温度 T_H での等温操作が準静的ではないので付録 A の結果も使えない。

演習問題 5.

5.1 (5-1 節) 温度 T の系 $(T; X)$ と，温度 T' の系 $(T'; Y)$ がある．全体を断熱壁で囲み，示量変数の組 X, Y を固定したまま二つの系を接触させれば，高温側から低温側に「熱が流れて」両者の温度は等しい $\tilde{T}$ に落ちつくはずだ．この**熱的接触**の現象を定式化し，移動する熱を求めよ．

5.2 (5-1 節) 本文に何回か現れる広義の等温操作という概念を定式化して，その性質を調べておこう．はじめ系は平衡状態 $(T; X)$ にある．この系を断熱壁で囲み，温度 T' の環境におく．この系に任意の操作を行なって X を X' に変える．この際，断熱壁を取り去ったり，新たに系の一部や全体を断熱壁で覆ったりしてよいが，最終的にはすべての断熱壁を取り去る．そして，十分に長い時間たてば，系は平衡状態 $(T'; X')$ に落ち着く．この一連の操作を

$$(T; X) \xrightarrow{\text{i}'} (T'; X') \tag{5.44}$$

と書き，**広義の等温操作**と呼ぶ．また，特別な場合として，示量変数の組 X を動かさず，単に系を覆っていた断熱壁を取り去って系を温度 T' の環境に接触させる広義の等温操作 $(T; X) \xrightarrow{\text{i}'} (T'; X)$ も本文に何回か登場する．

広義の等温操作 (5.44) の間に系が外界に行なう仕事を W とする．同じ操作の間に系が環境から吸収する熱は (5.4) と同様に

$$Q = W + U(T'; X') - U(T; X) \tag{5.45}$$

と定義するのが妥当であることを示せ．

また，断熱準静操作 $(T; X) \xleftrightarrow{\text{aq}} (T'; X'')$ が可能なように X'' をとれば，広義の等温操作 (5.44) において系が外界に行なう仕事の最大値と，系が環境から吸収する熱の最大値は，$(T; X) \xrightarrow{\text{aq}} (T'; X'') \xrightarrow{\text{iq}} (T'; X')$ という準静操作における仕事 W' と吸熱量 Q' に等しいことを示せ．

5.3 (5-2 節) 任意の T, X_0 について，X_1 を適当に選べば，$Q_{\max}(T; X_0 \to X_1) > 0$ とできることを示せ[24]．

まず，適当な $T' < T$ について，$(T; X_0) \xrightarrow{\text{aq}} (T'; X_1)$ という操作が可能な X_1 をとる．等温サイクル $(T; X_1) \xrightarrow{\text{iq}} (T; X_0) \xrightarrow{\text{aq}} (T'; X_1) \xrightarrow{\text{i}'} (T; X_1)$ の間に系が行なう仕事 W_{cyc} を F と U で表し，Kelvin の原理 3.1 と $U(T'; X_1) < U(T; X_1)$ を用いよ．(ただし，三つ目の操作は，X_1 を固定して，温度 T の環境で系を覆っていた断熱壁を取り除く広義の等温操作．)

5.4 (5-5 節) 図 1.6 の熱機関の効率を求めよ (問題 1.2 参照)．外気圧 p_0 に逆らって気体が行なう仕事を取り入れるのを忘れないこと．

---

[24] この議論は，[7] による．

演習問題 5.

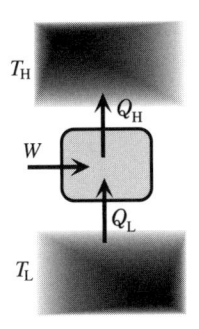

図 5.8 冷却器ないしはヒートポンプの概念図。熱機関についての図 5.4 と比較せよ。一周して出発点の状態に戻る間に，冷却器は外界から W の仕事をされ，低温の環境から Q_L の熱を受け取り，高温の環境に Q_H の熱を放出する。冷蔵庫，エアコンなどは，冷却器である。

5.5 (5-5 節) 熱機関とちょうど逆の働きをするのが冷却器 (refrigerator)，ないしはヒートポンプ (heat pump) である。冷蔵庫やエアコンは典型的な冷却器である。

冷却器は，1 回のサイクルの間に，図 5.8 のように，外界から正の仕事 W をされ，温度 T_L の低温の環境から正の熱 Q_L を吸収し，温度 T_H の高温の環境に正の熱 Q_H を放出する。エネルギー保存則から $W + Q_L = Q_H$ である。

冷蔵庫なら，T_L が庫内の温度，T_H が冷蔵庫の裏側の空気の温度である。最近は主流になっている冷暖房兼用のヒートポンプ式のエアコンでは，冷房として使用する夏には，室内が T_L，室外機のある屋外が T_H の環境に対応し，暖房として使用する冬には，室内が T_H，屋外が T_L の環境になる。ヒートポンプによる暖房では，$Q_H = W + Q_L$ のエネルギーが熱として室内に放出される。電熱ヒーターの場合には，W がそのまま熱に変わるので，ヒートポンプの方が原理的には少ない電力（つまり仕事 W）で部屋を暖めることができる。冷却器の性能は，**成績係数** (coefficient of performance) $\omega = Q_L/W$ で表現する[25]。

Carnot サイクルを使った冷却器の ω を求めよ。Carnot サイクルではない冷却器を考案し，その ω を求めよ。熱機関の効率の上限に対応する ω についての普遍的な制限はあるだろうか[26]？ 5-5 節で紹介した Carnot による直観的な論法と付録 D の論法をそれぞれ拡張することを試みよ。

---

[25] ヒートポンプとみるときは，成績係数 $\omega' = Q_H/W$ を用いる。
[26] 本書を書いている二十世紀の終わりになっても，冷蔵庫やヒートポンプ式エアコンの性能は年々向上しており，運転に必要な電力は小さくなっていく。ただし，これは，主として，熱機関の改良によるのではなく，断熱技術の改善によるそうである。

6. エントロピー

これまでに積み重ねてきた操作的な概念だけを用いて，熱力学の主役の一つであるエントロピーを導入する．断熱操作の可逆性，不可逆性との関連でとらえたときにこそ，エントロピーの本質が明らかになることをみる．この章で熱力学の体系が完成する．

6-1 エントロピーの導入

エントロピーの導入は，一般に，熱力学の理論構成の上でもっとも本質的なステップである．われわれは，エントロピーにあと一歩で到達できる段階にきている．

エントロピーの定義

示量変数の組 X で記述される一般の熱力学的な系において，$T \neq T'$ と，互いに何らかの操作で移りあえる X_1, X_2, X_1', X_2' について，断熱準静操作

$$(T; X_1) \xleftrightarrow{\text{aq}} (T'; X_1'), \quad (T; X_2) \xleftrightarrow{\text{aq}} (T'; X_2') \qquad (6.1)$$

が可能とする．Carnot の定理の主張である最大吸熱量の比の普遍性 (5.13) と (5.14) から，

$$\frac{Q_{\max}(T; X_1 \to X_2)}{T} = \frac{Q_{\max}(T'; X_1' \to X_2')}{T'} \qquad (6.2)$$

が成り立つ．この関係に，最大吸熱量を Helmholtz の自由エネルギーとエネルギーで表した (5.7) を代入すれば，

6-1 エントロピーの導入

$$\frac{F[T;X_1] - F[T;X_2] + U(T;X_2) - U(T;X_1)}{T}$$
$$= \frac{F[T';X_1'] - F[T';X_2'] + U(T';X_2') - U(T';X_1')}{T'} \quad (6.3)$$

となる。同じ状態に関わる量をまとめて書けば，

$$\frac{U(T;X_2) - F[T;X_2]}{T} - \frac{U(T;X_1) - F[T;X_1]}{T}$$
$$= \frac{U(T';X_2') - F[T';X_2']}{T'} - \frac{U(T';X_1') - F[T';X_1']}{T'} \quad (6.4)$$

となる。

関係 (6.4) には深い意味がありそうなので，

$$S(T;X) = \frac{U(T;X) - F[T;X]}{T} \quad (6.5)$$

という量を定義して，

$$S(T;X_2) - S(T;X_1) = S(T';X_2') - S(T';X_1') \quad (6.6)$$

と書き直そう。ここに登場した状態量 $S(T;X)$ が**エントロピー** (entropy) である[1]。念のために，(5.7) と (6.5) から決まるエントロピーと最大吸熱量の関係を明示しておくと，

$$Q_{\max}(T;X_1 \to X_2) = T\{S(T;X_2) - S(T;X_1)\} \quad (6.7)$$

である。

3-6 節で定義した Helmholtz の自由エネルギー $F[T;X]$ には温度に依存する基準点 $X_0(T)$ （あるいは，温度の関数 $v(T)$）の選択についての不定性が残っていた。この不定性は，今のところ，エントロピー (6.5) にも踏襲されている。これからこの不定性を解消する。

等式 (6.6) は，エントロピーの差が断熱準静操作において不変であることを示している。それなら，**エントロピーそのものが断熱準静操作で不変**であれば，いっそう自然であろう。幸いにも，エントロピーの定義に不定性があるので，そうすることは可能である。4-3 節と同様に，基準温度 T^* と示量的な基準点 X^* を使って基準状態 $(T^*;X^*)$ をとり，さらに基準エントロピー S^* を適当に決める。ただし，系全体を λ 倍したときに，基

---

[1] エントロピーはエネルギー U と示量変数の組 X の関数として表現したとき完全な熱力学関数になる。そのときだけ，$S[U,X]$ のように角かっこによる表現を用いる。付録 F を参照。ここでのエントロピーの定義は，ほとんどの教科書にみられる Clausius 流の定義とはまったく似ていないが，これで完全に同じ量が得られる。Clausius 流の定義との関係については，6-4 節で簡単に議論する。

準エントロピーが λS^* になるようにしておく。単一の容器の中の物質量 N の流体の場合,適当に選んだ定数 s^* によって,基準エントロピーを $S^* = s^* N$ と定めればよい[2]。

まず基準状態について,

$$S(T^*; X^*) = S^* \tag{6.8}$$

とする。さらに基準状態 $(T^*; X^*)$ と断熱準静操作で結ばれる任意の状態 $(T; X)$ についても,

$$S(T; X) = S^* \tag{6.9}$$

とする。基準点 $X_0(T)$ (あるいは,関数 $v(T)$) をうまくとってやれば,必ずこれらの条件を満たすことができる[3]。この時点で,Helmholtz の自由エネルギーの不定性も解消された。このように $X_0(T)$ (あるいは,関数 $v(T)$) を選んだことによって,$S(T; X)$ と $F[T; X]$ は T, X の連続関数になる[4]。すぐ後に結果 6.1 で見るように,これで最初に意図したエントロピーの性質も保証される。

エントロピーという名は,「変換」という意味のギリシャ語をもとにして,発見者の Clausius がつけたものである。Clausius には,エントロピーはエネルギーと並ぶ根源的な物理量だという明確な認識があり,エネルギーと似た語感をもつ言葉を用いたのだという。エントロピーがエネルギーと同等に重要で根本的な量であり[5],しかもエネルギーとはまったく別の方向から物理学に光をあてるというのは,今日の科学者の共通の認識だろう。エントロピーのもつ意義については,これから本章の残りで徹底的に議論する。

エントロピーの定義式 (6.5) は示唆に富んでいる。Helmholtz の自由エネルギー $F[T; X]$ と内部エネルギー $U(T; X)$ という二種類のエネルギーが一致しないこと,つまり,温度一定の環境での仕事と断熱壁に囲まれた場合の仕事が一致しないことが,熱力学的な系の一つの本質的な側面である。(6.5) によれば,**これら二種類のエネルギーの差を,絶対温度で割った**

---

[2] いくつかの系を組み合わせた場合,基準温度はすべてに共通とし,基準点は各々の系の基準点を組み合わせたものとする。基準エントロピーは,各々の基準エントロピーの和に取る。

[3] 単一の容器内の流体の場合,これによって関数 $v(T)$ が一意に定まる。より一般には,$X_0(T)$ に不定性が残ることがあるが,$S(T; X)$ や $F[T; X]$ は一意に決まる。

[4] 進んだ注:$U(T; X)$ と同様,$S(T; X)$ は三重点では,連続ではなくなる。付録 E を参照。

[5] とはいっても,現在の物理学の体系の中で,エネルギーはすべてを貫く縦糸の役割を果たしているが,エントロピーはごく一部に顔を出すにすぎない。

6-1 エントロピーの導入

ものこそが，熱力学の主役の一つであるエントロピーなのだ．ここで，エントロピーの定義には，操作や仕事といった操作的な概念のみを用いたことに注意したい．

エントロピーの性質

最大吸熱量の示量性 (5.11)，相加性 (5.10)，基準状態 $(T^*; X^*)$ と基準エントロピー S^* の示量性から，エントロピーも示量性

$$S(T; \lambda X) = \lambda S(T; X) \tag{6.10}$$

と，等しい温度の状態の組み合わせについての相加性

$$S(T; X, Y) = S(T; X) + S(T; Y) \tag{6.11}$$

を満たすことがわかる．

さらに，(6.6) で $(T; X_1) = (T^*; X^*)$ として，(6.8) を代入し (6.9) の性質を用いると，次のようなエントロピーの基本的な性質が導かれる．

結果 6.1 (断熱準静操作とエントロピー) 断熱準静操作 $(T; X) \xleftrightarrow{\text{aq}} (T'; X')$ で結ばれる任意の状態 $(T; X), (T'; X')$ について，

$$S(T; X) = S(T'; X') \tag{6.12}$$

が成り立つ．

これは，エントロピー原理というより本質的な結果の特別な場合である．エントロピー原理については次の節で詳しく議論する．上の結果 6.1 の逆も次の意味で成立する．

結果 6.2 (エントロピーと断熱準静操作) X, X' を互いに何らかの操作で移り合える任意の示量変数の組，T, T' を任意の温度とする．もし

$$S(T; X) = S(T'; X') \tag{6.13}$$

が成立するなら，断熱準静操作

$$(T; X) \xleftrightarrow{\text{aq}} (T'; X') \tag{6.14}$$

が可能である．

この結果を導く前に，次の性質を示そう．

結果 6.3 (エントロピーの温度依存性) エントロピーは温度 T の増加関数である。つまり，任意の $T < T'$ と任意の X について

$$S(T;X) < S(T';X) \tag{6.15}$$

が成り立つ。また，エントロピー $S(T;X)$ とエネルギー $U(T;X)$ が，ある T, X において，共に T について微分可能なら

$$\frac{\partial U(T;X)}{\partial T} = T\frac{\partial S(T;X)}{\partial T} \tag{6.16}$$

が成り立つ。

定積熱容量の定義 (4.26) と (6.16) を見比べると，

$$C_v(T;X) = T\frac{\partial S(T;X)}{\partial T} \tag{6.17}$$

となることに注意しよう。上の (6.16) を導く際に $S(T;X)$ と $U(T;X)$ が T について微分可能という条件を設けた。もし，これらの量が微分不可能になるとすれば，それは，定積熱容量 $C_v(T;X)$ が不連続になるということである。実際，液相・気相転移の臨界点では $C_v(T;X)$ が発散する場合がある。

また，(6.17) の両辺を T で割って積分すれば，

$$S(T;X) = S(T_0;X) + \int_{T_0}^{T} dT' \frac{C_v(T';X)}{T'} \tag{6.18}$$

という定積熱容量を積分してエントロピー（の差）を求める関係が得られる[6]。また，類似の，より実用的な関係として，定圧熱容量を用いた (8.24) の関係もある。

最も簡単な例として，示量変数の組が一定値 X_0 に固定されていて，かつ，その際の熱容量 $C_v(T;X_0)$ が温度によらない一定値 C_0 をとるような系を考える。これは，固体のもっとも大ざっぱな取り扱いである[7]。このとき (6.18) は簡単に積分できて，

$$S(T;X_0) = S_0 + C_0 \log T \tag{6.19}$$

のようにエントロピーの T 依存性が求められる。

---

[6] 積分定数 $S(T_0;X)$ は熱容量の情報だけからは決まらない。Nernst-Planck の仮説（9-7 節）に従えば，任意の X について $T \searrow 0$ で $S(T;X) \searrow 0$ となるように任意定数を選ぶことになる。

[7] 多くの固体について，室温を含む広い温度範囲で，このような扱いはほどほどに正確である。

6-1 エントロピーの導入

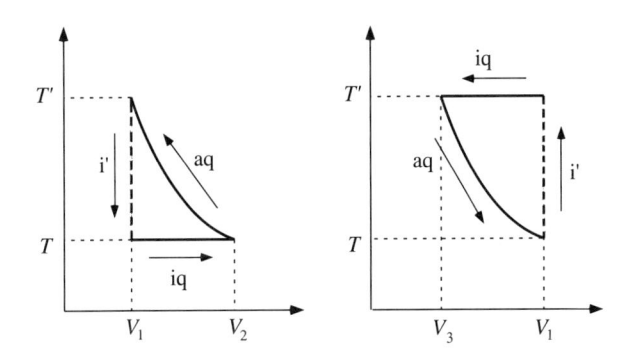

図 6.1 エントロピーの温度依存性を議論するための状態とそれらの間の操作。単一の容器の中の流体を想定して，$X_1 = (V_1, N)$，$X_2 = (V_2, N)$，$X_3 = (V_3, N)$ とした。図の横軸は体積で，縦軸は温度である。

結果 6.3 の導出：T と T' を $T' > T$ を満たす任意の温度とする。何らかの操作で結ばれている X_1, X_2, X_3 について，断熱準静操作

$$(T; X_2) \xleftrightarrow{\text{aq}} (T'; X_1), \quad (T; X_1) \xleftrightarrow{\text{aq}} (T'; X_3) \tag{6.20}$$

が可能とする。図 6.1 を参照。

一連の操作

$$(T; X_1) \xrightarrow{\text{iq}} (T; X_2) \xrightarrow{\text{aq}} (T'; X_1) \xrightarrow{\text{i}'} (T; X_1) \tag{6.21}$$

を考える。ここで，最後の $(T'; X_1) \xrightarrow{\text{i}'} (T; X_1)$ は，それまで系を囲んでいた断熱壁を取り除き，系を再び温度 T の環境と接触させる広義の等温操作（問題 5.2）である。この操作の間に，系が外界に行なう仕事は 0 である。一連の操作 (6.21) の間に，系は温度 T の環境と接しているか，断熱されているかであり，また，最終的な状態が出発点の状態と等しいので，(6.21) は等温サイクルである。このサイクルを一周する間に系が外界に行なう仕事をエントロピーで表すと，

$$\begin{aligned}
W_{\text{cyc}} &= W_{\max}(T; X_1 \to X_2) + W_{\text{ad}}((T; X_2) \to (T'; X_1)) + 0 \\
&= F[T; X_1] - F[T; X_2] + U(T; X_2) - U(T'; X_1) \\
&= -T\{S(T; X_1) - S(T; X_2)\} + U(T; X_1) - U(T'; X_1)
\end{aligned} \tag{6.22}$$

となる。最後の等式を得るために (6.5) から得られる関係 $F[T;X] = U(T;X) - TS(T;X)$ を用いた。エントロピーの不変性 (6.12) より $S(T;X_2) = S(T';X_1)$ となることに注意して Kelvin の原理（要請 3.1）$W_{\mathrm{cyc}} \le 0$ を使えば，

$$S(T';X_1) - S(T;X_1) \le \frac{U(T';X_1) - U(T;X_1)}{T} \tag{6.23}$$

となる。

同様に，T' における等温サイクル

$$(T';X_1) \xrightarrow{\mathrm{iq}} (T';X_3) \xrightarrow{\mathrm{aq}} (T;X_1) \xrightarrow{\mathrm{i}'} (T';X_1) \tag{6.24}$$

が一周の間に行なう仕事は，

$$W'_{\mathrm{cyc}} = -T'\{S(T';X_1) - S(T';X_3)\} + U(T';X_1) - U(T;X_1) \tag{6.25}$$

と評価され，$S(T';X_3) = S(T;X_1)$ に注意して $W'_{\mathrm{cyc}} \le 0$ を使うと，

$$S(T';X_1) - S(T;X_1) \ge \frac{U(T';X_1) - U(T;X_1)}{T'} \tag{6.26}$$

が得られる。

結果 4.4 から，$T' > T$ なら $U(T';X_1) - U(T;X_1) > 0$ がわかっている。不等式 (6.26) より $S(T';X_1) - S(T;X_1) > 0$ であり，エントロピーも T の増加関数であることがわかる。

二つの不等式 (6.23) と (6.26) で，$T' = T + \Delta T, X_1 = X$ とすると，

$$\frac{1}{T+\Delta T}\frac{U(T+\Delta T;X) - U(T;X)}{\Delta T} \le \frac{S(T+\Delta T;X) - S(T;X)}{\Delta T}$$
$$\le \frac{1}{T}\frac{U(T+\Delta T;X) - U(T;X)}{\Delta T} \tag{6.27}$$

となる。微分可能性を仮定して，$\Delta T \searrow 0$ とすれば，求める (6.16) が示される。■

結果 6.2 の導出：系を断熱壁で囲み，状態 $(T;X)$ から出発して，断熱準静操作が実現されるように X を X' までゆっくり変化させる。こうして断熱準静操作 $(T;X) \xrightarrow{\mathrm{aq}} (T'';X')$ が得られるが，結果 6.1 から $S(T'';X') = S(T;X)$ であり，さらに前提の (6.13) から $S(T'';X') = S(T';X')$ となる。エントロピーが温度の増加関数であることから，$T'' = T'$ であることがわかり，求めていた断熱準静操作 (6.14) が得られていたことがわかる。■

理想気体のエントロピー

最後に，理想気体のエントロピーを求めておこう．Helmholtz の自由エネルギー (3.36) とエネルギー (4.33) を，エントロピーの定義 (6.5) に代入すれば，

$$S(T;V,N) = cNR + \frac{Nu}{T} + NR\log\frac{V}{v(T)N} \tag{6.28}$$

となる．

これまでずっと不定だった関数 $v(T)$ を決めよう．(4.15) に従い，基準状態を $(T^*;V^*,N)$ とする．ただし，定数 v^* があり，$V^* = v^*N$ である．また，基準エントロピー S^* は，話が簡単になるように，$S^* = cNR$ と選ぶ．基準状態 $(T^*;V^*,N)$ と断熱準静操作 $(T^*;V^*,N) \xleftrightarrow{\text{aq}} (T;V,N)$ で結ばれる任意の状態 $(T;V,N)$ をとる．Poisson の関係式 (4.41) より

$$V = \left(\frac{T^*}{T}\right)^c V^* = \left(\frac{T^*}{T}\right)^c v^*N \tag{6.29}$$

が成り立つ．ここで (6.9) つまり $S(T;V,N) = cNR$ が成り立つことを要求すると，(6.28) より，

$$\frac{Nu}{T} + NR\log\frac{V}{v(T)N} = 0 \tag{6.30}$$

であり，少し変形して (6.29) を使うと，

$$v(T) = \frac{V}{N}\exp\left(\frac{u}{RT}\right) = v^*\left(\frac{T^*}{T}\right)^c \exp\left(\frac{u}{RT}\right) \tag{6.31}$$

のように関数 $v(T)$ が完全に決まる．これを (6.28) に代入すれば，エネルギーの定数 u を含む項は消えて，

$$S(T;V,N) = cNR + NR\log\left\{\left(\frac{T}{T^*}\right)^c \frac{V}{v^*N}\right\} \tag{6.32}$$

のように，理想気体のエントロピーの最終的な表式が得られる．

6-2 エントロピーと可逆性，不可逆性

これから，6-1 節で導入したエントロピーの物理的な意味について考察する．6-4 節で触れるように，従来の教科書に見られる伝統的な観点では，エントロピーを「熱」と結びつける．しかし，これから見るように，**断熱操作を考えたときにこそ，エントロピーの本質が明らかになるのだ．**

断熱操作の可逆性，不可逆性

一般に，断熱操作

$$(T; X) \xrightarrow{\mathrm{a}} (T'; X') \tag{6.33}$$

が可能なとき，はじめの状態と最後の状態を入れ替えた断熱操作

$$(T'; X') \xrightarrow{\mathrm{a}} (T; X) \tag{6.34}$$

が可能とは限らない。**操作 (6.33) が可能で，かつ逆向きの操作 (6.34) も可能なとき，断熱操作 (6.33) は可逆** (reversible) **である**という[8]。逆に，**操作 (6.33) が可能だが，逆向きの操作 (6.34) は不可能なとき，断熱操作 (6.33) は不可逆** (irreversible) **である**という。

4-1 節で注意して以来くり返し利用してきたように，断熱準静操作はそのまま逆向きに実行できる。よって，**断熱準静操作はつねに可逆である**。また純粋に力学的な系でも任意の操作を逆向きに実行できるので，すべての操作は可逆である。熱力学にとって本質的なのは，**不可逆な断熱操作というものが実際に存在する**ことである。

結果 6.4 (Planck の原理) 要請 4.1 により保証される，任意の X と $T < T'$ について，示量変数を固定したまま温度を上げる操作

$$(T; X) \xrightarrow{\mathrm{a}} (T'; X) \tag{6.35}$$

は不可逆である。

これにより，X を変えない断熱操作 $(T; X) \xrightarrow{\mathrm{a}} (T'; X)$ が可能ならば，必ず $T' \geq T$ であることが結論される。平たくいえば，これは，摩擦などの力学的な操作で，ものを暖めることはできても，冷やすことはできないという経験事実に対応する。Planck は，太古から知られていたこの事実を熱力学の本質の一つとみなし，熱力学の出発点にすることを提唱した[9]。いうまでもなく Planck は量子力学の Planck 定数 h にその名を残す人物だが，熱力学にも深い貢献をしている。彼が黒体輻射についての Planck 公式を導いたのも，輻射の熱力学（7-3 節参照）についての深い考察に支えられてのことだったという。

---

[8] このとき，必ずしも逆向きの操作 (6.34) がもとの操作の途中経過をそのまま逆転したものだと仮定しているわけではない。可逆，不可逆というとき，われわれが注目するのは，あくまでも出発点の状態と最終的な状態の関係だけである。

[9] Planck は，このような考えを，彼の博士論文で述べているという [14]。

6-2 エントロピーと可逆性，不可逆性

<u>Planck の原理 6.4 の導出</u>：仮に断熱操作 (6.35) が可逆だとして，$(T';X) \xrightarrow{\text{a}} (T;X)$ という断熱操作が可能だとする．すると，温度 T' の環境での等温サイクル

$$(T';X) \xrightarrow{\text{a}} (T;X) \xrightarrow{\text{i}'} (T';X) \tag{6.36}$$

を作ることができる．二つ目は，単に系を温度 T' の環境と接触させる広義の等温操作である．サイクル (6.36) の間に系が外界にする仕事を W_{cyc} とする．二つ目の操作の間は仕事をしないから，(4.20) より一つ目の操作での仕事を求めれば，

$$W_{\text{cyc}} = U(T';X) - U(T;X) \tag{6.37}$$

となる．ところが結果 4.4 により $U(T;X)$ は温度 T の増加関数なので，これより $W_{\text{cyc}} > 0$ となり，Kelvin の原理 3.1 に矛盾する．∎

少なからぬ教科書で，可逆性と準静的という概念の区別が曖昧になっている．本書の立場では，可逆と準静というのは質的に異なった概念で，混同する理由はない．準静的というのは純粋に操作的な概念で，「ゆっくり把っ手を動かす」という操作の方法を指定する言葉である．他方，可逆性というのは，「終わりの状態から，断熱操作だけで，はじめの状態に戻れるだろうか」というより抽象的な（ある意味で次元の高い）概念である．

ここでは，議論を簡潔にするため，可逆性・不可逆性を断熱操作に限って定義した．本書では扱わないが，等温操作の場合には，注目している系とその周囲の外界・環境の状態をすべて元に戻せるときに操作が可逆だという．同じことだが，温度一定の環境を「熱浴」として実現し，注目している系と熱浴を合わせた系全体についての断熱操作の可逆性を考えるといってもいい．付録 C を参照．

エントロピー原理

エントロピーの最も本質的な性質は，エントロピーの大小関係によって，**断熱操作が可能かどうかが完全に決定される**という点である．これをエントロピー原理としてまとめよう．図 6.2 を参照．

結果 6.5 (エントロピー原理) 示量変数の組 X で記述される任意の熱力学的な系を考える．X, X' を互いに何らかの操作で移り合える任意の示量

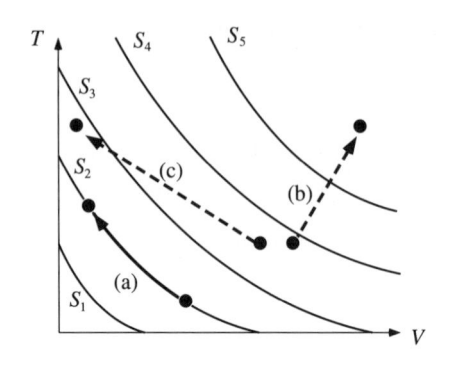

図 6.2 エントロピー原理の意味を示す概念図。単一の容器内の流体を想定して，平衡状態を $V\text{-}T$ 平面の点で表す。（物質量 N は一定。）図中の細い曲線は，エントロピー $S(T;V,N)$ が，$S_1 < S_2 < S_3 < S_4 < S_5$ という五つの値をとる曲線，つまり，等エントロピー線である。断熱準静操作は，図中 (a) のように等エントロピー線にそって動く。一般の断熱操作では，(b) のようにエントロピーが増加する方向に状態が変化する。途中の線が点線になっているのは，一般の操作の途中で系の状態が平衡状態ではないので，この図上の点としては表現できないからである。(c) のようにエントロピーを減少させる断熱操作は単独では決して実行できない。しかし，この系を二つ用意して，一方で (b) の操作を行ない，他方で (c) の操作を行なうと，エントロピーの相加性によって全体のエントロピーは増加する。この場合には，(b), (c) を同時に行なう断熱操作は実行可能である。このように，エントロピーは「不可逆性の定量的な尺度」という意味をもっている。

変数の組とし，T, T' を任意の温度とする。このとき，

$$S(T;X) \leq S(T';X') \tag{6.38}$$

が成立することが，

$$(T;X) \xrightarrow{\text{a}} (T';X') \tag{6.39}$$

という断熱操作が可能なための必要十分条件である。

エントロピー原理 6.5 から，ある断熱操作が可逆であるための必要十分条件が導かれる。操作 $(T;X) \xrightarrow{\text{a}} (T';X')$ が可能なら $S(T;X) \leq S(T';X')$，また逆の操作 $(T';X') \xrightarrow{\text{a}} (T;X)$ が可能なら $S(T;X) \geq S(T';X')$ であり，合わせて $S(T;X) = S(T';X')$ となる。断熱準静操作は必ず可逆なの

6-2 エントロピーと可逆性，不可逆性

で，断熱準静操作でエントロピーが不変という結果 6.1 はこの結果の特別の場合である。

また，$S(T; X) < S(T'; X')$ という真の不等式が成り立つなら，断熱操作 $(T; X) \xrightarrow{\text{a}} (T'; X')$ は不可逆であることもわかる。

<u>エントロピー原理 6.5 の導出</u>：(6.38) と (6.39) が同値だといいたいわけだから，まず不等式 (6.38) が成り立てば操作 (6.39) が可能なことをいう。系を断熱壁で囲み，状態 $(T; X)$ から出発して，X を X' までゆっくり変化させて断熱準静操作 $(T; X) \xrightarrow{\text{aq}} (T''; X')$ を行なう。$S(T''; X') = S(T; X)$ なので (6.38) より $S(T''; X') \leq S(T'; X')$ であり，エントロピーが温度の増加関数であること（結果 6.3）から $T'' \leq T'$ となる。すると温度を上げる操作についての要請 4.1 から断熱操作 $(T''; X') \xrightarrow{\text{a}} (T'; X')$ が存在する。よって，これらを

$$(T; X) \xrightarrow{\text{aq}} (T''; X') \xrightarrow{\text{a}} (T'; X') \tag{6.40}$$

のように組み合わせて，求める断熱操作 (6.39) を得る。

次に操作 (6.39) が可能なら不等式 (6.38) が成り立つことをいう。系を断熱壁で囲み，状態 $(T'; X')$ から出発して示量変数の組を X' から X までゆっくり変化させて断熱準静操作 $(T'; X') \xrightarrow{\text{aq}} (\widetilde{T}; X)$ を得る。可能だと仮定した断熱操作 (6.39) と上の断熱準静操作を，

$$(T; X) \xrightarrow{\text{a}} (T'; X') \xrightarrow{\text{aq}} (\widetilde{T}; X) \tag{6.41}$$

のように組み合わせれば，$(T; X) \xrightarrow{\text{a}} (\widetilde{T}; X)$ という断熱操作を得る。Planck の原理 6.4 から $T \leq \widetilde{T}$ でなくてはならない。エントロピーは温度の増加関数なので，$S(T; X) \leq S(\widetilde{T}; X) = S(T'; X')$ となり，求める不等式 (6.38) を得た。■

本書では最大吸熱量の普遍性に着目して，断熱準静操作で値を変えない状態量としてエントロピー (6.5) を導入した。こうして得られたエントロピーは，しかし，より豊かなエントロピー原理 6.5 を満たし，一般の断熱操作が可能かどうかを完全に判定してくれることがわかった。実は，エントロピー原理はエントロピーの持つ便利な性質に留まるものではない。エントロピー原理は，エントロピーという状態量を完璧に特徴づける性質なのである。正確にいえば，**エントロピー原理 6.5 を満たす示量的で相加的**

な状態量は（定数倍，定数の足し引きを除いて）エントロピー $S(T;X)$ だけなのである．付録 B を見よ．これは，エントロピーという一見神秘的でつかみどころのない量のもっとも明解かつ必然性のある特徴づけであり，エントロピーの本質を表しているといってもよい．

不可逆性の定量的な尺度としてのエントロピー

エントロピー原理 6.5 は，エントロピーの相加性 (6.11) と合わせることで，深く豊かな意味をもつことを注意しておきたい．たった一つの系についてのみ考えるなら，エントロピーは，状態の間の断熱操作が可能かどうかを単に数の大小で表現したものにすぎない．しかし，複数の系の組み合わせを考え，エントロピーの相加性を用いることで，**エントロピーは「不可逆性の定量的な尺度」**という，より豊かな物理的な意味をもつ．

示量変数の組 X で記述される系で $S(T;X) > S(T';X')$ であれば，状態 $(T;X)$ から断熱操作で $(T';X')$ に至ることはできない．しかし，このとき示量変数の組 Y で記述される系の状態 $(T;Y)$, $(T';Y')$ について，

$$S(T;X) + S(T;Y) \leq S(T';X') + S(T';Y') \tag{6.42}$$

が成り立つなら，エントロピーの相加性 (6.11) より，X 系と Y 系を組み合わせた系について，

$$S(T;X,Y) \leq S(T';X',Y') \tag{6.43}$$

が成り立つ．エントロピー原理は一般の系について示されているので，

$$(T;X,Y) \xrightarrow{\mathrm{a}} (T';X',Y') \tag{6.44}$$

という断熱操作が可能だということになる[10]．いってみれば，X 系における「不可逆性」を Y 系の十分な「可逆性」で「打ち消す」ことによって，X 系単独では不可能な操作を行なうことができるのだ[11]．図 6.2 を見よ．

---

[10] むろん X から X'，Y から Y' へ，それぞれ何らかの操作で移れるとしている．

[11] 化学熱力学の古典の Lewis と Randall の教科書 [10] では，このような「不可逆性の尺度」としてのエントロピーというアイディアをもとにしてエントロピーを導入している．最近の佐々 [7] によるエントロピーの定義は，このようなアイディアをさらに理論的に押し進めたものといってよい．

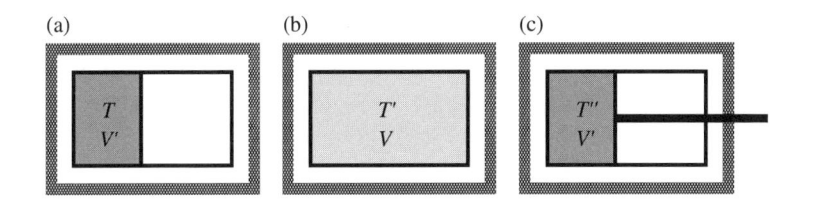

図 6.3 流体の真空への自由膨張(一つ目の断熱操作)が不可逆であることを示す。(a) から気体を膨張させ,(b) となる。(b) から断熱準静操作により流体を圧縮し,(c) のように流体の体積をはじめと同じに戻す。エネルギー保存則から $T'' > T$ がわかり,それによって自由膨張においてはエントロピーが増加することが一般的に示される。

6-3 いくつかの例

エントロピー原理に関連したいくつかの簡単な例を見ておこう。

流体の真空への断熱膨張

断熱操作でのエントロピーの増大の例として,一般の流体の真空への膨張を考える。4-4 節でも取り上げた Gay-Lussac の実験である。体積 V の容器に仕切りを入れて,体積 V' と $V - V'$ の部分に分ける。体積 V' の部分に物質量 N,温度 T の流体を入れ,残りの体積 $V - V'$ の部分は真空にしておく。系全体を断熱壁で囲っておいて,仕切りの壁を取り除くことで,断熱操作

$$(T; V', N) \xrightarrow{\mathrm{a}} (T'; V, N) \tag{6.45}$$

が実現される。このとき一般に

$$S(T; V', N) < S(T'; V, N) \tag{6.46}$$

が成り立つ。よって,断熱された流体の真空への自由な膨張は必ず不可逆である。

不等式 (6.46) の導出:図 6.3 のように,膨張した流体をピストンでゆっくりと元の体積まで押し縮める断熱準静操作

$$(T'; V, N) \xrightarrow{\mathrm{aq}} (T''; V', N) \tag{6.47}$$

を行なう.流体の圧力は必ず正だから,(6.47) の操作の間に系は外界から正の仕事を受ける.操作 (6.45) では仕事は行なわれないので,(6.45) と (6.47) を合わせた断熱操作 $(T; V', N) \xrightarrow{a} (T''; V', N)$ の間に系は外界から正の仕事を受ける.エネルギー保存則から $U(T; V', N) < U(T''; V', N)$ がわかり,さらにエネルギーが温度の増加関数であることから $T < T''$ を得る(理想気体の場合には,問題 1.1 で T'' を具体的に評価した).エントロピーも温度の増加関数なので,$S(T; V', N) < S(T''; V', N)$ が成り立ち,さらに (6.47) でエントロピーが不変なことを用いれば (6.46) が示される.■

流体として特に理想気体を用いると,具体的な結果を出すことができる.理想気体では $T = T'$ であることに注意し,エントロピーの表式 (6.32) を用いて,自由膨張の操作 (6.45) でのエントロピーの変化を求めると,

$$S(T; V, N) - S(T; V', N) = NR \log\left(\frac{V}{V'}\right) > 0 \tag{6.48}$$

となる.

理想気体と固体からなる系

結果 6.3 より,示量変数の組を固定した系のエントロピーは必ず温度の増加関数である.これによって,系の示量変数の組を固定したとき,断熱操作で系の温度を上げることは許されるが,系の温度を下げることは不可能なことがわかる.もちろん,これは温度を上げる操作についての要請 4.1 と Planck の原理(結果 6.4)として周知のことである.前節の最後に述べた「不可逆性の打ち消し」の考えによれば,エントロピーが適度に増加する別の操作と組み合わせれば,示量変数の組を固定したままで系の温度を下げることができるはずだ.たとえば (6.19) で考えた示量変数の組を X_0 に固定した熱容量一定の系(理想化した固体)と示量変数の組 (V, N) の理想気体を組み合わせた系でのエントロピーは,相加性 (6.11) とそれぞれの系でのエントロピーの表式 (6.19), (6.32) から

$$S(T; X_0, V, N) = S(T; X_0) + S(T; V, N)$$
$$= S'_0 + C_0 \log T + NR \log(T^c V N^{-1})$$
$$= S'_0 + NR \log \left\{ \frac{T^{c+c'} V}{N} \right\} \quad (6.49)$$

と書ける。ただし，S'_0 は適当な定数であり，$c' = C_0/(NR)$ とした。$T' < T$ とする。もし，$V' \geq (T/T')^{c+c'} V$ となるように V' を十分大きく選べば，$S(T; X_0, V, N) \leq S(T'; X_0, V', N)$ となるので，固体の示量変数の組を固定したまま系の温度を下げる断熱操作

$$(T; X_0, V, N) \xrightarrow{\mathrm{a}} (T'; X_0, V', N) \quad (6.50)$$

が可能である。特に，$V' = (T/T')^{c+c'} V$ のときは，上の操作は断熱準静操作として実現できる。問題 6.1 を見よ。

6-4 エントロピーと熱

本書では，エネルギーと自由エネルギーの差に注目することでエントロピーを定義し (6-1 節)，不可逆性の定量的な尺度としてエントロピーを特徴づけた (6-2 節)。しかし，Clausius に始まり，多くの教科書で採用されているエントロピーの定式化では，系と環境との熱のやりとりを中心にする。この節では，このような議論の大筋を，本書の枠組みの中で概観する[12]。

エントロピーについての Clausius 流の視点

等温準静操作 $(T; X) \xrightarrow{\mathrm{iq}} (T; X')$ において，系が環境から吸収する熱を $\Delta Q = Q_{\max}(T; X \to X')$，操作の前後でのエントロピーの変化を $\Delta S = S(T; X') - S(T; X)$ とする。エントロピーと最大吸熱量の関係 (6.7) は

$$\Delta S = \frac{\Delta Q}{T} \quad (6.51)$$

であった[13]。このとき，ΔQ と ΔS は微少量である必要はない。また断

---

[12] この節をとばして先を読んでもよい。

[13] $Q_{\max}(T; X \to X')$ は最大吸熱量だから，一般の等温操作 $(T; X) \xrightarrow{\mathrm{i}} (T; X')$ については，$\Delta S \geq \Delta Q/T$ という不等式が成立する。これは Clausius の不等式の特別な場合にあたる。

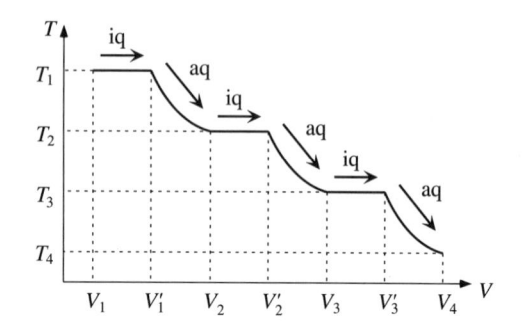

図 6.4 等温準静操作と断熱準静操作をくり返して,状態 $(T_1; V_1, N)$ から $(T_4; V_4, N)$ を得る。(6.51) をくり返し使えば,これら二つの状態でのエントロピーの差を求めることができる。これが Clausius 流のエントロピーの定義の基礎である。

熱準静操作 $(T; X) \xrightarrow{\text{aq}} (T'; X')$ においては,吸収する熱量は $\Delta Q = 0$ であり,エントロピーの変化は $\Delta S = S(T'; X') - S(T; X) = 0$ なので,やはり (6.51) が(両辺が 0 という形で)成立する。

(6.51) の関係は,Clausius 流のエントロピーの理解において中心的な役割を果たす。右辺の ΔQ は特定の操作の間に系が環境から熱として受け取るエネルギーであり,何らかの状態量の差を表すわけではない。ところが,それを絶対温度 T で割った量は,二つの状態における状態量(エントロピー)の差 ΔS になる。これは,この関係の核心であり,熱力学の本質の一端を表す。

等温準静操作と断熱準静操作を交互にくり返して,

$$(T_1; X_1) \xrightarrow{\text{iq}} (T_1; X_1') \xrightarrow{\text{aq}} (T_2; X_2) \xrightarrow{\text{iq}} (T_2; X_2') \xrightarrow{\text{aq}} \cdots$$
$$\cdots \xrightarrow{\text{aq}} (T_{n-1}; X_{n-1}) \xrightarrow{\text{iq}} (T_{n-1}; X_{n-1}') \xrightarrow{\text{aq}} (T_n; X_n) \quad (6.52)$$

のように状態 $(T_1; X_1)$ から $(T_n; X_n)$ に移ることを考える(図 6.4)。各々の操作でのエントロピーの変化は (6.51) で与えられるので,これを足し合わせれば,

$$S(T_n; X_n) - S(T_1; X_1) = \sum_{i=1}^{n-1} \frac{\Delta Q_i}{T_i} \quad (6.53)$$

のようにはじめと終わりの状態のエントロピーの差が求められる。ここで

6-4 エントロピーと熱

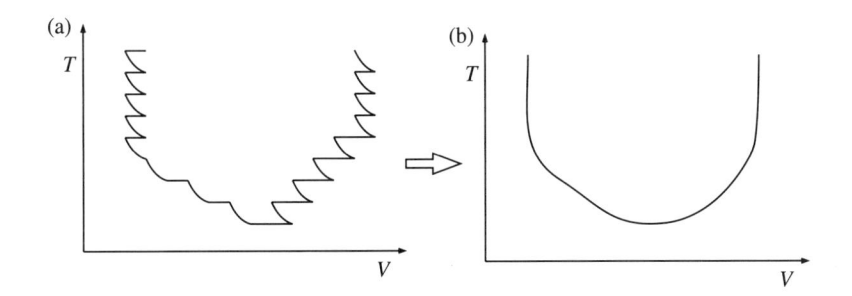

図 6.5 (a) 等温準静操作と断熱準静操作のくり返しで得られる「ギザギザ」の道。ここで，一つ一つの操作における T と V の変化を小さくして操作のステップを細かくしてやれば，「連続極限」として (b) のような状態空間の中の「連続な道」が得られる。ただし，逆に (b) のような「連続な道」が与えられたとき，それを実現するような具体的な操作は一通りには決まらない。等温準静操作と断熱準静操作のくり返しを用いるというのは，一つの選択にすぎない。

ΔQ_i は温度 T_i での等温準静操作の間に系が吸収する熱である。(6.53) が Clausius 流のエントロピーの定義の基本である。

エントロピーの積分表示

さらに，図 6.5 に示したように，(6.52) の一連の操作において，各々の操作での T と X の変化を小さくし，操作の回数 n を増やしてやれば，状態空間での「連続な道」 $(T(\tau); X(\tau))_{0 \leq \tau \leq 1}$ を構成できるだろう。(6.53) の形式的な連続極限をとれば，

$$S(T(1); X(1)) - S(T(0); X(0)) = \int_0^1 \frac{dQ(\tau)}{T(\tau)} \qquad (6.54)$$

というエントロピーの積分表示が得られる。これが，大部分の熱力学の教科書で採用されているエントロピーの定義である。ここで $dQ(\tau)$ は微小な操作の間に系が吸収する熱である。

(6.54) というエントロピーの表現は，状態空間の中の道を，図 6.5 のように，等温準静操作と断熱準静操作の組み合わせとして実現したときに得られたことに注意しよう。逆に，図 6.5 (b) のような状態空間の道がまず与えられたとすると，それを具体的な操作（あるいは具体的な操作の極限）

として実現する方法は一通りではない。(6.52) のように等温準静操作と断熱準静操作のみを用いて道をつくるというのは特殊なやり方である。状態空間の道を再現する方法はいろいろあり，一般には，エントロピーの積分表示 (6.54) は成立しない (問題 6.2 を参照)。

ただし，積分表示 (6.54) は，上で考えた (6.52) の極限以外の操作についても成立することがある。たとえば，定積熱容量とエントロピーを結ぶ (6.18) (あるいは，この先に登場する定圧熱容量とエントロピーを結ぶ (8.24)) は，積分の中の $C_v(T'; X) dT'$ を吸熱量 dQ と解釈すれば，まさに (6.54) の形をしている[14]。一般に，どのような操作について (6.54) が成立するかは，問題 6.3 で考察する。

6-5 エントロピー増大則

エントロピー原理 (結果 6.5) によって，熱力学的な系において，ある状態を別の状態へ移す断熱操作が可能かどうかは，二つの状態のエントロピーの大小によって完全に決定されることがわかった。状態 $(T; X)$ から何らかの断熱操作によって状態 $(T'; X')$ が得られるなら，必ず $S(T; X) \le S(T'; X')$ が成り立つ。現実的な操作を考えると，等式 $S(T; X) = S(T'; X')$ が成立するような断熱操作を行なうのは容易なことではない。もちろん断熱準静操作を行なえば $S(T; X) = S(T'; X')$ となることは保証されているが，準静操作というのは限りなく長い時間をかけてゆっくりと行なうものなので，近似的にしろ準静操作を実現するには恐ろしく注意深く操作を行なう必要がありそうだ。そこで，**一般の熱力学的な系で虚心坦懐に断熱操作を行ない，状態 $(T; X)$ から状態 $(T'; X')$ が得られるなら，不等式**

$$S(T; X) < S(T'; X') \tag{6.55}$$

が成り立つだろうと思われる。いいかえれば，**断熱された系に様々な操作を行なうと，エントロピーは増加し続けていくということである**。これが有名な**エントロピー増大の法則**，あるいは**エントロピー増大則**である。

---

[14] しかし，この論法で (6.18) や (8.24) が導かれるわけではない。(この点について，一部の教科書に誤り，ないしは誤解を誘う記述がある。) また，(6.18) や (8.24) は，状態量の間の厳密な等式なので，温度変化が熱によるか仕事によるかといった具体的な操作のやり方とは無関係に成立することにも注意。

6-5 エントロピー増大則

断熱操作の特別な場合として，外界から仕事を行なわず，系の内部の何らかの壁を取り除き，後は系に自発的に時間発展させるような操作が考えられる。このような場合，状態の変化は外界から引き起こされたというよりも系の内部で自発的に生じたとみてよい。そこで，エントロピー増大則を，**断熱された系での自発的な状態変化では必ずエントロピーが増加する**という狭い形で述べることもできる。多くの文献でこの狭い意味でのエントロピー増大則だけが議論されている。しかし，エントロピー増大則は，外界からエネルギーを使って仕事をしてやっても，外界に仕事としてエネルギーを取り出してやっても，エントロピー増大をくい止めることはできないというより豊かな内容を含んでいる[15]。

エントロピー増大則は，エネルギー保存則と相補的な関係にある根源的な物理法則である。Clausius は熱力学の本質を "Die Energie der Welt ist constant; die Entropie der Welt strebt einem Maximum zu"（宇宙のエネルギーは一定であり，宇宙のエントロピーは最大値に向かう）と表現している。宇宙全体を一つの断熱された熱力学的な系とみなし，宇宙には外から仕事が加えられることはないし，宇宙が外の環境に熱を捨てることもないので，宇宙のエネルギーは保存しエントロピーは増え続けるというのだ。この考えを推し進めると，時の経過とともに宇宙のエントロピーは増え続け，いつの日かエントロピーが可能な最大値を取る完全な熱平衡が実現されるだろうという推測が生まれる。熱平衡状態ではマクロな時間変化はいっさい生じなくなるので，これを「宇宙の熱的死」と表現する。もちろん，ビッグバンに始まり時空の構造そのものが時間変化していくという今日の宇宙モデルの観点からすると，このような考察に現実的な意味は薄い。さらに，すぐに一般的に議論するように，決して平衡に達したことのない系である宇宙にエントロピーの議論を持ち込むのは危険である[16]。それでも，「宇宙」という言葉を字義どおりには取らず，十分に孤立した熱力学的な系をさすとすれば，Clausius の言葉は熱力学の本質をよく表現して

---

[15] 多くの教科書や解説書に，「外とエネルギーを交換できる系では，エントロピーが減少できる」という論理的に誤りではないが，エントロピー原理の本質を外した記述がみられる。真に重要なメッセージは，「熱として外（環境）とエネルギーをやりとりできれば，エントロピーは減少できる」が，「仕事としてのみエネルギーをやりとりする限りは，決して減少できない」ことである。

[16] 宇宙の背景輻射の測定から初期の宇宙はほぼ一様で等方的だったと信じられている。しかし，一様等方な状況がすなわちエントロピー最大の平衡状態を意味するという議論は誤りである。

いるといえるだろう。

　何度か強調してきたことだが，熱力学では平衡状態を結ぶ操作の途中に，系が平衡状態にあることはいっさい仮定しない．ときに熱力学は平衡状態にしか適用できないという誤解があるが[17]，はじめと終わりの状態が平衡状態でありさえすれば，それらを結ぶ断熱操作がどれほど荒々しいものだろうと，エントロピー増大則は厳密に成立する．しかし，エントロピーという量が，平衡状態についてしか定義されないことを忘れてはいけない．系が平衡状態から離れて時間変化を続けているとき，系のエントロピーが増加し続けているかどうかという議論には，少なくとも本書で定義したエントロピーを用いる限りは，意味がない．平衡状態から離れた系において，エントロピーをはじめとした熱力学的な量を定義し，それらの時間変化の法則を議論するのは，非平衡熱力学と呼ばれる分野の課題である．この分野にもある程度の発展があるが，通常の熱力学のような普遍的な体系は未だ得られていない．本書では，非平衡熱力学には踏み込まない．

　エントロピー増大則は，哲学的とも，神秘的ともいえる独特の雰囲気をもっているので，科学を離れた場面でも様々な議論の対象となってきた．特に，エントロピーは必然的に増加し続け，いつかはエントロピーが最大に達した「沈黙の世界」が訪れるという考えは，人間が誰しも抱くある種の運命論的な喪失感や終末思想に理論的な裏づけを与えるもののように受け取られることがある．しかし，われわれの生きている世界が本質的に非平衡系であることを考えると，エントロピー増大則を軽々しく現実世界に適用することはできない．

　また，非平衡性にはとりあえず目をつぶって，地球をめぐる環境に熱力学を適用しようという場合にも，地球は決して断熱系でないことを認識する必要がある．地球は絶えず太陽から光の形でエネルギーを受け取り（これは，熱力学的な系が外界から力学的仕事を受けることとほぼ同値である，第5章の脚注5を参照），主として赤外線による輻射の形で宇宙空間にエネルギーを捨てている（これは，熱力学的な系が環境に熱の形でエネルギーを渡すのとほぼ同値である）．このような系において，断熱系でのエントロピー増大則が成立する理由はない．地球上に生命が誕生し進化した

---

[17] 1-2 節でも論じたように，平衡統計物理学は，その名のとおり，平衡系にしか適用できない．平衡統計物理学により熱力学が完全に導かれるという不正確な主張から，熱力学の適用範囲についての誤解が生じるのかもしれない．

ことが，エントロピー増大則への反例であるという主張が通俗書には未だに見受けられるが，これは初歩的な知識不足からくる誤りにすぎない．関連する点について，図 6.6 の説明を参照．

6-6 　複合状態のエントロピーとエントロピー原理

本書では，一貫して，平衡状態にある熱力学的な系が単一の温度をもつ場合だけを取り扱う．しかし，系の内部に断熱壁のしきりを設ければ，系の部分によって温度が異なるような平衡状態を作ることができる．このような平衡状態を複合状態と呼び，これまで考えてきた単一の温度の状態を単純状態と呼ぶことがある．われわれも，この節に限って複合状態を扱い，エントロピーやエントロピー原理がどのように拡張されるかを概観しよう[18]．複合状態の体系的な取り扱いについては，[14] のような本格的な文献に譲る．

複合状態とエントロピー

n 個の熱力学的な系の必ずしも温度の等しくない平衡状態 $(T_1; X_1)$, $(T_2; X_2), \ldots, (T_n; X_n)$ をとる．これらを，断熱壁でしきって並べても，状態は本質的に変化しない．よって，このような状態も平衡状態の一種とみなし，$\{(T_1; X_1)|(T_2; X_2)|\cdots|(T_n; X_n)\}$ のように表す．縦棒が断熱壁を表す．

複合状態 $\{(T_1; X_1)|(T_2; X_2)|\cdots|(T_n; X_n)\}$ に対するエントロピーを，相加性がそのまま成り立つように，

$$S((T_1; X_1)|(T_2; X_2)|\cdots|(T_n; X_n)) = \sum_{i=1}^{n} S(T_i; X_i) \tag{6.56}$$

と定義する．右辺のエントロピーはもちろん 6-1 節で定義したものである．複合状態のエントロピーも次のようにエントロピー原理を満たす．

結果 6.6 (複合状態についてのエントロピー原理） 示量変数の組 $(X_1, \ldots, X_n)$ から $(X_1', \ldots, X_\ell')$ に何らかの操作で到達できるとする[19]．また $T_1, \ldots, T_n, T_1', \ldots, T_\ell'$ を任意の温度とする．このとき

---
[18] この節をとばして先を読んでもよい．
[19] ℓ は任意の正の整数であり，n と等しくても異なっていてもかまわない．操作には壁の挿入や撤去も含まれるので，成分の個数が変わることを想定している．

$$S((T_1;X_1)|\cdots|(T_n;X_n)) \leq S((T_1';X_1')|\cdots|(T_\ell';X_\ell')) \quad (6.57)$$

が成立することが，

$$\{(T_1;X_1)|\cdots|(T_n;X_n)\} \xrightarrow{\mathrm{a}} \{(T_1';X_1')|\cdots|(T_\ell';X_\ell')\} \quad (6.58)$$

という断熱操作が可能なための必要十分条件である．

6-2 節で述べたエントロピー原理とエントロピーの相加性についての注意を思い出そう．相加性とエントロピー原理が複数の温度を持つ状態にまで拡張された事によって，エントロピー原理はさらに豊かな物理的内容を持つようになった．

<u>複合状態についてのエントロピー原理 6.6 の導出</u>：導出のアイディアは，議論を単一の温度のエントロピー原理 6.5 に還元することである．複合状態 $\{(T_1;X_1)|\cdots|(T_n;X_n)\}$ から出発し，n 個の部分系のそれぞれを断熱壁で囲んだまま，2 番目から n 番目までの部分系に適当な断熱準静操作を施すことで，

$$\{(T_1;X_1)|(T_2;X_2)|\cdots|(T_n;X_n)\} \xleftrightarrow{\mathrm{aq}} \{(T_1;X_1)|(T_1;\widetilde{X}_2)|\cdots|(T_1;\widetilde{X}_n)\}$$
$$\xleftrightarrow{\mathrm{aq}} (T_1;X_1,\widetilde{X}_2,\ldots,\widetilde{X}_n) \quad (6.59)$$

のように単一の温度の状態を作ることができる．最後の操作では，各部分を隔てる断熱壁を通常の壁（透熱壁）でおきかえる．もともと各部分の温度が等しくなっているので，この操作では実質的に何もおきない．(6.56) より，この操作でエントロピーは不変である．同様に，

$$\{(T_1';X_1')|(T_2';X_2')|\cdots|(T_\ell';X_\ell')\} \xleftrightarrow{\mathrm{aq}} (T_1';X_1',\widetilde{X}_2',\ldots,\widetilde{X}_\ell') \quad (6.60)$$

という断熱準静操作も可能で，エントロピーを変えない．

状態 $(T_1;X_1,\widetilde{X}_2,\ldots,\widetilde{X}_n)$ と $(T_1';X_1',\widetilde{X}_2',\ldots,\widetilde{X}_\ell')$ の間での断熱操作の可能性は，単一の温度の場合のエントロピー原理 6.5 により完全に決定される．断熱準静操作 (6.59), (6.60) は自由に逆にたどれることを思い出せば，これで複合状態のエントロピー原理 6.6 が示された．∎

熱的接触でのエントロピーの増加

複合状態のエントロピー原理の例として，熱的接触 (thermal contact) の

6-6 複合状態のエントロピーとエントロピー原理

問題を考えよう[20]。6-1 節で議論した，示量変数の組が一定値 X_0 に固定された熱容量一定の系（固体）が二つあり，それぞれ，平衡状態 $(T_1; X_0)$, $(T_2; X_0)$ にあるとする。話を当たり前にしないため，$T_1 \neq T_2$ とする。これらを断熱壁で仕切ったものを並べ，そして，間の断熱壁を透熱壁に置き換えると，外界にいっさい仕事をしない断熱操作

$$\{(T_1; X_0)|(T_2; X_0)\} \xrightarrow{\text{a}} \{(T_\text{f}; X_0), (T_\text{f}; X_0)\} \tag{6.61}$$

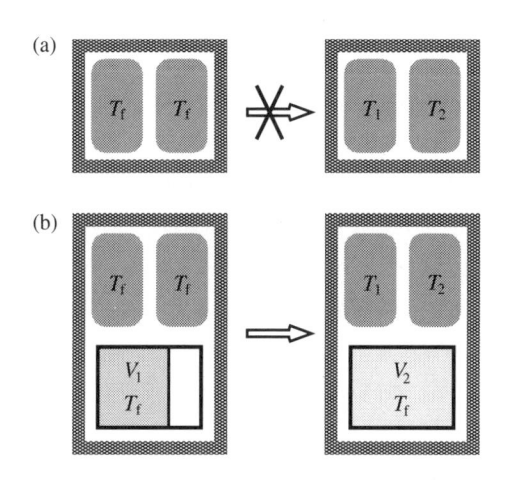

図 6.6 不可逆性の打ち消しを示す例。(a) 二つの固体の温度がともに $T_\text{f} = (T_1 + T_2)/2$ の状態に比べて，二つの物体の温度がそれぞれ T_1 と T_2 の状態は，エントロピーが低い。エントロピー原理により，前者から後者への断熱操作は実現できない。(b) しかし，気体の断熱膨張の操作とうまく連動させれば，上の操作も実行できる。気体の膨張の際のエントロピーの増加が，固体のエントロピーの減少を打ち消してくれるからだ。

温度一様の状態に比べると温度差のある状態は「構造」をもっていると感じられる。一般に，「構造」のある状態のエントロピーは，「構造」のない状態より低いことが多い。そのとき，「構造」のないところから「構造」を生み出す断熱操作は単独では不可能だが，エントロピーの増大する別の操作と組み合わせれば実現可能になる。この事実は，自然界における様々な「秩序形成」の現象と深く関わっていると思われる。このように複数の系の組み合わせに適用することで，エントロピー原理の真の威力が発揮される。

---

[20] ここでは，直観的に明らかな例を扱い，議論を論理的にするために必要な要請などについては省略する。より完全な扱いについては問題 5.1, 6.4 を見よ。

が得られる。最終的な温度は、$T_\mathrm{f} = (T_1 + T_2)/2$ である[21]。エントロピーの相加性 (6.56) と単一の固体のエントロピー (6.19) から、断熱操作 (6.61) の前後でのエントロピーの変化を評価すると、

$$\begin{aligned}
2S&(T_\mathrm{f}; X_0) - \{S(T_1; X_0) + S(T_2; X_0)\} \\
&= 2C_0 \log \frac{T_1 + T_2}{2} - C_0 \log T_1 - C_0 \log T_2 \\
&= C_0 \log \frac{(T_1 + T_2)^2}{4T_1 T_2} > 0 \quad (6.62)
\end{aligned}$$

となり、二つの物体の温度が等しくなる断熱操作は不可逆であることがわかる。より一般の場合は、問題 6.4 で取り扱う。

6-2 節で述べた不可逆性の尺度というエントロピーの側面は、複合状態でこそ真の威力を発揮する。二つの固体の温度がともに $T_\mathrm{f} = (T_1 + T_2)/2$ の状態から、それぞれの温度が T_1, T_2 の状態へ断熱操作で移ることはできない。上で見たことから、エントロピーが減少するからである。しかし、このエントロピーの減少を打ち消すようなエントロピーの増大する操作をいっしょに行なえば、温度 T_1, T_2 の状態への断熱操作も可能になる。図 6.6 に、理想気体の体積膨張の操作と組み合わせてこのような操作を行なう例を示した。問題 6.5 を見よ。

演習問題 6.

6.1 (6-3 節) $V' = (T/T')^{c+c'} V$ が成り立つとき (6.50) の操作を断熱準静操作として実現できることを具体的に示せ。4-4 節の Poisson の関係式の導出にならえばよい。

6.2 (6-4 節) エントロピーの積分表示 (6.54) が成立しないような操作の例を挙げよ。ただし、何らかの極限で状態空間に「連続な道」を定義できるなら、どのような操作の列を考えてもよいことにする。

6.3 (6-4 節) 一連の広義の等温操作 (問題 5.2) $(T; X) = (T_1; X_1) \xrightarrow{i'} (T_2; X_2) \xrightarrow{i'} \cdots \xrightarrow{i'} (T_n; X_n) = (T'; X')$ で、各操作での T と X の変化は ε 以下とする。さらに、$(T_i; X_i) \xrightarrow{i'} (T_{i+1}; X_{i+1})$ で系が外界に行なう仕事を $\Delta W_i = O(\varepsilon)$ とす

---

[21] 断熱操作 (6.61) で二つの固体のエネルギーは変化する。この際、われわれの目に見えるエネルギーのやりとりがないので、一方の固体から他方の固体に熱が移動した (正確にいえば、熱という形でエネルギーが移動した) と考える。問題 5.1 を見よ。

演習問題 6.   117

るとき，逆向きの操作 $(T_{i+1}; X_{i+1}) \xrightarrow{i'} (T_i; X_i)$ として，外界に行なう仕事が $-\Delta W_i + O(\varepsilon^2)$ となるものがとれるとする[22]。ここで，$\varepsilon \searrow 0, n \nearrow \infty$ とすると，$(T; X)$ と $(T'; X')$ を結ぶ連続な操作[23]（状態空間の道）が得られる。この場合，エントロピーの積分表示 (6.54) が成立することを示せ。（熱容量とエントロピーを結ぶ (6.18), (8.24) は，この特別な場合である。）問題 5.2 にならって，$(T_i; X_i) \xrightarrow{i'} (T_{i+1}; X_{i+1})$ と $(T_{i+1}; X_{i+1}) \xrightarrow{i'} (T_i; X_i)$ での吸熱量を評価するとよい。

6.4 （6-6 節）問題 5.1 で定式化した一般の熱的接触の断熱操作で，エントロピーが増加することを示せ。問題にしている範囲で，エントロピーが温度について微分可能と仮定してよい。

6.5 （6-6 節）図 6.6 の例を詳細に議論せよ。特に，図 6.6 (b) の操作でエントロピーが変化しないように V_1, V_2 を選んだとき，図 6.6 (b) の操作を断熱準静操作として具体的に構成せよ（操作を何段階かに分ける必要がある）。問題 6.1 で構成した操作が役に立つ。

---

[22] 系の圧力が定義できるゆっくりした操作では，この条件はほとんどの場合に満たされる。
[23] このようにして得られる連続な操作を「可逆過程」と呼ぶ流儀がある。この場合の「可逆」の意味づけについては，付録 C の脚注 6 も参照。

7. Helmholtz の自由エネルギーと変分原理

　本書では，第 3 章で Helmholtz の自由エネルギーを導入したが，温度依存性を含めた完全な定義は第 6 章でエントロピーを導入したときに与えた。この章では，完全に定義された Helmholtz の自由エネルギーの性質を詳しく議論する。Helmholtz の自由エネルギーは，温度と体積が制御可能な状況を取り扱う際に威力を発揮すること，また，熱力学系の平衡状態についての情報を余さずもった完全な熱力学関数であることを見る。熱力学の普遍性と定量的な厳密さの現れである Maxwell の関係式などの等式を議論する。熱力学にとって本質的な変分原理について詳しく述べ，つり合いの条件を導く。応用として，純物質での相平衡の問題を議論し，相境界についての Clapeyron の関係を導く。

7-1　Helmholtz の自由エネルギーの微分

　Helmholtz の自由エネルギーの性質を調べるために，エントロピーの定義式 (6.5) を変形し，Helmholtz の自由エネルギーを，

$$F[T; X] = U(T; X) - T\,S(T; X) \qquad (7.1)$$

と表しておこう[1]。

Helmholtz の自由エネルギーの温度微分

　エネルギー $U(T; X)$ とエントロピー $S(T; X)$ が T について微分可能と仮定し，(7.1) を T で微分する。そこに，エネルギーとエントロピーの温

---

[1] 多くの教科書では (7.1) が Helmholtz の自由エネルギーの定義である。しかし，本書では，Helmholtz の自由エネルギーは（温度依存性を除いて）最大仕事を通じて定義されており，(7.1) は，むしろエントロピーの定義であった。

7-1 Helmholtz の自由エネルギーの微分

度微分を結ぶ (6.16) の関係を使うと，

$$\frac{\partial F[T;X]}{\partial T} = \frac{\partial U(T;X)}{\partial T} - S(T;X) - T\frac{\partial S(T;X)}{\partial T}$$
$$= -S(T;X) \tag{7.2}$$

となる．つまり，Helmholtz の自由エネルギーがわかっていれば，エントロピー $S(T;X)$ が求められる．さらに，(7.1) と (7.2) を使えば，

$$U(T;X) = F[T;X] + TS(T;X) = F[T;X] - T\frac{\partial F[T;X]}{\partial T}$$
$$= -T^2\frac{\partial}{\partial T}\left\{\frac{F[T;X]}{T}\right\} \tag{7.3}$$

のように，$F[T;X]$ によってエネルギー $U(T;X)$ を表すことができる．(7.3) は **Gibbs-Helmholtz の関係**と呼ばれる一連の関係式の一つである[2]．

また，定積熱容量 $C_\mathrm{v}(T;X)$ をエントロピーで表した (6.17) と (7.2) を使えば，

$$C_\mathrm{v}(T;X) = T\frac{\partial S(T;X)}{\partial T} = -T\frac{\partial^2 F[T;X]}{\partial T^2} \tag{7.4}$$

のように Helmholtz の自由エネルギーと定積熱容量 を結びつけることができる．

Helmholtz の自由エネルギーは完全な熱力学関数である

Helmholtz の自由エネルギー $F[T;X]$ は，もともと等温操作における最大仕事についての情報をもっている．また，エネルギー $U(T;X)$ とエントロピー $S(T;X)$ は断熱操作についての本質的な情報をもっている．$F[T;X]$ から $U(T;X)$ と $S(T;X)$ の両方が得られるということは，**Helmholtz の自由エネルギーは熱力学的な系の平衡状態の性質と，種々の操作による平衡状態の間の移り変わりについての完全な情報をもっていることを意味する**[3]．第 3 章で等温操作における仕事に基づいて定義した Helmholtz の自由エネルギーが，これほど完璧な情報を担っているのは，別に不合理で

---

[2] ここで (7.2) と (7.3) を導く際に，$U(T;X)$ と $S(T;X)$ が T について微分可能と仮定した．しかし，結果として得られた (7.2) と (7.3) には T, X の連続関数である $U(T;X)$ と $S(T;X)$ だけが現れた．連続性により，$F[T;X]$ はつねに T についても微分可能であり，(7.2) と (7.3) は，$U(T;X)$ と $S(T;X)$ が T について微分不可能になる臨界点でも成立する．(進んだ注：三重点では，これは成立せず，$F[T;X]$ は T について微分不可能になる．)

[3] より体系的な取り扱いでは，Legendre 変換によって $F[T;X]$ から S や U についての情報を得る．付録 F, H を参照．

はない．第 6 章で温度依存性を決定する際に，断熱操作についての情報が Helmholtz の自由エネルギーに「書き込まれた」と考えればよい．

このような意味で，Helmholtz の自由エネルギーは**完全な熱力学関数** (complete thermodynamic function) であるという．たとえば，$U(T; X)$, $S(T; X)$, $p(T; X)$ などの状態量が単独で与えられても，そこから他のすべての状態量を導くことはできない．これらの量は完全な熱力学関数ではない．完全な熱力学関数とそれ以外の状態量との区別は本質的なので，熱力学について考える際にはつねに明確に意識する必要がある．この点は，すでに Gibbs が十分に認識していたが[4]，残念なことに，その後の熱力学の教科書の中には完全な熱力学関数という考え方の現れないものもある．本書では，完全な熱力学関数は，引数をくくるのに角かっこを使って表すことで，他の熱力学関数から一目で見分けられるようにした[5]．完全な熱力学関数については，付録 F を参照．

化学ポテンシャル

これから先，この章の最後までは，単一の容器内の一成分の流体に限って議論をすすめる．その場合，(3.31) で見たように，圧力は Helmholtz の自由エネルギーの微分

$$p(T; V, N) = -\frac{\partial F[T; V, N]}{\partial V} \quad (7.5)$$

である．右辺は体積 V を少し変えたとき外界が感じる「手応え」と見ることができる．

物質量 N についても，同様の量

$$\mu(T; V, N) = \frac{\partial F[T; V, N]}{\partial N} \quad (7.6)$$

を考えよう[6]．物質量を変える操作を考えない以上，$\mu(T; V, N)$ に操作的な意味を与えることはできない．しかし，(7.5) との類推で，比喩的に $\mu(T; V, N)$ を物質量をわずかに変化させたときの「手応え」とみることもできる．状態量 $\mu(T; V, N)$ は**化学ポテンシャル** (chemical potential) と呼

---

[4] Gibbs は，完全な熱力学関数に対応するものを，基本的な方程式 (fundamental equations) と呼んだ．

[5] 同じ Helmholtz の自由エネルギーでも，$F(T, p; N)$ のように完全な熱力学関数でなくなることもある．問題 8.4 を参照．

[6] $F[T; V, N]$ は V について微分可能である．この事実と，(7.8) の関係から，$F[T; V, N]$ が N についても微分可能であることがわかる．

7-1 Helmholtzの自由エネルギーの微分

ばれている[7]。(3.32) で Helmholtz の自由エネルギーの示量性から圧力の示強性を示したが，同じ論法で化学ポテンシャルも示強的な状態量であることが示される。ここで化学ポテンシャルの定義を述べたが，実際には，化学ポテンシャルが真の威力を発揮するのは，多成分の流体系の熱力学を扱う第 9 章である。

Euler の関係式

Helmholtz の自由エネルギーの示量性を用いて，Helmholtz の自由エネルギーと圧力と化学ポテンシャルの間の関係を導くことができる。示量性 (3.24) とは，任意の $\lambda > 0$ について

$$\lambda F[T; V, N] = F[T; \lambda V, \lambda N] \tag{7.7}$$

が成り立つことだった。この式の両辺を λ で微分し，その後で $\lambda = 1$ とおいてみる。簡単な偏微分の計算をし，(7.5), (7.6) を用いれば，

$$\begin{aligned} F[T; V, N] &= V \frac{\partial F[T; V, N]}{\partial V} + N \frac{\partial F[T; V, N]}{\partial N} \\ &= -V p(T; V, N) + N \mu(T; V, N) \end{aligned} \tag{7.8}$$

が得られる。これは，同次式についての Euler の一般論の特別の場合にあたるので，**Euler の関係式** (Euler equations) と呼ばれている。

Helmholtz の自由エネルギー $F[T; V, N]$ と圧力 $p(T; V, N)$ は，様々な等温準静操作や断熱準静操作における仕事の情報から求めることのできる量だった。Euler の関係式 (7.8) により，化学ポテンシャル $\mu(T; V, N)$ もまた操作的に決定できる量であることがわかる。

理想気体の Helmholtz の自由エネルギーと化学ポテンシャル

一成分の理想気体の Helmholtz の自由エネルギーは，3-7 節の最後で関数 $v(T)$ の不定性を除いて (3.36) のように定まった。この不定関数が 6-1 節の最後で (6.31) のように確定したので，これを代入すれば，

$$F[T; V, N] = -NRT \log \left\{ \left(\frac{T}{T^*} \right)^c \frac{V}{v^* N} \right\} + Nu \tag{7.9}$$

となる。これが，一成分理想気体の Helmholtz の自由エネルギーの最終的な表式である。最後まで残る任意定数は，基準点についての T^* と v^* と，

---

[7] 一見変わった名前だが，その意味については第 8 章の脚注 10 で述べる。

エネルギーの基準についての u である。

(7.9) をもとにして，(7.2) によってエントロピー，(7.3) によってエネルギーを求めることができるが，それらは当然すでに知っている (6.32) と (4.33) に一致する。理想気体の化学ポテンシャル $\mu(T;V,N)$ を定義 (7.6) に従って計算すると，

$$\mu(T;V,N) = RT - RT\log\left\{\left(\frac{T}{T^*}\right)^c \frac{V}{v^*N}\right\} + u \qquad (7.10)$$

となる。

7-2 微分形式による表現

単一の容器内の流体の Helmholtz の自由エネルギー $F[T;V,N]$ の微分は，(7.2), (7.5)（あるいは，(3.31)），(7.6) より

$$\frac{\partial F[T;V,N]}{\partial T} = -S(T;V,N), \quad \frac{\partial F[T;V,N]}{\partial V} = -p(T;V,N),$$
$$\frac{\partial F[T;V,N]}{\partial N} = \mu(T;V,N) \qquad (7.11)$$

のようにエントロピー，圧力，化学ポテンシャルで表される。すでに議論したように，臨界点を含めて $F[T;V,N]$ は T, V, N について微分可能である[8]。熱力学では，(7.11) の関係をひとまとめにして，微分形式（または全微分）という数学のことばで，

$$dF = -S\,dT - p\,dV + \mu\,dN \qquad (7.12)$$

のように表現するのが通例になっている。

熱力学では微分形式を本格的に使う必要はないのだが[9]，完全な熱力学関数の微分を整理（暗記）したり，ルジャンドル変換の計算を行なう際には（8-2 節を参照），この書き方はきわめて便利だ。本書では，そのような「便利な書き方」という位置づけで微分形式を用いることにする。

以下では，(7.12) の意味を理解するための最低限の説明をしておこう[10]。まず状態を決定するパラメータ T, V, N の内，たとえば V を ΔV だけ変化させることを考えよう。これに伴う $F[T;V,N]$ の変化を

---

[8] 進んだ注：三重点では，T についての微分可能性のみが成り立たない。
[9] Carathéodory の定式化は例外かもしれないが。
[10] 微分形式を本格的に学びたい読者は，古典力学を題材に微分形式などを詳細に解説した [16] の第 1 章に挑戦するのがよいかもしれない。

7-2 微分形式による表現

$\Delta F = F[T; V + \Delta V, N] - F[T; V, N]$ と書くと，(7.11) より，

$$\Delta F = -p(T; V, N)\, \Delta V + O((\Delta V)^2) \tag{7.13}$$

が成り立つ。これは，T と N を固定して V のみを変化させるという特定の状況でのパラメター V の微小変化と関数 F の微小変化を結びつける関係である。

パラメター T, V, N を三つとも，それぞれ $\Delta T, \Delta V, \Delta N$ だけ変化させたときの[11] $F[T; V, N]$ の変化

$$\Delta F = F[T + \Delta T; V + \Delta V, N + \Delta N] - F[T; V, N]$$

は，(7.11) により

$$\Delta F = -S(T; V, N)\, \Delta T - p(T; V, N)\, \Delta V + \mu(T; V, N)\, \Delta N + O(\Delta^2) \tag{7.14}$$

と書くことができる。ただし，$O(\Delta^2)$ は $\Delta T, \Delta V, \Delta N$ の任意の 2 次式のオーダーを表す。これは，**パラメターの考え得るすべての微小変化に対する** $F[T; V, N]$ **の応答を表す関係**である。そういう意味で，(7.13) のような特定の微小変化の場合だけに使える関係と比べて，(7.14) は関数についての本質的な情報をもっていると考えられる。そこで，(7.14) のような関係は特権的に扱い，特別に (7.12) のように表記しようというわけである。T, V, N が引数であることは，この式から明らかなので，省略する。一般に，このような表現の中の dF を関数 F の全微分と呼ぶ。

f と g を $(T; V, N)$ の任意の関数とする。これらの積の微小変化については，

$$\Delta(fg) = \{f(T; V, N) + \Delta f\}\{g(T; V, N) + \Delta g\} - f(T; V, N)g(T; V, N)$$
$$= \Delta f\, g(T; V, N) + f(T; V, N)\, \Delta g + O(\Delta^2) \tag{7.15}$$

が成り立つ。(7.12) のように書き直せば，積の全微分についての便利な公式

$$d(fg) = (df)g + f\, dg \tag{7.16}$$

が導かれる。同様に微小変化の線形性から，任意の定数 α, β について

---

[11] これは何らかの操作による変化を想定しているわけではなく，単に**数学的に**パラメターを変化させたときの F の変化を問題にしている。実際，物質量 N は（系を用意した後は）変化させられないというのが本書での立場である。

$$d(\alpha f + \beta g) = \alpha\, df + \beta\, dg \tag{7.17}$$

が導かれる.

以上のやや長い注意をした上で，当面は (7.12) は Helmholtz の自由エネルギーの変数と微分を記憶するための便利な表式とみなすこと（そして記憶しておくこと）をすすめる．つまり (7.12) の右辺に dT, dV, dN があることによって，F を表す変数は T, V, N とわかる．そして，右辺にたとえば $-S\,dT$ という項があることから $\partial F/\partial T$ は $-S$ に等しいといった具合に，(7.11) の微分の関係を読みとることができる.

7-3 Maxwell の関係式と簡単な応用

この節では，Helmholtz の自由エネルギーの微分の表式をもとにして，状態量の間のいくつかの関係を導く．熱力学の一般的な構造だけをもとにして，すべての熱力学的な系で厳密に成立する具体的な関係が導かれるというのは，驚異的でさえある．これら微分を用いた関係は，相転移点では慎重に扱う必要があるが，それ以外の状態では問題なく用いることができる.

Maxwell の関係式

ある状態 $(T; V, N)$ で Helmholtz の自由エネルギー $F[T; V, N]$ が 2 回連続微分可能[12]とする．一般の熱力学的な系で，相転移点以外ではこの性質が満たされている．このとき，微分の順序を交換しても，導関数の値が変わらないので，たとえば,

$$\frac{\partial^2 F[T; V, N]}{\partial V \partial T} = \frac{\partial^2 F[T; V, N]}{\partial T \partial V} \tag{7.18}$$

が成り立つ．ここで $F[T; V, N]$ の微分についての (7.11) を用いれば,

$$\frac{\partial S(T; V, N)}{\partial V} = \frac{\partial p(T; V, N)}{\partial T} \tag{7.19}$$

という関係が得られる．エントロピーの体積微分と圧力の温度微分という一見何の関係もなさそうな量が等しいのだ．(7.19) は **Maxwell の関係式** (Maxwell relations) と呼ばれる一連の関係の一つである．$F[T; V, N]$ を T と N，あるいは V と N について微分し，(7.18) のような等式を考えれば，後二つの Maxwell の関係式

---

[12] すべての 2 階の導関数が存在して連続ということ.

$$\frac{\partial S(T;V,N)}{\partial N} = -\frac{\partial \mu(T;V,N)}{\partial T}, \quad \frac{\partial p(T;V,N)}{\partial N} = -\frac{\partial \mu(T;V,N)}{\partial V} \quad (7.20)$$

が得られる。

エネルギー方程式と理想気体

Maxwell の関係は単に意外な量が結びつくので面白いというだけでなく，他の関係と結びつけることで実際に役立つことも少なくない。(7.1) から得られる関係 $U(T;V,N) = TS(T;V,N) + F[T;V,N]$ を V で微分し，微分についての (7.11) と Maxwell の関係式 (7.19) を使うと，

$$\frac{\partial U(T;V,N)}{\partial V} = T\frac{\partial S(T;V,N)}{\partial V} + \frac{\partial F[T;V,N]}{\partial V}$$
$$= T\frac{\partial p(T;V,N)}{\partial T} - p(T;V,N) \quad (7.21)$$

という関係が得られる。エネルギーの体積依存性と圧力の温度依存性を結ぶ (7.21) は**エネルギー方程式**と呼ばれる。

エネルギー方程式を理想気体に適用してみよう。状態方程式 (3.35) のように，理想気体の圧力 $p(T;V,N)$ は温度 T に正確に比例する。そのため，(7.21) の右辺で二つの項がちょうど打ち消し合って 0 になる。よって

$$\frac{\partial U(T;V,N)}{\partial V} = 0 \quad (7.22)$$

が示される。4-4 節では実験結果を根拠にして理想気体のエネルギーが体積に依存しないことを仮定したが，これは圧力の温度依存性と熱力学の一般論の必然的な帰結だったのである[13]。

エネルギー方程式の他の応用については，問題 7.3 を見よ。

エネルギー方程式と電磁場

エネルギー方程式の興味深い応用として，平衡状態にある真空中の電磁場の問題を取りあげる。温度 T の環境に接した体積 V の容器の内部が真空になっている。これまでは，真空には何の自由度もないという立場

---

[13] 4-4 節で理想気体のエネルギーの形を仮定したことを思い出すと，ここでわれわれが一種の循環論法に陥っているのではないかという疑問が生じるかもしれない。だが，その心配はない。まず強調したいのは，$p(T;V,N)$ が T に比例するような気体があれば，それがわれわれが論じてきた理想気体であろうとなかろうと，(7.22) が成り立つということだ。これはまったく自明でない。さらに，3-7 節でも述べたように，本書の理論構成では，理想気体は，温度の目盛りを合わせるためだけに用いており，熱力学の体系の構築には利用していない。理想気体を参照せずに，(5.13), (5.14) を満たす温度 T を抽象的に導入しても，(7.21) は成立する。

を取ってきたが,正確には真空中にも電磁場が生じ得る。温度が高くなれば,その効果も無視できなくなる。ここでは,電磁場の自由度が熱力学的な系としてふるまうことを仮定して議論を進めよう[14]。すると,平衡状態では,容器の内部には,ある定まったエネルギーをもった電磁場が現れることになる。これは,有限温度の物体は,物質に依存しない,温度だけで決まる特有の光を発するという黒体輻射 (black body radiation) の現象に対応する。

電磁場の系には粒子数の保存則がないので,系を記述する示量変数は体積 V だけである。よって,平衡状態は $(T;V)$ のように表される。エネルギーは示量的なので,T だけの関数 $u(T)$ を用いて,

$$U(T;V) = u(T)V \tag{7.23}$$

と書ける。また,Maxwell 方程式から導かれる電磁場のエネルギーと圧力の関係がそのまま成立するはずなので,圧力は,

$$p(T;V) = \frac{u(T)}{3} \tag{7.24}$$

を満たす[15]。(7.23) と (7.24) をエネルギー方程式 (7.21) に代入して整理すれば,

$$\frac{\partial u(T)}{\partial T} = \frac{4u(T)}{T} \tag{7.25}$$

となる。この微分方程式は簡単に解けて,

$$u(T) = (定数) \times T^4 \tag{7.26}$$

という結果が得られる。この関係は,Stefan-Boltzmann の法則と呼ばれている。定数の値は熱力学の範囲では定まらない[16]。熱力学ではこのように簡単に導ける (7.26) の関係を,統計物理学の立場から導こうとしたときに見いだされた圧倒的な困難が,量子力学の誕生のきっかけになった。

---

[14] 電磁場の自由度を考慮するのは,本書の中では,この部分だけである。

[15] 壁と垂直に進む電磁波については,エネルギー密度 u と壁に及ぼす圧力 p は等しい。これは,Maxwell 方程式から導ける事実である。問題 7.4 を見よ。平衡状態では,あらゆる方向に進む電磁波があるはずだから,等方性から $p = u/3$ となる。

[16] 量子統計物理学によれば,この定数は,$(\pi^2 k^4)/(15 c^3 \hbar^3) \simeq 7.57 \times 10^{-16}$ J·m^{-3}·K^{-4} である。

7-4 変分原理と変化の向き

変分原理 (variational principle) は，熱力学におけるもっとも重要で美しく，しかも役に立つものの見方である．変分原理を用いることで，様々な状況でのつり合いの条件や，自発的な変化のおきる方向を統一的に議論することができる．この節では Helmholtz の自由エネルギーについての変分原理を議論する．

変分原理の不等式

体積 V と物質量 N を固定して，$V_1 + V_2 = V$, $N_1 + N_2 = N$ を満たす正の V_1, V_2, N_1, N_2 を任意に選ぶ．二つの平衡状態 $(T; V_1, N_1)$, $(T; V_2, N_2)$ を隣どうしに並べたものを，$(T; (V_1, N_1), (V_2, N_2))$ と書く．体積 V_1 と V_2 の部分は薄い壁を隔てて接しているとする．ここで，系を温度 T の環境においたまま，二つの部分を隔てる壁を取り除く．その結果，系の体積は V，物質量は N になるので，十分長い時間の後には系は平衡状態 $(T; V, N)$ に落ち着く．こうして等温操作

$$(T; (V_1, N_1), (V_2, N_2)) \xrightarrow{\mathrm{i}} (T; V, N) \qquad (7.27)$$

が得られる．この操作は一般に準静的でない．また，壁を取り除くだけの操作なので，この間に系が外界に行なう仕事は 0 である．最大仕事は，定義により，任意の等温操作の間に系が外界に行なう仕事以上なので，

$$W_{\max}(T; \{(V_1, N_1), (V_2, N_2)\} \to (V, N)) \geq 0 \qquad (7.28)$$

が成り立つ．

最大仕事と Helmholtz の自由エネルギーの関係 (3.27) より，これは

$$F[T; (V_1, N_1), (V_2, N_2)] - F[T; V, N] \geq 0 \qquad (7.29)$$

と書き換えられる．さらに Helmholtz の自由エネルギーの相加性 (3.25) を使えば，

$$F[T; V, N] \leq F[T; V_1, N_1] + F[T; V_2, N_2] \qquad (7.30)$$

という不等式が，$V_1 + V_2 = V$, $N_1 + N_2 = N$ を満たす任意の正の V, V_1, V_2, N, N_1, N_2 について成立することがわかる．これを，Helmholtz の自由エネルギーについての**変分原理の不等式**と呼ぶ．

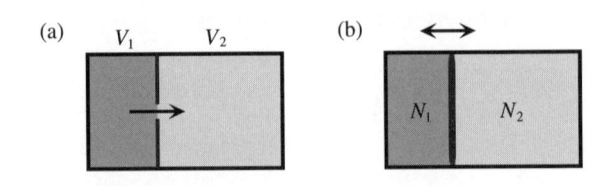

図 7.1 変分原理の物理的意味を表す二つの状況。(a) では，壁に穴が開くので，体積の配分 V_1, V_2 は一定のまま，二つの部分の間を流体が行き来して，(7.31) の右辺を最小にするような物質量の配分 $\widetilde{N}_1, \widetilde{N}_2$ が達成される。(b) では，壁が動けるようになり，二つの部分の物質量 N_1, N_2 は一定のまま，(7.32) の右辺を最小にするような体積の配分 $\widetilde{V}_1, \widetilde{V}_2$ が達成される。いずれの場合にも，壁についての条件が変わったとき，全系の Helmholtz の自由エネルギーを最小にするような状態が新しい平衡状態として実現される。

変分原理

不等式 (7.30) の物理的な状況への応用を議論しよう。これまでと同様に $V_1 + V_2 = V, N_1 + N_2 = N$ を満たす任意の V_1, V_2, N_1, N_2 を取り，状態 $(T; (V_1, N_1), (V_2, N_2))$ を考える。二つの部分は最初は動かない壁で隔てられているが，ここで図 7.1 のように，壁についての条件を二通りに変更する。

一つ目の変更では，壁に穴をあけ，二つの部分の間を流体が行き来できるようにする。このとき，V_1, V_2 は変わらず，二つの部分の物質量を変化させることで系は平衡状態に向かっていく。平衡状態での二つの部分の物質量を $\widetilde{N}_1, \widetilde{N}_2$ とする。平衡状態では，壁を取り去っても何の変化も起きないので，Helmholtz の自由エネルギーの相加性 (3.25) から $F[T; V_1, \widetilde{N}_1] + F[T; V_2, \widetilde{N}_2] = F[T; V, N]$ が成り立つ。よって，不等式 (7.30) から，物質の移動についての変分原理

$$F[T; V_1, \widetilde{N}_1] + F[T; V_2, \widetilde{N}_2] = \min_{\substack{N_1, N_2 \\ (N_1+N_2=N)}} \{F[T; V_1, N_1] + F[T; V_2, N_2]\} \tag{7.31}$$

が得られる。右辺の min は，条件 $N_1 + N_2 = N$ を満たす範囲で，N_1, N_2 をいろいろに動かし，F の和の最小値を捜すことを意味する[17]。

---

[17] $\widetilde{N}_1, \widetilde{N}_2$ は明らかに最小値を与える。しかし，最小値を実現する N_1, N_2 はこれ以外にあるかもしれない。実際，相転移点では解は一つに決まらない。(7.32) の $\widetilde{V}_1, \widetilde{V}_2$ についても同

7-4 変分原理と変化の向き

二つ目の変更は，二つの部分を隔てる壁を左右に移動できるようにすることである．今度は物質量 N_1, N_2 は変わらないが，二つの部分の体積が変化する．上と同様にして，壁の移動についての変分原理

$$F[T; \widetilde{V}_1, N_1] + F[T; \widetilde{V}_2, N_2] = \min_{\substack{V_1, V_2 \\ (V_1+V_2=V)}} \{F[T; V_1, N_1] + F[T; V_2, N_2]\} \quad (7.32)$$

が得られる．もちろん，$\widetilde{V}_1, \widetilde{V}_2$ は（N_1, N_2 を固定したときの）平衡状態での体積の配分である．

物質量が変化する変分原理 (7.31)，体積が変化する変分原理 (7.32) のいずれにおいても，物質の流れや壁の移動は全体の Helmholtz の自由エネルギーを小さくする方向に生じ，最終的には全体の Helmholtz の自由エネルギーを最小にする状態が実現される．これを一般化してまとめると，**温度一定の環境で，壁についての条件が変更され，系に自由に変化できる示量的な自由度が生じたとき，全系の Helmholtz の自由エネルギーを最小にするような新しい平衡状態に向かって系が自発的に変化していく**[18]といえる．これは，より一般の状況で成り立つ重要な規則である．

Helmholtz の自由エネルギーの凸性

最後に，変分原理と密接に関連した数学的な結果について述べる．変分原理の不等式 (7.30) と Helmholtz の自由エネルギーの示量性 (3.24) を使うと，任意の正の V_1, V_2, N_1, N_2 と $0 \leq \lambda \leq 1$ を満たす λ について，

$$F[T; \lambda V_1 + (1-\lambda)V_2, \lambda N_1 + (1-\lambda)N_2]$$
$$\leq \lambda F[T; V_1, N_1] + (1-\lambda) F[T; V_2, N_2] \quad (7.33)$$

という不等式を示すことができる．これは，$F[T; V, N]$ が (V, N) について下に凸であることを示している．図 7.2 を見よ．熱力学関数の凸性は，熱力学の体系とは切っても切れない本質的な性質である．数学的な詳細については，付録 G を見よ．

Helmholtz の自由エネルギーの凸性を用いて次の重要な結果を示すことができる．

様のことがいえる．
[18] もちろんわれわれに議論できるのは，はじめの平衡状態と最終的な平衡状態との関係だけである．途中の時間変化については，（平衡）熱力学の範囲では何もいえない．

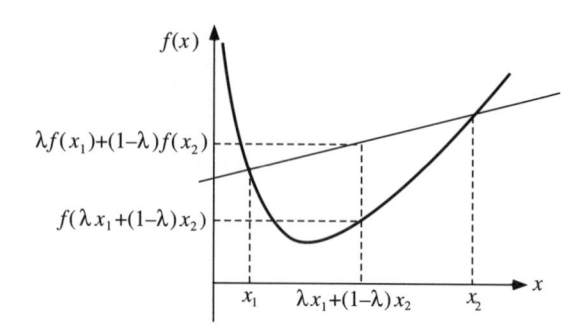

図 7.2 関数 $f(x)$ が任意の x_1, x_2 と $0 \leq \lambda \leq 1$ を満たす λ について $f(\lambda x_1 + (1-\lambda)x_2) \leq \lambda f(x_1) + (1-\lambda)f(x_2)$ を満たすとき,$f(x)$ は x について下に凸であるという.2点 $(x_1, f(x_1))$ と $(x_2, f(x_2))$ を結ぶ直線と $f(x)$ のグラフを比較すると,$x_1 < x < x_2$ の範囲で $f(x)$ がつねに下にある.$f(x)$ が微分可能な範囲では,$f'(x)$ は x の非減少関数になる.詳しくは,付録 G を見よ.

結果 7.1 (圧力の体積依存性) 圧力 $p(T; V, N)$ は V の非増加関数である.

図 7.2 からもわかるように,関数 $f(x)$ が下に凸のとき,導関数 $f'(x)$ は(存在すれば)x の非減少関数である.圧力 $p(T; V, N)$ は $F[T; V, N]$ の V についての導関数の符号を変えたものだから,結果 7.1 はこの事実の特別な場合である.付録 G で一般的な定理(定理 G.5)を証明するが,ここでも凸性の活用の仕方をみるために完全な証明を与えよう.

導出:相転移のある場合も念頭において,$F[T; V, N]$ が V について 1 回微分可能とだけ仮定し,厳密な証明を与える.$0 < V < V + \varepsilon < V' < V' + \varepsilon$ となるように V, V', ε を取る.$\lambda = (V' - V)/(V' - V + \varepsilon)$ とすると,凸性の不等式 (7.33) より,

$$F[T; V', N] = F[T; \lambda(V' + \varepsilon) + (1-\lambda)V, \lambda N + (1-\lambda)N]$$
$$\leq \lambda F[T; V' + \varepsilon, N] + (1-\lambda) F[T; V, N] \qquad (7.34)$$

となり,同様にして,

$$F[T; V + \varepsilon, N] = F[T; (1-\lambda)(V' + \varepsilon) + \lambda V, (1-\lambda)N + \lambda N]$$
$$\leq (1-\lambda) F[T; V' + \varepsilon, N] + \lambda F[T; V, N] \qquad (7.35)$$

が得られる。これらを辺々足し合わせて,

$$F[T;V+\varepsilon,N] + F[T;V',N] \leq F[T;V'+\varepsilon,N] + F[T;V,N] \quad (7.36)$$

を得る。これを使えば,

$$\begin{aligned}
&p(T;V',N) - p(T;V,N) \\
&= \lim_{\varepsilon \searrow 0}\left\{-\frac{F[T;V'+\varepsilon,N]-F[T;V',N]}{\varepsilon} + \frac{F[T;V+\varepsilon,N]-F[T;V,N]}{\varepsilon}\right\} \\
&= \lim_{\varepsilon \searrow 0} \frac{(F[T;V+\varepsilon,N]+F[T;V',N]) - (F[T;V'+\varepsilon,N]+F[T;V,N])}{\varepsilon} \\
&\leq 0 \quad (7.37)
\end{aligned}$$

が任意の $V' > V$ についていえる。■

同様にして,化学ポテンシャル $\mu(T;V,N)$ が N の非減少関数であることも示される。

圧力が体積の非増加関数であることは,熱力学的な系の安定性と深く関わっている。これをみるために,仮に $p(T;V,N)$ が V の増加関数だとしよう。図3.3のように,流体の入った容器につけたピストンを外界から F の力で押すことでつり合いがとれているとする。ピストンの断面積を A とすれば,$F = p(T;V,N)A$ である。ここで,何らかの操作を行なって流体の体積をわずかに増加させ $V + \Delta V$ に変える。流体が壁に及ぼす力は $p(T;V+\Delta V,N)A$ だが,仮定によりこれは $F = p(T;V,N)A$ よりも真に大きい。よって力のバランスがくずれ,流体の体積はさらに増加する。これがくり返されるから,流体はどんどん勢いを増しながら膨張し続けるだろう。つまり,はじめのつり合いの状態は不安定だったことになる。次節でも議論するが,熱力学では,示量性と変分原理という二つの基本的な性質によって,様々な局面での安定性が自動的に保証されている[19]。

7-5 つり合いの条件

平衡状態 $(T;V,N)$ にそっと壁を挿入して二つの状態 $(T;\widetilde{V}_1,\widetilde{N}_1)$ と $(T;\widetilde{V}_2,\widetilde{N}_2)$ に分割する。もともと平衡にあるところをそっと分割したのだから,状態 $(T;\widetilde{V}_1,\widetilde{N}_1)$ と $(T;\widetilde{V}_2,\widetilde{N}_2)$ の系を接触させて間の壁を取り

---

[19] これと深く関連する Le Chatelier-Braun の原理について,問題 7.7 を参照。

除いても,われわれの目に見える変化は生じない。つまり,二つの状態 $(T; \widetilde{V}_1, \widetilde{N}_1)$ と $(T; \widetilde{V}_2, \widetilde{N}_2)$ はつり合っている。ここでは,二つの状態がつり合うための条件を求める。

壁をそっと差し込んでも実質的な変化はないことと,相加性を用いて $F[T; V, N] = F[T; (\widetilde{V}_1, \widetilde{N}_1), (\widetilde{V}_2, \widetilde{N}_2)] = F[T; \widetilde{V}_1, \widetilde{N}_1] + F[T; \widetilde{V}_2, \widetilde{N}_2]$ がわかる。変分原理の不等式 (7.30) に代入すれば,体積と物質量をともに変化させる形での変分原理

$$F[T; \widetilde{V}_1, \widetilde{N}_1] + F[T; \widetilde{V}_2, \widetilde{N}_2]$$
$$= \min_{v,n}\{F[T; \widetilde{V}_1 + v, \widetilde{N}_1 + n] + F[T; \widetilde{V}_2 - v, \widetilde{N}_2 - n]\} \quad (7.38)$$

が得られる。ここで,v と n は右辺に現れる体積や物質量が正になる範囲で動かす。式の形からして,$v = n = 0$ とすれば最小値が得られるので,

$$\left.\frac{\partial}{\partial v}\left(F[T; \widetilde{V}_1+v, \widetilde{N}_1+n] + F[T; \widetilde{V}_2-v, \widetilde{N}_2-n]\right)\right|_{v=n=0} = 0 \quad (7.39)$$

と

$$\left.\frac{\partial}{\partial n}\left(F[T; \widetilde{V}_1+v, \widetilde{N}_1+n] + F[T; \widetilde{V}_2-v, \widetilde{N}_2-n]\right)\right|_{v=n=0} = 0 \quad (7.40)$$

が成り立つ。Helmholtz の自由エネルギーの微分は (3.31) と (7.6) のように圧力と化学ポテンシャルで書けるから,(7.39), (7.40) は,

$$p(T; \widetilde{V}_1, \widetilde{N}_1) = p(T; \widetilde{V}_2, \widetilde{N}_2), \quad \mu(T; \widetilde{V}_1, \widetilde{N}_1) = \mu(T; \widetilde{V}_2, \widetilde{N}_2) \quad (7.41)$$

と書き直せる。すなわち,**二つの部分の状態がつり合うための条件は,それらの圧力と化学ポテンシャルが共に等しいことである**。

しかし,(7.38) は,v と n を可能な範囲で動かしたとき Helmholtz の自由エネルギーの和が最小になるという**大域的**な条件なのに,(7.39), (7.40) の方は上の和が v と n について極値を取るという**局所的**な条件にすぎない。これでは望んでいる Helmholtz の自由エネルギーの最小値以外にも,一般の極値を(へたをすれば最大値までをも)導いてしまうのではないかと思われる。しかし,この点について,次の強い結果がある。

結果 7.2 (つり合いの条件) 局所的なつり合い (7.41) は,大域的なつり合い (7.38) のための必要十分条件である。

この結果は,(7.38) の min の中に現れる v と n の関数(以下の証明の中で $f(v, n)$ と名づける)が v と n について下に凸であることの帰結であ

7-5 つり合いの条件

る。図 7.2 のグラフからも推測できるように,下に凸な関数に現れる極値は必ず最小値である。この事実も一般的な定理として付録 G で証明する（定理 G.6, G.10）のだが,ここでも完全な証明を与えておく。

導出：この結果の証明は数学的に厳密に行なう。ここで用いる仮定は $F[T; V, N]$ が V, N について 1 回微分可能ということだけなので,相転移がおきる状況でも使える。

必要条件であることは既に明らかなので,十分条件であることを示す。まず, v, n の関数

$$f(v, n) = F[T; \widetilde{V}_1 + v, \widetilde{N}_1 + n] + F[T; \widetilde{V}_2 - v, \widetilde{N}_2 - n] \tag{7.42}$$

を定義する。証明したいのは,

$$\frac{\partial f(0,0)}{\partial v} = \frac{\partial f(0,0)}{\partial n} = 0 \tag{7.43}$$

ならば,任意の v, n について, $f(v, n) \geq f(0, 0)$ が成立することである。凸性の不等式 (7.33) より $f(v, n)$ も v, n について下に凸なことがわかる。よって

$$f(\lambda v + (1-\lambda) 0, \lambda n + (1-\lambda) 0) \leq \lambda f(v, n) + (1-\lambda) f(0, 0) \tag{7.44}$$

が成り立つ。これを変形して,

$$f(v, n) \geq f(0, 0) + \frac{f(\lambda v, \lambda n) - f(0, 0)}{\lambda} \tag{7.45}$$

とする。(7.43) を使えば, $\lambda \to 0$ の極限では,

$$\frac{f(\lambda v, \lambda n) - f(0, 0)}{\lambda} \to v \frac{\partial f(0,0)}{\partial v} + n \frac{\partial f(0,0)}{\partial n} = 0 \tag{7.46}$$

となることがわかる。(7.45) で $\lambda \to 0$ とすれば, $f(v, n) \geq f(0, 0)$ が得られる。■

このように局所的なつり合いの条件が大域的な安定性を意味するのは,熱力学の際だった特徴である。7-4 節の最後に議論した安定性も,同じ性質の現れである。力学の世界なら,たとえばビリヤードの球九個を鉛直に積み上げるといった不安定なつり合いや,山の上のくぼみにボールが落ち着いているといった局所的に安定でも大域的に不安定な状況はいくらでも

存在する。不安定なつり合いが決して出現しないというのは熱力学の強みであるが，見方を変えれば，その適用範囲の限界を示すともいえる[20]。

現実の系では，過飽和溶液や過冷却の液体などが観測される。これらの状態は真の平衡状態ではないが，何らかの外的な刺激を与えない限りは（実際問題として）「安定に」存在するために，準安定状態 (metastable states) と呼ばれている。直観的には，準安定状態というのは，局所的には安定だが，大域的には不安定な状態と考えられる。上で示した局所的な安定性と大域的な安定性の同値性の結果は，（本書で採用している通常の）熱力学の理論的な枠組みの中で過飽和や過冷却の現象が記述できないことを意味している[21]。

7-6　相転移と相の共存

単一の容器の中の一成分の流体の系を考える。現実の系での圧力のふるまいは極めて多彩だが，ある程度温度が高く圧力の低い領域では，すべての物質が，図 7.3 に示したような，気体から液体への相転移，そして気体と液体の相共存を示す。

気相と液相の間の相転移

図 7.3 では，物質量 N を固定し，$T_1 > T_2 > T_3$ という三つの温度について，圧力 $p(T; V, N)$ を体積 V の関数として（V の適当な範囲について）示してある。比較的温度の高い $T = T_1$ では，圧力の体積依存性は，理想気体の場合の $p \propto 1/V$ とおおむね似かよっている。しかし，$T = T_2$ では，途中の V に変曲点が現れ，圧力の関数形はずっといびつになる。

より低温の $T = T_3$ では，体積が変化しても圧力が一定値 $p_v(T_3)$ を取る領域が出現する。圧力 $p_v(T)$ を，温度 T における**飽和蒸気圧** (saturated

---

[20] 複数の系を組み合わせて，不安定なつり合いを含む熱力学的な系を作ることはできる。問題 7.6 を見よ。

[21] たとえば，最小値の他に極小値を一つもつような「自由エネルギー」のグラフを描き，最小値が真の平衡状態を，極小値が準安定な状態を表すとする議論は頻繁にみられる。しかし，このような「理論」はある種の「気分」を表しているだけで，この「自由エネルギー」の定義は何か，横軸は何を表しているかなどをまじめに考えた議論は，少なくとも筆者の知る限り，存在しない。準安定状態というのが，ありふれた存在である以上，それが理論的に扱えないのは大きな不満だ。しかし，筆者は，これは相当に難しい問題だという感触をもっている。これに関連して，10 章の脚注 10, 20, 21 と問題 7.6 を参照。

7-6 相転移と相の共存

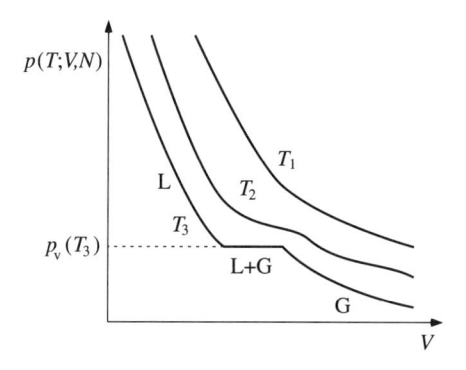

図 7.3 現実の流体での圧力のふるまいの模式図。三つの温度 $T_1 > T_2 > T_3$ について，温度と物質量を固定したときの圧力の体積依存性の曲線を示した。図中，G は気体 (gas)，L は液体 (liquid) を指す。L＋G と書いた領域では，二つの相が混ざっている。

vapor pressure)，あるいは，**蒸気圧** (vapor pressure) と呼ぶ。このような特異なふるまいは，この流体が**相転移** (phase transition) をおこしたことを反映している。つまり，圧力が一定になる部分よりも左側で系は液体の状態にあり，それより右側で気体の状態にある。そして，圧力が一定になる領域では，液体の部分と気体の部分が共存している。共存領域で体積を増加させると，圧力は不変のまま液体の一部が気体に変化するのである。

ここで**相** (phase) という重要な概念について述べる。ある熱力学的な系の状態が単一の相からなるとは，その状態から任意の部分を壁でしきって取り出したものが，もとの状態と（大きさの定数倍を除いて）そっくり同じになることをいう。たとえば，室温常圧における水は単一の相からなるが，水と油からなる系は明らかに単一の相にない。そのような場合，系は複数の相の共存する状態にあり，状態の一部をうまく壁でしきって取り出してやれば，単一の相を選び分けることができる。水と油の例なら，水が主で油がわずかに溶け込んだ相と，油が主で水がわずかに溶け込んだ相の二つの相が共存していることになる。単一の物質でも，たとえば，0°C，1気圧で，水と氷が共存する状態があり得る。このような場合には，水の液相と固相が共存しているという。

一般に，物質のやり取りが行なわれる状況で達成される平衡のことを

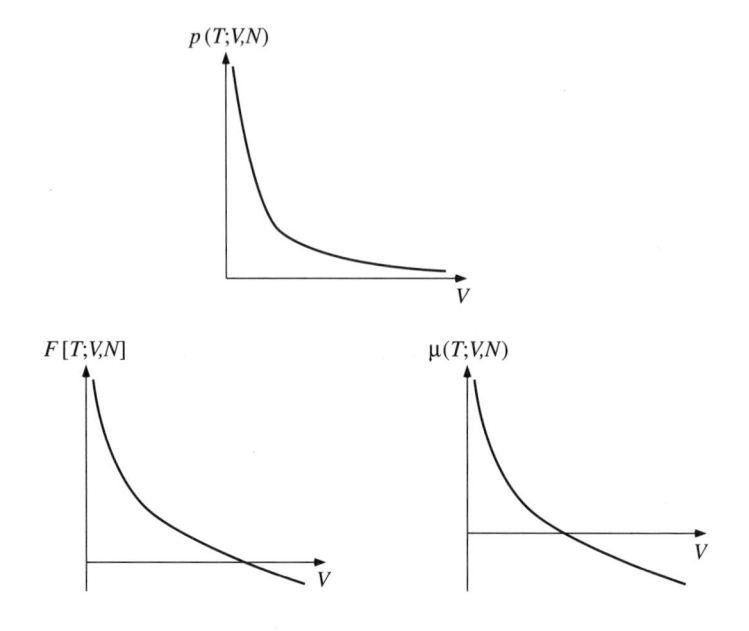

図 7.4 流体が気体としてふるまう温度における，圧力，Helmholtz の自由エネルギー，化学ポテンシャルの V 依存性の概形。いずれも，V のなめらかな減少関数である。T と N は一定に保っている。

相平衡 (phase equilibrium) と呼ぶ[22]。この節の目標は，単一の物質からなる系の相平衡を議論することである。複数の物質の関与する相平衡は，第 9 章で扱う。

相平衡の議論の準備として，図 7.3 の定性的な結果をもとに，Helmholtz の自由エネルギー と化学ポテンシャルの体積依存性を調べよう。まず図 7.4 のように，圧力 $p(T; V, N)$ が V の関数としてなめらかに減少するような温度 T を考える。これは，図 7.3 の $T = T_1, T_2$ の場合に相当する。(3.31) あるいは (3.33) から，Helmholtz の自由エネルギー $F[T; V, N]$ は，図のように，V のなめらかな減少関数になる。化学ポテンシャルも (7.8) から定まり，図のようにふるまう。

次に図 7.3 の $T = T_3$ の場合のように，流体が液体と気体の二種類の状

---

[22] これに対して，化学反応の結果として達成される平衡を化学平衡と呼ぶ。9-6 節，9-8 節を参照。

7-6 相転移と相の共存

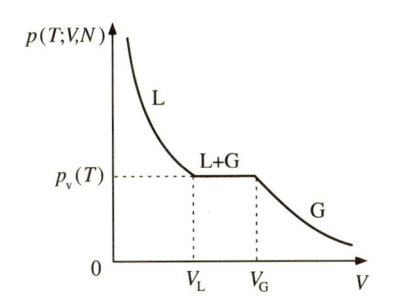

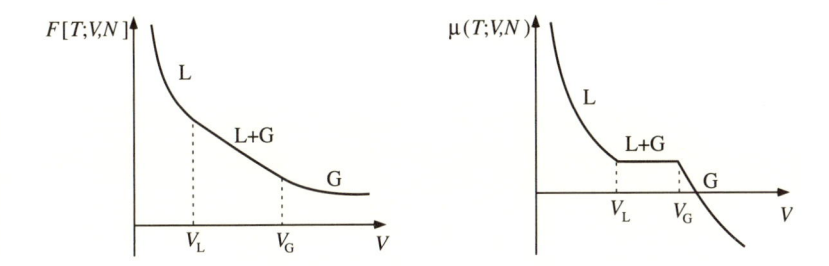

図 7.5 流体が液体と気体になり得る温度における，圧力，Helmholtz の自由エネルギー，化学ポテンシャルの V 依存性の概形． $V_\mathrm{L}(T;N) \leq V \leq V_\mathrm{G}(T;N)$ の範囲で，圧力と化学ポテンシャルは一定値を取り，自由エネルギーは傾き $-p_\mathrm{v}(T)$ で直線的に変化する．図中では，$V_\mathrm{L}(T;N)$, $V_\mathrm{G}(T;N)$ をそれぞれ V_L, V_G と略記した．図中，G は気体，L は液体，L+G は液体と気体の共存を表す．T と N は一定に保っている．

態を取る状況を考えよう．図 7.5 のように $V_\mathrm{L}(T;N) \leq V \leq V_\mathrm{G}(T;N)$ の範囲で圧力が $p_\mathrm{v}(T)$ という一定値を取るとする．(3.31) から明らかなように，$F[T;V,N]$ のグラフは，図のように，この範囲では一定の傾き $-p_\mathrm{v}(T)$ の直線になる．化学ポテンシャルは，(7.8) より決まる．左辺の F の V 依存性と右辺の $-Vp$ がちょうど打ち消し合うので，図のように，この範囲で $\mu(T;V,N)$ は V に依存しない．体積の示量性を考えれば，単位物質量あたりの体積 $v_\mathrm{L}(T) = V_\mathrm{L}(T;N)/N$, $v_\mathrm{G}(T) = V_\mathrm{G}(T;N)/N$ は温度 T のみに依存することも注意しておこう．

気相と液相の共存

7-5 節で導いたつり合いの条件をもとに，異なった相の共存の問題を考えよう。系が平衡状態 $(T; V, N)$ にあるとき，適当に壁を差し込んで系を二つの状態 $(T; \widetilde{V}_1, \widetilde{N}_1)$ と $(T; \widetilde{V}_2, \widetilde{N}_2)$ に分ける。もちろん $V = \widetilde{V}_1 + \widetilde{V}_2$，$N = \widetilde{N}_1 + \widetilde{N}_2$ である。二つの状態がつり合いにあるのだから，(7.41) により

$$p(T; \widetilde{V}_1, \widetilde{N}_1) = p(T; \widetilde{V}_2, \widetilde{N}_2), \quad \mu(T; \widetilde{V}_1, \widetilde{N}_1) = \mu(T; \widetilde{V}_2, \widetilde{N}_2) \quad (7.47)$$

が成り立つ。

つり合いの条件 (7.47) の当たり前の解として，

$$\frac{\widetilde{N}_1}{\widetilde{V}_1} = \frac{\widetilde{N}_2}{\widetilde{V}_2} \quad (7.48)$$

のように，二つの部分が同じ濃度を持つ場合がある。このとき，圧力の示強性の関係 (3.32) で $\lambda = \widetilde{V}_1/\widetilde{V}_2$ とすれば，

$$p(T; \widetilde{V}_1, \widetilde{N}_1) = p(T; \frac{\widetilde{V}_1}{\widetilde{V}_2}\widetilde{V}_2, \frac{\widetilde{V}_1}{\widetilde{V}_2}\widetilde{N}_2) = p(T; \widetilde{V}_2, \widetilde{N}_2) \quad (7.49)$$

となり，圧力についてのつり合いの条件が自動的に成り立つ。化学ポテンシャルも示強的だから，同じ論法で (7.47) の二つ目も成立する。

もちろん，これは当たり前で面白くない結果である。**(7.48) が成立せずに，つり合いの条件 (7.47) が成立することがあり得るか，また，あり得るとすればそれはどういう条件のときかを正確に知りたい**。まず，流体が一貫して気体としてふるまっている図 7.4 のような状況では，$p(T; V, N)$ も $\mu(T; V, N)$ も V/N についての減少関数になっている。つり合いの条件 (7.47) を満たすためには，必然的に (7.48) を満たさなくてはならない。よって，**圧力が V の減少関数であるような温度では，つり合っている二つの部分の濃度は必ず等しいと結論できる**。この場合，流体は必ず単一の相からなる。温度が下がり，図 7.5 のように**体積 V が変わっても圧力が一定値を取る領域が現れるときに限り，異なった濃度の部分がつり合うことができる**。グラフから明らかなように，$\widetilde{V}_1/\widetilde{N}_1$ と $\widetilde{V}_2/\widetilde{N}_2$ が $v_\mathrm{L}(T)$ と $v_\mathrm{G}(T)$ の間の任意の値をとるときには (7.47) が成立する。特に，二つの部分への分割を巧みに行なって，$\widetilde{V}_1$ の部分には液体のみ，$\widetilde{V}_2$ の部分には気体のみが入っているようにすれば，$\widetilde{V}_1/\widetilde{N}_1 = v_\mathrm{L}(T)$, $\widetilde{V}_2/\widetilde{N}_2 = v_\mathrm{G}(T)$ が成り立つ。

このような気相と液相の共存は，われわれが日常的に知っている室温での水（H_2O の液体）と空気中の水蒸気（H_2O の気体）との共存とは別物であることを注意しよう。室温での例は，H_2O 以外にも空気を構成する他の物質があるので，本質的に多成分系の問題である。われわれがよく知っているように，共存は広い温度と圧力の範囲で安定におきる。(9-4 節ではそのような問題を扱う。) この節の理論で扱えるのは，たとえば，純粋な H_2O のみが容器に封入されているような状況である。たとえば，先端を封じた注射器の中に水だけを閉じこめ，それを沸騰したお湯（つまり 100°C の環境）の中につける。しばらくしてから，注射器のピストンを引っ張ると，気化がおきて，注射器の中に H_2O の液体と気体が共存するはずだ。この際，ピストンを動かしても，図 7.5 の一番上の図が示すように，圧力は 1 気圧のまま変動しない。

7-7 相図と Clapeyron の関係

気相と液相の間の相転移の問題をより詳しく調べていこう。普遍的でかつ定量的に厳密な予言能力をもつ熱力学の威力を示す Clapeyron の関係を導く。

純物質の相図

図 7.3 に示した各温度での圧力のふるまいを，さらに多くの温度について描くと，図 7.6 のようになる。圧力が体積に依存しない範囲，つまり，液体と気体が共存する領域は，図の点線で囲まれた釣り鐘状の領域である。この領域より左側では流体は液体であり，右側では気体である。この領域の上を通れば，液体の領域と気体の領域が連続的につながることに注意しよう。液体と気体の共存がおきる温度では，両者の差に意味があるが，より広い視野から眺めると両者は本質的に同じ状態なのである。後で簡単に触れるが，固体の相は，液体や気体とは本質的に異なっている。

圧力の曲線が上の釣り鐘に一点で接するときの温度を**臨界温度** (critical temperature) と呼び，T_c と書く。臨界温度より低い温度では，流体は体積を変えると液体と気体の間の相転移をおこすが，臨界温度より高い温度

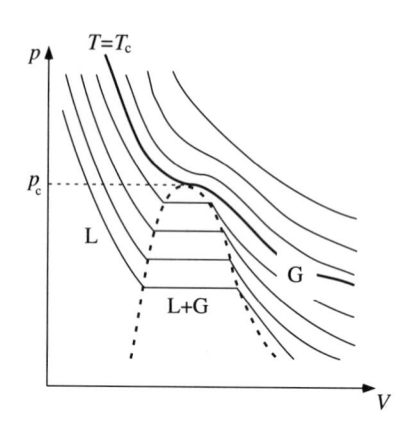

図 7.6 様々な温度における流体の圧力のふるまいの概形。横軸は体積 V, 縦軸は圧力 p である。物質量 N は固定した。点線で囲った釣り鐘状の領域の中では，圧力が体積に依存しない。これが液体と気体が共存する領域である。これより左側が液体，右側が気体である。温度を上げて釣り鐘の上を経由すれば，液体から気体へと連続的に移行することができる。両者の間に本質的な区別はないことがわかる。

では，気体から液体への相転移はない[23]。臨界温度での圧力の曲線が釣り鐘に接する点での圧力 p_c を**臨界圧力** (critical pressure) と呼ぶ。

このような液体と気体の間の相転移の様子は，温度 T と圧力 p を座標にした平面に図 7.7 の (a) のように表すことが多い。たとえば，(a) の水平な点線に沿って，圧力 p を一定に保って温度を上げていけば，沸点と呼ばれる温度 $T_b(p)$ で流体は液体から気体に変化する。ただし，このような T-p 相図では，図 7.6 で釣り鐘上の領域で表された液体と気体が共存する領域が，押しつぶされて一本の線になっていることに注意しよう。T-p 平面上での (T_c, p_c) （あるいは，それに対応する T-V 平面上の点 (T_c, V_c)）を**臨界点** (ciritical point) と呼ぶ。臨界点では，熱容量の発散など興味深い臨界現象がみられる。10-4 節を参照。

図 7.7 の (a) は現実的な流体の相図の一部だけを表している。(b) は，

---

[23] 臨界温度より高い温度で，液体と気体の区別が失われた領域での流体は，**超臨界**状態にあるといわれる。

7-7 相図と Clapeyron の関係

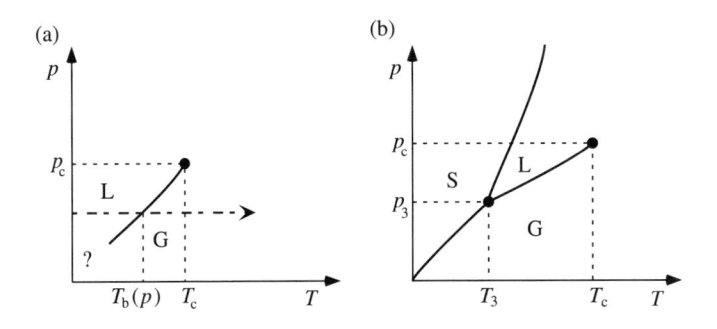

図 7.7 横軸に温度 T，縦軸に圧力 p をとった際の一成分の系の典型的な相図。(a) 流体系での液体 (L) と気体 (G) の領域を示す相図。(b) 圧力と温度のより広い範囲を見れば，系が固体 (S) になる領域もある。液体と気体の領域が相境界を経ずにつながっているのとは違って，固体は液体と気体から相境界で隔てられている。固体，液体，気体の三相が共存する (T_3, p_3) は三重点（付録 E 参照）と呼ばれている。

比較的一般的な一成分の物質のより広い範囲の相図の概略である。(a) に現れた気体 (G) と液体 (L) の領域の他に，固体 (S) の領域がある。液体と気体の領域が連続的につながっているのに対し，固体の領域は残りの二つの相から完全に区別される。図の中に，固体，液体，気体の三相が共存する点 (T_3, p_3) がある。このような状態は，**三重点** (triple point) と呼ばれている[24]。現実の物質の相図は，図 7.7 (b) よりもはるかに複雑なことが多い。

気化にともなう吸熱とエンタルピー変化

再び気体と液体の間の相転移に着目する。温度 T の環境（$T < T_c$ とする）で，全体が液体の状態 $(T; V_L(T; N), N)$ の体積を増加させて全体が気体の状態 $(T; V_G(T; N), N)$ に移す等温準静操作

$$(T; V_L(T; N), N) \xrightarrow{\text{iq}} (T; V_G(T; N), N) \tag{7.50}$$

---

[24] **進んだ注**：三重点では，系の温度と体積を一定に保ったまま，液体，気体，固体の比率をある範囲で変化させることができる。つまり，これまで用いてきた $(T; V, N)$ という記述法では三重点内部の状態を忠実に指定することはできないのだ。この場合には，やや面倒だが，考える示量変数を増やして状態を指定する必要がある。付録 E を見よ。

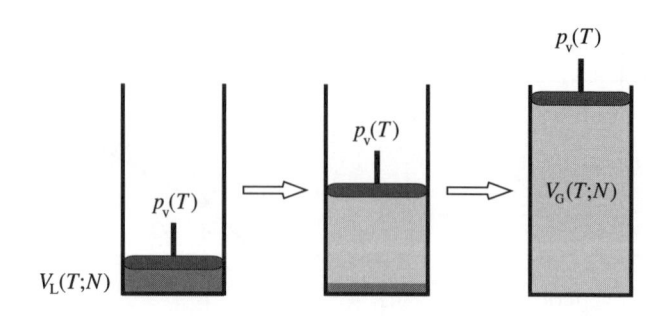

図 **7.8** 温度 T を一定にし，圧力を $p_\mathrm{v}(T)$ に保ったまま，流体の体積を $V_\mathrm{L}(T;N)$ から $V_\mathrm{G}(T;N)$ まで増加させる等温準静操作。途中では，液体と気体が共存していて，両者の比率が徐々に変化していく。

を考える。流体の密度は，はじめの状態では温度 T で液体として存在できる最低の値であり，終わりの状態では温度 T で気体として存在できる最大の値である。この操作の途中では，図 7.8 のように液体と気体が共存している。ここで，$V_\mathrm{L}(T;N)$ と $V_\mathrm{G}(T;N)$ の間の体積 V においては，圧力 $p(T;V,N)$ は常に $p_\mathrm{v}(T)$ に等しいことに注意しよう。よって，操作 (7.50) の間に系が外界に行なう仕事は，

$$W_\mathrm{max}(T;(V_\mathrm{L}(T;N),N) \to (V_\mathrm{G}(T;N),N))$$
$$= p_\mathrm{v}(T)\{V_\mathrm{G}(T;N) - V_\mathrm{L}(T;N)\} \qquad (7.51)$$

となる。操作 (7.50) の間に系が環境から熱として吸収するエネルギーは，最大吸熱量の定義 (5.6) より，

$$Q_\mathrm{max}(T;(V_\mathrm{L}(T;N),N) \to (V_\mathrm{G}(T;N),N))$$
$$= W_\mathrm{max}(T;(V_\mathrm{L}(T;N),N) \to (V_\mathrm{G}(T;N),N))$$
$$+ U(T;V_\mathrm{G}(T;N),N) - U(T;V_\mathrm{L}(T;N),N)$$
$$= \{U(T;V_\mathrm{G}(T;N),N) + p_\mathrm{v}(T)V_\mathrm{G}(T;N)\}$$
$$- \{U(T;V_\mathrm{L}(T;N),N) + p_\mathrm{v}(T)V_\mathrm{L}(T;N)\} \qquad (7.52)$$

と評価できる。

7-7 相図と Clapeyron の関係

ここで，**エンタルピー** (enthalpy) という量を

$$H(T;V,N) = U(T;V,N) + p(T;V,N)V \tag{7.53}$$

と定義する[25]。エンタルピーは，特に化学への熱力学の応用で重要な役割を果たす示量的な熱力学関数である。エンタルピーを用いれば，液体から気体へ移る際の吸熱量 (7.52) は，

$$\begin{aligned} &Q_{\max}(T; (V_L(T;N), N) \to (V_G(T;N), N)) \\ &= H(T; V_G(T;N), N) - H(T; V_L(T;N), N) \\ &= H_{\mathrm{vap}}(T;N) \end{aligned} \tag{7.54}$$

と書ける。$H_{\mathrm{vap}}(T;N)$ は，**蒸発のエンタルピー変化**，あるいは簡単に，**蒸発のエンタルピー**と呼ばれ，液体から気体への転移を特徴づける重要な量である[26]。他方，エントロピーと最大吸熱量の関係 (6.7) と (7.54) を合わせれば，蒸発のエンタルピーを，気体と液体のエントロピーの差によって

$$H_{\mathrm{vap}}(T;N) = T\{S(T; V_G(T;N), N) - S(T; V_L(T;N), N)\} \tag{7.55}$$

のように表すことができる。

蒸発のエンタルピー $H_{\mathrm{vap}}(T;N)$ は，図 7.9 のような装置で測定できる。液体の状態 $(T; V_L(T;N), N)$ にある系を断熱壁で囲み，系の圧力を何らかの方法で一定の $p_{\mathrm{v}}(T)$ に保ったまま，流体に（たとえば電熱線で）W_{el} だけの仕事をして，体積を増加させ気体の状態 $(T; V_G(T;N), N)$ に移す。これは，実質的には，(7.50) の等温準静操作と同じものだが，環境から熱としてエネルギーをもらう代わりに，電熱線からエネルギーをもらっていることになる。エネルギー保存則から，W_{el} は最大吸熱量 $Q_{\max}(T; (V_L(T;N), N) \to (V_G(T;N), N))$ に等しく，よって蒸発のエンタルピー $H_{\mathrm{vap}}(T;N)$ に等しいことがわかる[27]。

---

[25] エンタルピーは，圧力 p，エントロピー S と物質量 N の関数として表現したとき完全な熱力学関数になる。そのときだけ，$H[p; S, N]$ のように角かっこによる表現を用いる。付録 F を参照。エンタルピーの応用例については，問題 7.10, 8.6 も見よ。

[26] 蒸発のエンタルピーを**蒸発の潜熱**，あるいは，蒸発熱，気化熱などと呼ぶこともある。潜熱というのは，明らかに熱素説時代の用語で，液体が「熱」を吸って気体になるから，気体の中には「熱」が「潜んで」いるというニュアンスがある。しかし，エネルギー保存を考えると，熱として吸収したエネルギーの一部は体積膨張のための仕事として使われており，決して気体の中に「潜んで」はいない。この事実が認識されていなかったことが，潜熱による熱現象の理解の限界で，その論理の破綻につながったという [1]。

[27] もちろん，断熱操作におけるエネルギー保存則をていねいに検討しても同じ結果が出る。

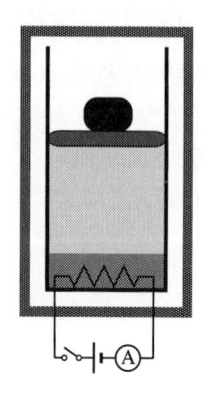

図 **7.9** 蒸発のエンタルピー $H_{\text{vap}}(T;N)$ を測定する装置。断熱壁で囲った容器の中に液体の状態 $(T;V_{\text{L}}(T;N),N)$ の流体を入れ，電熱線を通してエネルギーを供給する。系の圧力が一定値 $p_{\text{v}}(T)$ を保つように工夫しながら，流体が完全な気体の状態 $(T;V_{\text{G}},N)$ になるまで，エネルギーを供給する。このとき，電源が行なう仕事 W_{el} が蒸発のエンタルピー $H_{\text{vap}}(T;N)$ に等しい。

Clapeyron の関係

飽和蒸気圧 $p_{\text{v}}(T)$ を T で微分すれば，p-T 平面での相図 7.7 での相境界の曲線の傾きが得られる。この傾きと蒸発のエンタルピーを結びつける Clapeyron の関係を示そう[28]。(7.51) の左辺に，最大仕事と Helmholtz の自由エネルギーの関係 (3.27) を代入すると，

$$F[T;V_{\text{L}}(T;N),N] - F[T;V_{\text{G}}(T;N),N]$$
$$= p_{\text{v}}(T)\{V_{\text{G}}(T;N) - V_{\text{L}}(T;N)\} \qquad (7.56)$$

となる。(7.11) に注意して，この両辺を T で微分すると，

$$-S(T;V_{\text{L}}(T;N),N) - \frac{\partial V_{\text{L}}(T;N)}{\partial T}p(T;V_{\text{L}}(T;N),N)$$
$$+ S(T;V_{\text{G}}(T;N),N) + \frac{\partial V_{\text{G}}(T;N)}{\partial T}p(T;V_{\text{G}}(T;N),N)$$
$$= \frac{dp_{\text{v}}(T)}{dT}\{V_{\text{G}}(T;N) - V_{\text{L}}(T;N)\} +$$

---

[28] Clapeyron の関係は，Gibbs の自由エネルギーを利用して導出することが多い。問題 8.11 を見よ。Helmholtz の自由エネルギーを用いた導出は遠回りのようにも見えるが，どのような現象がおきているかを正確に把握できるという意味で，見通しがよい。

7-7 相図と Clapeyron の関係

$$+p_{\mathrm{v}}(T)\left\{\frac{\partial V_{\mathrm{G}}(T;N)}{\partial T}-\frac{\partial V_{\mathrm{L}}(T;N)}{\partial T}\right\} \tag{7.57}$$

となる。$p(T;V_{\mathrm{L}}(T;N),N)=p(T;V_{\mathrm{G}}(T;N),N)=p_{\mathrm{v}}(T)$ に注意して整理すると，

$$\frac{dp_{\mathrm{v}}(T)}{dT}=\frac{S(T;V_{\mathrm{G}}(T;N),N)-S(T;V_{\mathrm{L}}(T;N),N)}{V_{\mathrm{G}}(T;N)-V_{\mathrm{L}}(T;N)} \tag{7.58}$$

という関係が得られる。(7.55) を用いて，Clapeyron の関係

$$\frac{dp_{\mathrm{v}}(T)}{dT}=\frac{H_{\mathrm{vap}}(T;N)}{T\{V_{\mathrm{G}}(T;N)-V_{\mathrm{L}}(T;N)\}}=\frac{h_{\mathrm{vap}}(T)}{T\{v_{\mathrm{G}}(T)-v_{\mathrm{L}}(T)\}} \tag{7.59}$$

が得られる。ここで，単位物質量あたりのエンタルピー $h_{\mathrm{vap}}(T)=H_{\mathrm{vap}}(T;N)/N$ と単位物質量あたりの体積 $v_{\mathrm{G}}(T)=V_{\mathrm{G}}(T;N)/N, v_{\mathrm{L}}(T)=V_{\mathrm{L}}(T;N)/N$ はいずれも T のみの関数である。

実際に水を例にして，Clapeyron の関係 (7.59) を検討してみよう[29]。100°C, 1 気圧では，水の蒸発のエンタルピー（気化熱）は，$h_{\mathrm{vap}}\simeq 539.8\,\mathrm{cal/g}\simeq 539.8\times 4.184\times 10^3\,\mathrm{J/kg}$ であり[30]，水蒸気の密度は $1/v_{\mathrm{G}}\simeq 0.598\,\mathrm{kg/m}^3$，水の密度は $1/v_{\mathrm{L}}\simeq 9.583\times 10^2\,\mathrm{kg/m}^3$ である。以上の数値と $T=373.15\,\mathrm{K}$ を (7.59) に代入して計算すると，$dp_{\mathrm{v}}/dT\simeq 3.62\times 10^3\,\mathrm{Pa/K}$ となる（もちろん，$\mathrm{Pa}=\mathrm{N/m}^2$ は圧力の単位）。一方，100°C 近辺での蒸気圧の実測値は，$p_{\mathrm{v}}(102°\mathrm{C})\simeq 1.0878\times 10^5\,\mathrm{Pa}$ と $p_{\mathrm{v}}(98°\mathrm{C})\simeq 9.4304\times 10^4\,\mathrm{Pa}$ である。ここから得られる傾きは，$\{p_{\mathrm{v}}(102°\mathrm{C})-p_{\mathrm{v}}(98°\mathrm{C})\}/(4\mathrm{K})\simeq 3.619\times 10^3\,\mathrm{Pa/K}$ であり，Clapeyron の関係からの予言と一致している。もしも実測値と Clapeyron の関係に有意のずれがあれば，それを利用した第二種永久機関を構成できる（問題 7.9）。だから，この場合の理論と実験の一致は実験の誤差の範囲内で完璧でなくてはならない。

同様の関係を，相図 7.7 の (b) に現れる固体と液体の相境界，固体と気体の相境界についても示すことができる。たとえば，固体と液体の相境界 $(T,p_{\mathrm{fus}}(T))$ については，$h_{\mathrm{vap}}(T)$ と同様に定義される（単位物質量あたりの）融解のエンタルピー $h_{\mathrm{fus}}(T)$ を用いて，

$$\frac{dp_{\mathrm{fus}}(T)}{dT}=\frac{h_{\mathrm{fus}}(T)}{T\{v_{\mathrm{L}}(T)-v_{\mathrm{S}}(T)\}} \tag{7.60}$$

という関係が得られる。非常に多くの場合，$h_{\mathrm{fus}}(T)$ は正で，$v_{\mathrm{L}}(T)>v_{\mathrm{S}}(T)$

---

[29] 以下で引用したデータは，1992 年版の『理科年表』（丸善）によった。
[30] 物質量は，モルではかるのが標準だが，一成分系では質量を用いても不都合はない。(3.34) に続く議論を参照。ここでは，MKSA 単位系を採用し，kg を用いる。

なので，(7.60) により $p_{\text{fus}}(T)$ は T の増加関数になる．つまり，T-p 平面での固体と液体の相境界は，図 7.7 の (b) のように右上がりになる．しかし，われわれにもっとも馴染みの深い常圧での氷から水への相転移では，$h_{\text{fus}}(T) > 0$ だが $v_{\text{L}}(T) < v_{\text{S}}(T)$ である．確かに，水は凍ると体積が増えることは，誰もが子供の頃から体験している．この（極めて馴染み深いが）例外的な性質のために，常圧の水についての図 7.7 の (b) のような相図では，水と氷の相境界は左上がりの線になる．つまり圧力が上がると水の融点は低下する[31]．

演習問題 7.

7.1 (7-1 節) Euler の関係式 (7.8) を用いて，
$$V\frac{\partial p(T;V,N)}{\partial V} = N\frac{\partial \mu(T;V,N)}{\partial V}, \quad V\frac{\partial p(T;V,N)}{\partial N} = N\frac{\partial \mu(T;V,N)}{\partial N} \tag{7.61}$$
の関係を示せ．

7.2 (7-1 節，7-2 節，8-2 節) Euler の関係式 (7.8) の全微分をとれ．左辺には (7.12) を代入し，右辺には (7.16) の公式を適用すると，Gibbs-Duhem の関係式
$$S\,dT - V\,dp + N\,d\mu = 0 \tag{7.62}$$
が導かれることを示せ．

微分形式の意味（パラメターの任意の微小変化について成立する）を思いだし，特に，T, N を固定して V を，あるいは，T, V を固定して N を変化させるとき，(7.62) を使うと，(7.61) が導かれることを示せ．

また，Gibbs の自由エネルギーについての Euler の関係式 (8.18) と全微分 (8.20) からも，同様にして，同じ (7.62) が得られることを示せ．

7.3 (7-3 節) $U(T;V,N)$ と $p(T;V,N)$ が 2 回微分可能とし，(7.21) から
$$\frac{\partial^2 U(T;V,N)}{\partial V \partial T} = T\frac{\partial^2 p(T;V,N)}{\partial T^2} \tag{7.63}$$
を示せ．(7.63) から，van der Waals の状態方程式 (3.37) に従う気体のエネルギー $U(T;V,N)$ について何がいえるか考察せよ．

---
[31] 多くの熱力学の教科書に，これがスケートが滑る原理だという記述がある．スケートの刃が氷を圧迫し，局所的に圧力が上がり，そのため融点が低下し氷が融けて水になる．刃と氷の間に薄い水の層ができて，摩擦を小さくするというのである．一見もっともらしい説明だが，スケートの刃と接触するのは氷の表面だけであることや，摩擦熱の効果も小さくないだろうことを考えると，この単純な説明がどれほど本質をついているのかについては疑問が残る．

7.4 (7-3 節) 電磁場の圧力について，もっとも簡単な場合を考察しておこう．(これは，電磁気学の問題である．単位系は MKSA を使う．) 3 次元空間での位置を直交座標 (x,y,z) で表す．$x \leq 0$ の領域が完全導体で満たされているとし，$x = 0$ で $E_x = E_y = 0$ という境界条件をつけて $x \geq 0$ の領域で真空中の Maxwell 方程式の解を求めたい．特に，x 軸の正の方向から入射した平面波が完全反射されて，入射波と反射波を合成した定在波ができている状況を念頭におき，

$$\mathbf{E}(x,y,z,t) = (0, 0, E_0 \sin kx \cos \omega t)$$
$$\mathbf{B}(x,y,z,t) = (0, B_0 \cos kx \sin \omega t, 0)$$
(7.64)

という電磁場を考える．定数 E_0, B_0, k, ω が $B_0 = E_0/c, \omega = ck$ を満たすとき，電磁場 (7.64) は Maxwell 方程式を満たすことを示せ．もちろん $c = (\varepsilon_0 \mu_0)^{-1/2}$ である．この電磁場のエネルギー密度を求め，その空間，時間平均をとれば，$u = \varepsilon_0 (E_0)^2 / 4$ となることを示せ．

$x < 0$ の領域には磁場はないが，$x = +0$ には有限の磁場が存在する．そのために，yz 平面には電流が流れる．電流の向きとその線密度 j を求めよ．この電流は磁場から力を受けるはずだ．電流の一方の側にしか磁場が存在しないことに対応させて，$x = +0$ の磁場の 1/2 の磁場[32])の中に同じ電流が流れているとき，単位面積あたりに働く力の方向と大きさを求めよ．これによって，x 軸の負の向きに $p = \varepsilon_0 (E_0)^2 / 4$ の圧力が働くことがわかる．つまり $p = u$ が示された．

本文で引用した $p = u/3$ の表式を導くには，さらに，斜めに入射した電磁波の圧力についても考察する必要がある．よって本文の説明はいささか簡略化しすぎである．

7.5 (7-5 節) つり合いの条件で重要な役割を果たす (7.42) の $f(v, n)$ が v, n について 3 回微分可能なら，2×2 行列

$$\mathsf{D} = \begin{pmatrix} \left.\frac{\partial^2 f(v,n)}{\partial v^2}\right|_{v=n=0} & \left.\frac{\partial^2 f(v,n)}{\partial v \partial n}\right|_{v=n=0} \\ \left.\frac{\partial^2 f(v,n)}{\partial v \partial n}\right|_{v=n=0} & \left.\frac{\partial^2 f(v,n)}{\partial n^2}\right|_{v=n=0} \end{pmatrix} \quad (7.65)$$

の固有値は二つとも正であることを示せ．

7.6 (7-5 節) 本文では，一般の熱力学的な系で局所的なつり合いの条件から大域的な平衡状態が得られることをみた．ここでは，これが成立しない簡単な系を調べよう[33])．図 7.10 のような半円状のチューブがある．チューブの断面は円で，断面

---

[32]) これは，電流の左右の磁場を平均することで，電流自身が作る磁場をうち消すことだと解釈できる．(同じような 1/2 のファクターは，たとえば，平板コンデンサーの極板に働く力の計算などにも現れる．) より「気持ちのいい」アプローチは，まず，電流の流れる領域には実際には幅があるとして，磁場と力を求め，最後に幅を 0 にする極限をとることである．これによって 1/2 は自然に現れる．

[33]) この例は Callen[8] による．しかし，この例と相転移を結びつける [8] の議論には，飛躍があり，賛成できない．

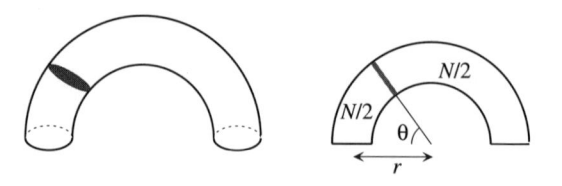

図 7.10 両端を封じた半円状のチューブに重さのある可動なピストンがはまっている。ピストンの左右に同量の気体が入っている。ピストンが十分に軽いとき，あるいは，温度が十分に高いときは，気体の圧力が大きいので，平衡状態では，ピストンは，左右の体積が等しくなる中間の位置をとる。ところが，ピストンが十分に重いとき，あるいは，温度が十分に低いときは，ピストンのポテンシャルエネルギーが優勢になり，ピストンがもっとも高い位置にくる中間の位置は不安定になる。平衡状態では，ピストンは，左か右かどちらかに傾いた位置をとる。

の中心を結ぶと半径 r の半円になる。チューブの内部の体積は V である。チューブの両端はふさいであり，チューブの途中に質量 m の薄い円形のピストンがはめてある。ピストンの左右には，それぞれ物質量 $N/2$ ずつの気体が入っている。この系が温度 T の環境にある。

ピストンの位置を図 7.10 (b) のように $0 < \theta < \pi$ の範囲を動く角度変数 θ で表す。チューブの左右の部分の体積はそれぞれ $(\theta/\pi)V$ と $\{1 - (\theta/\pi)\}V$ である。よってピストンが θ の位置に固定されているとき全系の Helmholtz の自由エネルギーは

$$F[T; \theta] = F\left[T; \frac{\theta}{\pi}V, \frac{N}{2}\right] + F\left[T; \left(1 - \frac{\theta}{\pi}\right)V, \frac{N}{2}\right] + mgr\sin\theta \qquad (7.66)$$

である。右辺のはじめの二つは左右の気体の Helmholtz の自由エネルギーであり，第三項はピストンのポテンシャルエネルギーである。

ここで，ピストンが自由に動けるようになると，θ は自発的に変化して最終的にはピストンに働く力がゼロになるようなある θ^* に落ち着くとする。この θ^* は変分原理

$$F[T; \theta^*] = \operatorname*{local\,min}_{\theta} F[T; \theta] \qquad (7.67)$$

により決まることを，最大仕事の原理から示せ（local min は極小）。

以下では，気体は理想気体だとする。ある $T_c(m)$ があって，$T \geq T_c(m)$ では，$F[T; \theta]$ は $\theta^* = \pi/2$ のみで最小値をとり，$T < T_c(m)$ では，$\theta = \pi/2$ で $F[T; \theta]$ が極大値をとり $F[T; \theta]$ の最小値は $\pi/2$ を挟んだ二つの値で得られることを示せ。

この結果は不安定なつり合いや準安定なつり合いがないことを示す結果 7.2 に反する。この場合に結果 7.2 の導出のどの部分が破綻するかのか検討せよ。

また，この例でチューブの形状を変えることで，準安定な状態も実現できること

を示せ[34]）。

7.7 （7-4 節）示量変数の組 (X,Y) の系を考える。X は 1 成分とし，$F[T;X,Y]$ は X について 2 回微分可能で，下に凸とする。系の条件を変更し，X が自由に動けるようにすると，X は自発的に変化し最終的に平衡での値 $X^*(T;Y)$ に落ち着くとする。この値が，

$$\left.\frac{\partial F[T;X,Y]}{\partial X}\right|_{X=X^*(T;Y)} = 0 \tag{7.68}$$

で決まることを示せ。ここから

$$\frac{\partial X^*(T;Y)}{\partial T} = \left[\left\{\frac{\partial^2 F[T;X,Y]}{\partial X^2}\right\}^{-1} \frac{\partial S(T;X,Y)}{\partial X}\right]_{X=X^*(T;Y)} \tag{7.69}$$

を導け。凸性より $\partial^2 F/\partial X^2 \geq 0$ である。また (6.7) があるので，X が微小変化した際に系が吸収する熱の正負が $\partial S/\partial X$ の正負から決まる。(7.69) から，「温度が上がると系が吸熱する方向に，温度が下がると系が発熱する方向に，X^* が動く」ことを示せ。図 8.1 の例について，これを確認せよ。

Y_i を Y の一つの成分とするとき，$\partial X^*(T;Y)/\partial Y_i$ についても同様の考察をし，簡単な例を挙げよ。

これら一連の関係は，「何らかの変化が生じたとき，その変化を少しでもうち消す方向に熱力学系が自発的に変化する」という Le Chatelier の原理，あるいは，Le Chatelier-Braun の原理としてまとめることができる[35]）。9-6 節を参照。

7.8 （7-6 節）たとえば，十分低温での van der Walls の状態方程式 (3.37) に従う「圧力」は，図 7.11 (a) の $\tilde{p}(V)$ のように，V について，減少，増加，減少というふるまいを示す。（T と N は固定することにして省略する。）しかし，このようなふるまいは，圧力が V についての非増加関数であるという結果 7.1 と矛盾する。そこで，このような病的な「圧力」に最低限の，しかもなるべく合理的な，修正を加え，図 7.3 の $T = T_3$ の場合のような途中の体積で圧力が一定値をとるような（液相・気相転移がある際の）健全な圧力を作りたい。そのための処方箋として，以下のような **Maxwell の等面積則** がある[36]）。図 7.11 (b) のように，$\tilde{p}(V)$ のグラフと三点で交わる水平な線を引く。この際に，水平な線と $\tilde{p}(V)$ のグラフが囲む二つの領域の面積 A_1, A_2 が等しくなるように水平な線の位置を調節する。最後に，

---

[34]）このようなモデルを調べ，拡張することで，過冷却や磁化過程の履歴（ヒステリシス）現象のような準安定状態が理解できるのではないかという期待があるかもしれない。しかし，過冷却現象などでこの例の θ に相当するパラメターは存在しないし，想像することさえできない。筆者は，この簡単なモデルに現れる準安定状態と，過冷却のような熱力学的な系における準安定状態には，本質的な差があるのではないかと感じている。

[35]）通常，変化に対して系が直接に応答する場合は前者，間接に応答する場合は後者の名称をつかう。

[36]）そもそも図 7.11 (a) の $\tilde{p}(V)$ のような「圧力」がまっとうな理論から導かれるとは考えにくいので，このような処方箋がどれほど意味をもつかは，はっきりしない。10-3 節では磁性体について同様の考察を行なう。

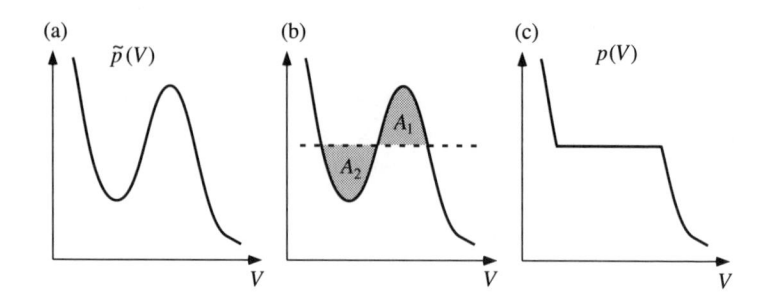

図 7.11 Maxwell の等面積則を利用して，(a) の非物理的な圧力 $\tilde{p}(V)$ を修正して，(c) の物理的な圧力 $p(V)$ を得る方法。(b) では面積 A_1, A_2 が等しくなるように水平な線を引く。

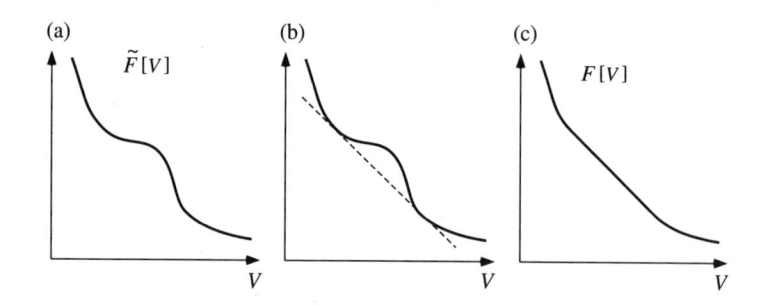

図 7.12 非物理的な圧力 $\tilde{p}(V)$ に対応する擬似自由エネルギー $\widetilde{F}[V]$ に「もっとも近い」下に凸な関数 $F[V]$ を作る。これによって，Maxwell の等面積が得られる。なお，$F[V]$ は $\widetilde{F}[V]$ に Legendre 変換を 2 回施すことでも得られる。

図 7.11 (c) のように，$\tilde{p}(V)$ のグラフの中で水平な線に切り取られた部分を捨て去り，水平な線分で置き換える。こうして得られたグラフが物理的な圧力 $p(V)$ を表すとする。Maxwell の等面積則の伝統的な導出は，不安定な状態を通過するような操作を利用するので，物理的には不満足であり，ここでは議論しない。以下では，Helmholtz の自由エネルギーの凸性というもっとも基本的な要請から，上の処方箋が自然に導かれることをみよう。

非物理的な圧力 $\tilde{p}(V)$ を (3.33) に形式的に代入して Helmholtz の自由エネルギーを求めると，図 7.12 (a) の $\widetilde{F}[V]$ のように下に凸でない関数が得られる。これは物理的な自由エネルギーとはみなせないので，擬似自由エネルギーと呼ぶ（10-3 節

演習問題 7.   151

参照)．擬似自由エネルギーから最小の修正で下に凸な自由エネルギーを作るために，図 7.12 (b) のように，$\widetilde{F}[V]$ のグラフに下側から 2 カ所で接する共通接線をひき，二つの接点にはさまれた曲線を接線で置き換えた (c) の関数を $F[V]$ とする[37]．$F[V]$ は下に凸なので，物理的な Helmholtz の自由エネルギーとみなすことができる．$p(V) = -F'[V]$ から得られる圧力 $p(V)$ が Maxwell の等面積則から得られるものと等しいことを示せ．

7.9 (7-7 節) 物質量 N の純物質を用意し，
$$(T'; V_0', N) \xrightarrow{\mathrm{iq}} (T'; V_1', N) \xrightarrow{\mathrm{aq}} (T; V_1, N)$$
$$\xrightarrow{\mathrm{iq}} (T; V_0, N) \xrightarrow{\mathrm{aq}} (T'; V_0', N) \qquad (7.70)$$

という Carnot サイクルを考える．サイクルのあいだ系はつねに気体と液体が相共存した状態にある．考えやすいよう $V_0' < V_1' < V_1 > V_0 > V_0'$ および $T' > T$ としよう．このサイクルに Carnot の定理を適用することで Clapeyron の関係を示せ．$\Delta T = T' - T$ が微小としてエンタルピーの変化に着目するとよい．

7.10 (7-7 節) Joule-Thomson の実験を解析しやすいよう変形したものを考察する．図 7.13 のように，両側にピストンのついたシリンダーの中央を，気体をゆっくりと透過させる多孔質の壁で仕切った装置で，断熱操作 $(T; V, N) \xrightarrow{\mathrm{a}} (T'; V', N)$ を行なう[38]．操作前は気体は壁の左にあり，操作後は右にある．操作の前後の圧力を $p_\mathrm{H} = p(T; V, N)$, $p_\mathrm{L} = p(T'; V', N)$ とし，$p_\mathrm{H} > p_\mathrm{L}$ とする．操作の途中では，図の (b) のように，左側のピストンにはつねに p_H の，右側のピストンにはつねに p_L の圧力に相当する力を加える．これは，ゆっくりした断熱操作だが，断熱準静操作ではない．実際，この操作を逆向きに実行するのは不可能である．この操作の前後でエンタルピー (7.53) が等しいことを示せ．Joule-Thomson の実験については，問題 8.6, 8.7 も参照．

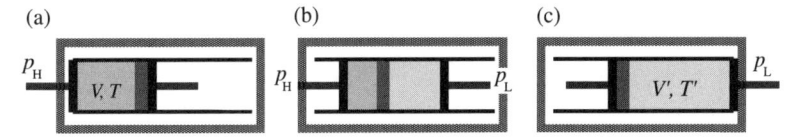

図 **7.13** Joule-Thomson 過程の模式図．(a) 気体の圧力が p_H である状態 $(T; V, N)$ から出発する．(b) 多孔質の壁を通して，気体をわずかずつ容器の右側に送り込む．この際，壁の左側の圧力はつねに p_H に，右側の圧力はつねに p_L に保つ．全系は断熱されている．(c) 気体の圧力が p_L である状態 $(T'; V', N)$ が得られる．

---

[37] $\widetilde{F}[V]$ に Legendre 変換を 2 回施すと，$F[V]$ が得られる．H.4 節を参照．
[38] 実際には，ピストンを用いずに，気体の定常流を用いる．

8. Gibbs の自由エネルギー

この章では，本書に現れる二つ目の完全な熱力学関数である Gibbs の自由エネルギーを導入し，その性質や応用を論じる。Gibbs の自由エネルギーは，温度と圧力をコントロールする状況の記述のために特に便利な量である。大気中のビーカーの中での化学反応，体積が変わりうる容器の中の気体の系など，われわれにとって自然な状況での熱力学の応用を考えるとき，Gibbs の自由エネルギーが必須である。さらに，（8-3 節の最後に述べるように）Gibbs の自由エネルギーは標準的な実験データから直接決定できる完全な熱力学関数である。Gibbs の自由エネルギーが真の威力を発揮するのは，多成分の系を扱うときだが，この章ではあえて一成分の系で Gibbs の自由エネルギーの本質をじっくり議論する。数学的には，凸関数の Legendre 変換という重要な方法の入門になっている。

8-1 Gibbs の自由エネルギーの導入

単一の容器の中の流体について，Gibbs の自由エネルギーを定義し，その基本的な性質を調べる。これまで，われわれは温度 T，体積 V，物質量 N を制御するという立場をとってきた。その場合，圧力 $p(T;V,N)$ は一つの状態量になる。ここでは立場を変えて，圧力 p を制御可能なパラメータとしよう。すると，体積 V はわれわれが制御するパラメータではなく，系の都合で自動的に選ばれる量ということになる。

Gibbs の自由エネルギーの定義

圧力が一定の状況を実現するために，図 8.1 のように，断面積 A の可動なピストンのついた容器に物質量 N の流体を入れる。簡単のため，ピス

8-1 Gibbs の自由エネルギーの導入

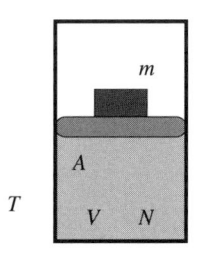

図 8.1 流体の圧力が一定に保たれる状況を作る。断面積 A のピストンに質量 m のおもりを置けば，容器内の流体の圧力は $p = mg/A$ に保たれる。ただし，ピストンの上の空間は，真空とする。

トンの上は真空とし，圧力を与えるためピストンの上に質量 m のおもりを置く。系全体は温度 T の環境にある。ピストンは自発的に移動し最終的には力のバランスから平衡の位置に落ち着くと考えてよい。系が地上にあれば，おもりは mg の力でピストンを押すので，平衡状態での流体の圧力は $p = mg/A$ となる[1]。

系が最終的に落ちつく平衡状態は，変分原理によって求めることができる。図 8.1 の系は，容器の中の流体という熱力学的な系と，おもりという力学系を組み合わせた一つの熱力学系である。流体の体積を V として，流体系の Helmholtz の自由エネルギーを $F[T;V,N]$ と書く。力学的な系の Helmholtz の自由エネルギーは，力学的ポテンシャルエネルギーと等しくとればよい[2]。容器の底からおもりまでの距離を h とすれば，ポテンシャルエネルギーは mgh である。流体の体積 $V = Ah$ を用いれば $mgh = pV$ と書ける。よって，系全体の Helmholtz の自由エネルギーは，

$$F[T;V,N] + pV \tag{8.1}$$

である。

変分原理 (7.32) によれば，V を様々に変化させて (8.1) を最小にすることで，平衡状態での Helmholtz の自由エネルギーが決まる。この最小値は T と p と N の関数になるので，これまで慣れ親しんできた Helmholtz

---

[1] もちろん g は地表での重力加速度である。ここでは，おもりには重力が働くが，流体は（これまでどおり）重力の影響を受けないと考えている。これは流体の総質量が十分に小さければ，もっともな仮定である。

[2] 力学的な系は，環境とこっそり熱をやり取りするような能力をもっていないし，温度を感じる能力もないので，$F[T;X]$ も $U(T;X)$ も常にポテンシャルエネルギーと等しくとればよい。

の自由エネルギーとはかなり毛色が違う。そこで，この最小値に別の記号を与えて，

$$G[T, p; N] = \min_V \{F[T; V, N] + pV\} \tag{8.2}$$

のように表し，**Gibbs の自由エネルギー** (Gibbs free energy) と呼ぶ。後で見るように，Gibbs の自由エネルギーも完全な熱力学関数なので，引数を角かっこでくくってある。また，Gibbs の自由エネルギーの引数は二つの示強変数 T, p と示量変数 N なので，それらの間をセミコロンで区切った。数学的には，(8.2) のように関数 $F[T; V, N]$ をもとにして関数 $G[T, p; N]$ を作り出す手続きを **Legendre 変換**と呼ぶ。Legendre 変換については，付録 H で取り上げるが，ここでも $F[T; V, N]$ と $G[T, p; N]$ の関係に即して詳しく議論する。

Helmholtz の自由エネルギーの示量性 (3.24) を使うと，任意の $\lambda > 0$ について，

$$\begin{aligned} G[T, p; \lambda N] &= \min_{\lambda V} \{F[T; \lambda V, \lambda N] + p\lambda V\} \\ &= \lambda \min_V \{F[T; V, N] + pV\} = \lambda G[T, p; N] \end{aligned} \tag{8.3}$$

となり，Gibbs の自由エネルギー $G[T, p; N]$ もまた示量的であることがわかる。

Legendre 変換の幾何学的な意味と逆変換

Legendre 変換 (8.2) の意味を深く理解するために，これを幾何学的な観点から眺めてみよう。記号を煩雑にしないように，以下では T と N を固定して，$f(V) = F[T; V, N]$, $g(p) = G[T, p; N]$ のように書く。

図 8.2 のように，Helmholtz の自由エネルギー $f(V)$ を V の関数としてグラフに表す。ここで，ある $p > 0$ を決める。適当な V_0 について，グラフ上の点 $(V_0, f(V_0))$ のグラフと交わるような傾き $-p$ の直線を描く。直線の方程式は $y = -p(V - V_0) + f(V_0)$ だから，この直線の y 切片は $y_0 = f(V_0) + pV_0$ である。ここで V_0 をいろいろに変えて直線を平行移動し，y 切片の値 y_0 がもっとも小さくなるところをさがす。(8.2) から明らかに，y_0 の最小値が Gibbs の自由エネルギー $g(p)$ である。

今度は，逆に Gibbs の自由エネルギー $g(p)$ が与えられたとき，そこから Helmholtz の自由エネルギー $f(V)$ が再現できるか考えてみよう。数学的にいえば，Legendre 変換の逆変換を求める問題である。$p > 0$ を一つ固

8-1 Gibbs の自由エネルギーの導入

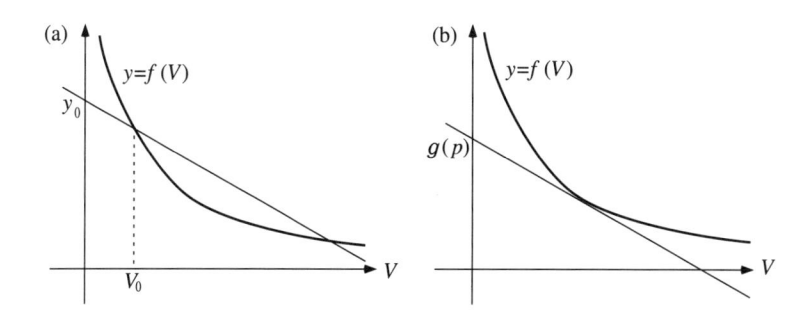

図 8.2 Legendre 変換の幾何学的な解釈。Helmholtz の自由エネルギー $y = f(V)$ のグラフを描いた。(a) $(V_0, f(V_0))$ を通る傾き $-p$ の直線をとり，その y 切片を y_0 とする。(b) V_0 を動かしたときの切片 y_0 の最小値が Gibbs の自由エネルギー $g(p)$ である。このようにして $f(V)$ から $g(p)$ を作る手続きを Legendre 変換という。

定し，傾き $-p$，y 切片 $g(p)$ の直線

$$y = -pV + g(p) \tag{8.4}$$

を作る。$f(V)$ については，まだほとんど何もわからない。ただし，上でみた $g(p)$ の作り方から考えて，$y = f(V)$ のグラフは少なくとも (8.4) の直線より上にあり，どこかでこの直線と接していることは確かである（図 8.3 (a)）。別の p の値についても同じように直線 (8.4) をとれば，$y = f(V)$ のグラフは二つの直線よりも上にあり，両者に接する（図 8.3 (b)）。このようにして，参照する p の個数を次第に増やしていけば，何本もの直線がしだいに $y = f(V)$ のグラフの姿を浮き彫りにしていく（図 8.3 (c)）。様々な $p > 0$ についての (8.4) の直線の集まりの包絡線として，$y = f(V)$ のグラフが再構成できそうである。

今の幾何学的考察を，式を使って書き直してみよう。仮に一つの V を固定して，$f(V)$ の値を知りたいとする。$y = f(V)$ のグラフが直線 (8.4) より上にあるのだから，任意に選んだ p について

$$f(V) \geq -pV + g(p) \tag{8.5}$$

が成り立つ。この不等式は，p をいろいろに動かしたとき常に成立しなくてはならない。また，少なくとも一つの p については等式として成立する

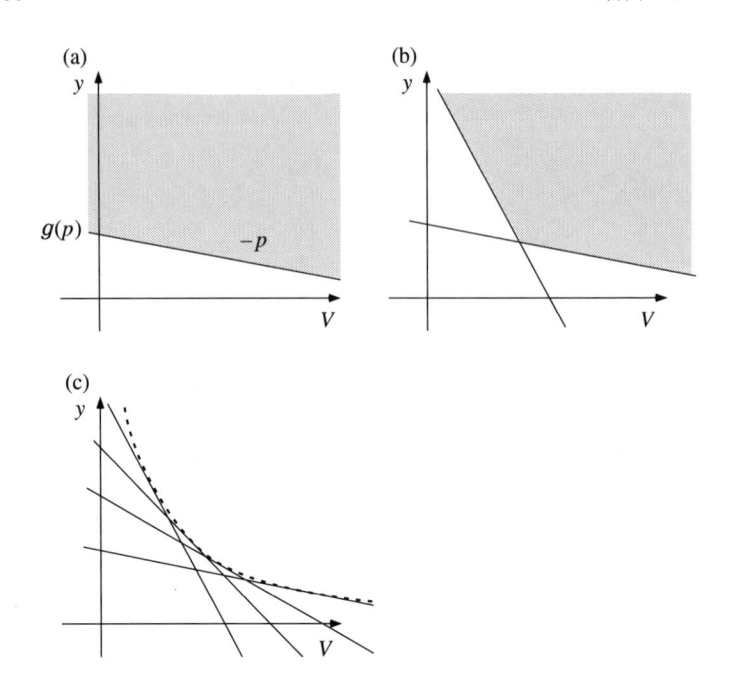

図 8.3　$g(p)$ を知って，$f(V)$ を再構成するアイディア。(a) $f(V)$ は，傾き $-p$，切片 $g(p)$ の直線より上の灰色の部分のどこかにあり，直線とどこかで接している。(b) 直線を 2 本にすれば，$f(V)$ の存在範囲は少し絞り込まれる。(c) 数多くの直線をとれば，それらの包絡線として $y = f(V)$ のグラフが浮き上がってくる。

必要がある。よって，求める $f(V)$ は，

$$f(V) = \max_p \{g(p) - pV\} \tag{8.6}$$

で与えられることになる。右辺の max は p をいろいろに動かしてかっこの中の量を最大にすることを意味する。

Gibbs の自由エネルギーは完全な熱力学関数である

忘れていた T と N のことを思い出して，(8.6) を書き直せば，

$$F[T; V, N] = \max_p \{G[T, p; N] - pV\} \tag{8.7}$$

のように Gibbs の自由エネルギー $G[T, p; N]$ を知って Helmholtz の自由

8-1 Gibbs の自由エネルギーの導入　　　　　　　　　　　　　　　　　　157

エネルギー $F[T;V,N]$ を導く式が得られる[3]）。

このように，**Gibbs の自由エネルギーから逆に Helmholtz の自由エネルギーを導くことができる**という事実は重要である。Gibbs の自由エネルギーを知っていれば，Helmholtz の自由エネルギーを知っているのと同じだけの情報をもっているのだ。Helmholtz の自由エネルギーは熱力学系の平衡状態の情報を余さずもった完全な熱力学関数だから，**Gibbs の自由エネルギーもまた完全な熱力学関数である**[4]）。

Gibbs の自由エネルギーの簡易な定義

次に，少し大らかに Gibbs の自由エネルギーの定義 (8.2) が意味することを考えてみよう。(8.2) の右辺で，V をいろいろに動かしてかっこの中の量を最小にする。$F[T;V,N]$ は V について常に微分可能なので $\{F[T;V,N]+pV\}$ を V で微分したものが 0 に等しいとおこう。(3.31) を使うと，

$$\frac{\partial}{\partial V}\{F[T;V,N]+pV\} = -p(T;V,N)+p \tag{8.8}$$

なので，この条件は

$$p(T;V,N) = p \tag{8.9}$$

と書ける。式の形だけを見ているとわけがわからなくなりそうだが，左辺の $p(T;V,N)$ は T,V,N の関数，あるいは状態量としての圧力であり，右辺の圧力 p は制御可能なパラメーターとして最初に外から与えたもの（図 8.1 の装置の場合なら $p=mg/A$ で決まる）である[5]）。今，T,p,N が与えられているから，(8.9) は体積 V を決める方程式とみなすべきである。この方程式の解を $V(T,p;N)$ と書く[6]）。式で書けば，

$$p(T;V(T,p;N),N) = p \tag{8.10}$$

ということになる。この $V(T,p;N)$ は，T,p,N を与えたときに平衡状態

---

[3]）ここでの議論は厳密でないが，Legendre 変換の一般論から，(8.2) で連続関数 $G[T,p;N]$ が定義されること，逆変換 (8.7) で $F[T;V,N]$ が再現されることが，厳密に証明できる。付録 H と問題 8.5 を見よ。
[4]）たとえば，T,p,N の関数としての Helmholtz の自由エネルギー $F(T,p;N)$ は完全な熱力学関数ではない。問題 8.4 を参照。
[5]）関数とパラメータを同じ文字 p で表現するというのは，明らかに悪い書き方である。しかし，この程度の「悪い」記法は今日でも科学の世界で完全にまかり通っている。物理的な設定と内容がきちんとわかっていれば混乱する理由はないので，このような書き方にも慣れてほしい。
[6]）またしても「悪い」書き方！

で系が選び取る体積であり，また (8.2) の右辺のかっこの中の量を最小にする V の値でもある．図 8.2 (b) の直線が $y = f(V)$ のグラフと接する点の V-座標が $V(T, p; N)$ である．

この $V(T, p; N)$ を (8.2) に代入すれば，直ちに

$$G[T, p; N] = F[T; V(T, p; N), N] + pV(T, p; N) \qquad (8.11)$$

となる．右辺に現れる体積は，パラメター V ではなく，関数 $V(T, p; N)$ だから，確かに G は T, p, N の関数として定義されている．(8.11) が多くの教科書での Gibbs の自由エネルギーの定義である[7]．ここでは (8.9) を満たす V が一意的に決まることを仮定したが，たとえば液相と気相が共存するとき，(8.9) を満たす V は一通りに決まらない．7-6 節で見たように，圧力を一定に保ったまま体積を変化させることができるからだ．そのようなとき，「定義」(8.11) は意味をなさないが，最小値による定義 (8.2) は厳密に意味をもつ．Gibbs の自由エネルギーの本当の定義は (8.2) であり，通常の「定義」(8.11) は，(8.9) がただ一つの解 $V(T, p; N)$ をもつときに限って成立する便利な式とみなすのがよい．

T, V, N の関数の Helmholtz の自由エネルギーから T, p, N の関数の Gibbs の自由エネルギーに移行したという「話の流れ」をそのままたどると，これまで $(T; V, N)$ のように平衡状態を指定してきたのに代えて，新たに $(T, p; N)$ という状態の指定法を導入することになりそうに思える．しかし，液相と気相が共存するとき，T, p, N を与えても体積が一通りに定まらないことを思い出せば，流体系の平衡状態が T, p, N で完全には指定できないことがわかる[8]．本書では $(T, p; N)$ という状態の指定法は用いない．それでも，T, p, N の関数としての $G[T, p; N]$ は厳密に定義され，しかも熱力学系の平衡状態についての完全な情報をもっているのである．

理想気体の Gibbs の自由エネルギー

最後に，理想気体の Gibbs の自由エネルギーを求めておく．相転移が

---

[7] 引数を全て省略して，単に $G = F + pV$ と書くこともある．これでは G の引数が何なのか決まらない．後の脚注 11) を参照．

[8] 2 章の脚注 15, 7 章の脚注 24 で触れたように，三重点では T, V, N を指定しても平衡状態は一意に定まらない．このように $(T; V, N)$ 表示が不十分になるのは三つの相が共存する状況であるのに対し，$(T, p; N)$ 表示は二つの相が共存する状況で不十分になるのである．より詳しくは付録 E を見よ．

ないから，簡単な定義 (8.11) を使うことができる．状態方程式 (3.35) より $V(T, p; N) = NRT/p$ だから，(8.11) と Helmholtz の自由エネルギーの表式 (7.9) から直ちに，

$$
\begin{aligned}
G[T, p; N] &= -NRT \log \left\{ \left(\frac{T}{T^*}\right)^c \frac{V(T, p; N)}{v^* N} \right\} + Nu + pV(T, p; N) \\
&= NRT - NRT \log \left\{ \left(\frac{T}{T^*}\right)^c \frac{RT}{v^* p} \right\} + Nu \\
&= NRT + NRT \log \left\{ \left(\frac{T^*}{T}\right)^{c+1} \frac{p}{p^*} \right\} + Nu \quad (8.12)
\end{aligned}
$$

となる．ここで $p^* = RT^*/v^*$ とした．

8-2 Gibbs の自由エネルギーの微分といくつかの関係式

ここで，Gibbs の自由エネルギーの微分を調べ，いくつかの関係式を議論する．ただし相転移点では Gibbs の自由エネルギーが p や T について1回微分可能でさえなくなるので，注意が必要である．たとえば，この先の図 8.6 を見よ．

(8.10)を満たす $V(T, p; N)$ がただ一つ存在し微分可能と仮定する．Helmholtz の自由エネルギーの微分についての (7.11) を思い出し，Gibbs の自由エネルギーの表式 (8.11) を T で微分すると，

$$
\begin{aligned}
\frac{\partial G[T, p; N]}{\partial T} &= \frac{\partial}{\partial T} \{F[T; V(T, p; N), N] + pV(T, p; N)\} \\
&= -S(T; V(T, p; N), N) \\
&\quad - \frac{\partial V(T, p; N)}{\partial T} p(T; V(T, p; N), N) + p \frac{\partial V(T, p; N)}{\partial T} \\
&= -S(T, p; N) \quad (8.13)
\end{aligned}
$$

となる．ここで (8.10) を用いた．また，T, p, N の関数としてのエントロピーを，

$$
S(T, p; N) = S(T; V(T, p; N), N) \quad (8.14)
$$

により定義した[9]。同様に，(8.11) を p と N で微分すれば，

$$\frac{\partial}{\partial p}G[T,p;N] = V(T,p;N) \tag{8.15}$$

および

$$\frac{\partial}{\partial N}G[T,p;N] = \mu(T,p;N) = \mu(T,p) \tag{8.16}$$

が示される。$\mu(T,p;N)$ の定義は (8.14) の場合と同じく，$\mu(T,p;N) = \mu(T;V(T,p;N),N)$ である。最後に $\mu(T,p;N)$ と書くべきところを単に $\mu(T,p)$ と書いたのは，化学ポテンシャルの示強性 $\mu(T,p;\lambda N) = \mu(T,p;N)$ により，一成分系では $\mu(T,p;N)$ は N に依存しないからである。

Helmholtz の自由エネルギーを圧力 p の積分 (3.33) で表すことができたのと同様に，(8.15) を p について積分して，

$$G[T,p;N] = \int_{p(T)}^{p} dp'\, V(T,p';N) \tag{8.17}$$

のように Gibbs の自由エネルギーを表現することができる。基準点 $p(T)$ は状態方程式だけでは決まらないので，(8.17) によって $G[T,p;N]$ の p 依存性だけが決まる。相転移があれば，$V(T,p;N)$ は p の不連続関数になるが，それでも (8.17) は厳密に成立する。

Gibbs の自由エネルギーの示量性の関係 $\lambda G[T,p;N] = G[T,p;\lambda N]$ の両辺を λ で微分して $\lambda = 1$ とおき，さらに (8.16) を使うと，

$$G[T,p;N] = N\frac{\partial}{\partial N}G[T,p;N] = N\mu(T,p) \tag{8.18}$$

となる。これは，Gibbs の自由エネルギーについての **Euler の関係式**である。((7.8) を参照。) つまり，一成分系では，化学ポテンシャルは Gibbs の自由エネルギーを物質量 N で規格化したものに他ならない[10]。

Helmholtz の自由エネルギーの微分形式による表現 (7.12) と，微分形式についての便利な公式 (7.16)，(7.17) を用いることで，Gibbs の自由エ

---

[9] よって $V(T,p;N)$ が定義されない（不連続になる）ときは，$S(T,p;N)$ も定義されない（不連続になる）。次の $\mu(T,p;N)$ についても同じことがいえそうに思うが，(8.18) の関係のために $\mu(T,p;N) = \mu(T,p)$ はすべての $T,\,p$ において連続とわかる。

[10] (8.18) を見ると，「化学ポテンシャル」という名称の意味をある程度納得できる。たとえば静電気ポテンシャルの値が φ であるような位置に電荷 q をもつ物体があれば，ポテンシャルエネルギーは $q\varphi$ になる。$G = N\mu$ は一種のポテンシャルエネルギーだから，$q\varphi$ と $N\mu$ が対応する。すると，物質量 N と電荷 q は共に「ものの多さ」を表す量なので，化学ポテンシャル μ と静電気ポテンシャル φ が同種の量ということになる。電気化学ポテンシャルの定義 (9.127) をみれば，化学ポテンシャル μ と静電気ポテンシャル φ が同種の量だということがよりはっきりする。

8-2 Gibbs の自由エネルギーの微分といくつかの関係式

ネルギーの微分についての (8.13), (8.15), (8.16) を能率的に導くことができる．これは，熱力学の本では主流の導出法だし，確かに便利なので，ここで見ておこう．

Helmholtz の自由エネルギーと Gibbs の自由エネルギーを結ぶ関係 (8.11) を，関数の引数を省略して，

$$G = F + pV \tag{8.19}$$

と書く．この両辺の全微分をとり，Helmholtz の自由エネルギーの全微分の表式 (7.12) と公式 (7.16) を用いると，

$$\begin{aligned} dG &= dF + d(pV) \\ &= -S\,dT - p\,dV + \mu\,dN + V\,dp + p\,dV \\ &= -S\,dT + V\,dp + \mu\,dN \end{aligned} \tag{8.20}$$

となる．7-2 節の最後に書いた微分形式の読み方に従うと，(8.20) から，関数 G の引数は T, p, N であり[11]，それらによる微分が (8.13), (8.15), (8.16) のようになることが読みとれる．よく考えてみれば，(8.13) などで行なった合成関数の微分の計算と同じことをしているのだが，圧倒的に能率がいい．何をやっているか理解した上で，この計算法を使うのがいいだろう．

理想気体の化学ポテンシャルは，Gibbs の自由エネルギーの表式 (8.12) と (8.16)，あるいは，より簡単な (8.18) より

$$\mu(T, p) = RT + RT \log\left\{ \left(\frac{T^*}{T}\right)^{c+1} \frac{p}{p^*} \right\} + u \tag{8.21}$$

となる．もちろん，これは以前に求めた (7.10) に変数変換を施したものに等しい．

---

[11] もちろん，$G(T, V; N) = F[T; V, N] + p(T; V, N)V$ のように T, V, N の関数としての Gibbs の自由エネルギーを定義することもできる（が，これは，完全な熱力学関数ではない）．微分形式のルールに従うと，完全な熱力学関数にとって「自然な」変数（G の場合は，T, p, N）が自動的に得られるということだ．

8-3 定圧熱容量

4-3 節で導入した定積熱容量 $C_v(T;V,N)$ は熱力学的な系を特徴づける重要な量である。しかし，そこでも触れたように，現実的な実験では，系にかかる圧力が一定で，系の体積が自由に変化し得る場合が少なくない。そのような状況で意味をもつ定圧熱容量 $C_p(T,p;N)$ について議論しよう。

定圧熱容量の表式

圧力が一定の環境にある系に，外界からの仕事，あるいは環境などからの熱としてエネルギー ΔW を加える。それに伴って系の温度が上昇するが，同時に系の体積が変化する[12]。系には外から圧力がかかっているから，体積を変化させるために，系は外と仕事のやりとりをする。エネルギー保存則を考えると，**加えられたエネルギーは系の体積変化**[13] **と温度上昇に使われる**ことになる。

圧力一定の系に微小なエネルギー ΔW を加えたときの温度上昇を ΔT とすると，$C_p = \Delta W/\Delta T$ を**定圧熱容量** (heat capacity at constant pressure) と呼ぶ。

定圧熱容量の具体的な表現を求めよう。まず，間違いやすい点について注意しておく。T, p, N の関数としての内部エネルギーは

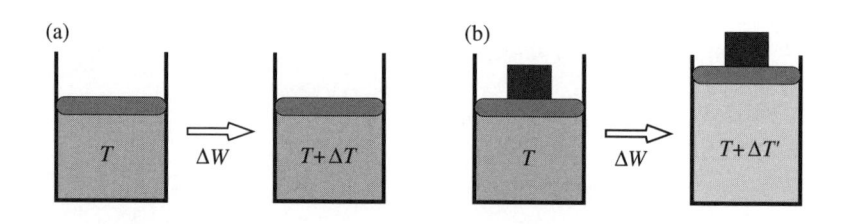

図 8.4 (a) 体積一定の状況では，外から加えられたエネルギー ΔW はすべて温度上昇に使われる。(b) 圧力一定の状況では，外から加えられたエネルギー ΔW は，温度上昇だけでなく，系の膨張に関連する変化にも使われる。

---

[12] 極めて多くの系で，圧力一定のまま温度が上昇すれば体積が増加する。しかし，これには例外もある。たとえば，常圧での 4°C 以下の水の場合，温度が上昇すると体積が減少する。

[13] これには，圧力に対して行なう仕事と，V が変化することによる内部エネルギー $U(T;V,N)$ の変化の双方が入っている。

8-3 定圧熱容量

$U(T,p;N) = U(T;V(T,p;N),N)$ である。定積熱容量の定義 (4.26) を見ると，圧力を一定に保った際の熱容量は，

$$C_{\mathrm{p}}(T,p;N) = \frac{\partial U(T,p;N)}{\partial T} \tag{8.22}$$

と表されるような気がするかもしれない。しかし，物理的な状況を考えると，(8.22) には，系が膨張のために外界にする仕事が含まれていない。これは，定圧熱容量の表式ではない。

圧力が一定の系の熱容量を求める見通しのよい方法は，図 8.1 のように流体の圧力が一定になるように工夫した**流体とおもりの複合系全体の熱容量**[14]を求めることである。こうすれば，おもりを持ち上げるのに必要な仕事も正しく勘定に入れられる[15]。ここで，流体とおもりの複合系の Helmholtz の自由エネルギー (8.1) は Gibbs の自由エネルギーそのものであること，そして，(定積) 熱容量は Helmholtz の自由エネルギーを使って (7.4) のように書けることを用いると，

$$C_{\mathrm{p}}(T,p;N) = -T\frac{\partial^2 G[T,p;N]}{\partial T^2} = T\frac{\partial S(T,p;N)}{\partial T} \tag{8.23}$$

としてよいことがわかる。最後の等式を導くのに，(8.13) を用いた。この関係を積分すれば，

$$S(T,p;N) = S(T_0,p;N) + \int_{T_0}^{T} dT' \frac{C_{\mathrm{p}}(T',p;N)}{T'} \tag{8.24}$$

のように定圧熱容量からエントロピー（の差）を求める実用的な関係が得られる[16]。定積熱容量についての類似の関係 (6.18) および 6-4 節を参照。

定圧熱容量は系の大きさに比例する示量的な状態量である。定積熱容量の場合と同様に，定圧熱容量を何らかの示量的なパラメーターで割った**定圧比熱**がよく用いられる。われわれの扱っている一成分の流体では，モルあたりの定圧比熱 $c_{\mathrm{p}}(T,p) = C_{\mathrm{p}}(T,p;N)/N$ は T と p のみの関数になる。

定圧熱容量 $C_{\mathrm{p}}(T,p;N)$ は実験で容易に測定できる量なので，(8.23) は $G[T,p;N]$ の T 依存性を実験データから決定するための関係とみなすこと

---

[14] $\partial U(T;X)/\partial T$ で表される定積熱容量のこと。
[15] 実験の状況を言葉通りに考えてしまうと，これではおもりの熱容量も寄与してしまうように思われる。ここでは，「おもり」というのは比喩的な表現にすぎず，質量だけをもち熱容量は 0 の（仮想的な）純粋な力学的な系であることを思い出しておこう。
[16] 積分定数 $S(T_0,p;N)$ は熱容量の情報だけからは決まらない。Nernst-Planck の仮説 (9-7 節) に従えば，任意の p について $T \searrow 0$ で $S(T,p;N) \searrow 0$ となるように任意定数を選ぶことになる。

ができる。Gibbs の自由エネルギーの p 依存性を決める (8.17) と合わせれば，**等温での体積と圧力の関係と定圧熱容量についての実験データから，Gibbs の自由エネルギーが原理的には決定できることがわかる。**Gibbs の自由エネルギーは完全な熱力学関数だから，これによって，その系の熱力学的な情報がすべて書き留められることになる。実際，近年になって，実測データの蓄積とコンピューターによるデータ処理（および共有）技術の発達により，多くの系で Gibbs の自由エネルギーなどの完全な熱力学関数が，（部分的にせよ）正確に知られつつある。

理想気体の定圧熱容量

理想気体の定圧熱容量は，(8.23) と Gibbs の自由エネルギーの表式 (8.12) より直ちに

$$C_\mathrm{p}(T, p; N) = (c+1)NR \tag{8.25}$$

と求められる。理想気体の定積熱容量は，(4.32) で要請したように，$C_\mathrm{v}(T; V, N) = cNR$ という一定値をとる。上の定圧熱容量を，

$$C_\mathrm{p}(T, p; N) = C_\mathrm{v}(T; V(T, p; N), N) + NR \tag{8.26}$$

のように分けて書けば，第一項の C_v が気体の温度を上げるのに必要なエネルギーに対応し，第二項の NR が気体が膨張の際に外にする仕事に対応する[17]。

8-4 Gibbs の自由エネルギーの性質

一成分の流体について，Gibbs の自由エネルギー $G[T, p; N] = N\mu(T, p)$ の一般的なふるまいを議論する。

Gibbs の自由エネルギーの圧力依存性

$G[T, p; N]$ の p 依存性を調べよう。図 7.3 の $T = T_1, T_2$ のような，系が相転移をおこさない温度をとる。Helmholtz の自由エネルギーは，図 7.4 のように，V について下に凸でなめらかな減少関数になる。図 8.5 の (a) では，$0 < p_1 < p_2 < p_3$ という三つの圧力について，8-1 節で議論した幾

---

[17] 一般に，$C_\mathrm{p}(T, p; N) \geq C_\mathrm{v}(T; V(T, p; N), N)$ という不等式が成立する。問題 8.9 を見よ。

8-4 Gibbs の自由エネルギーの性質

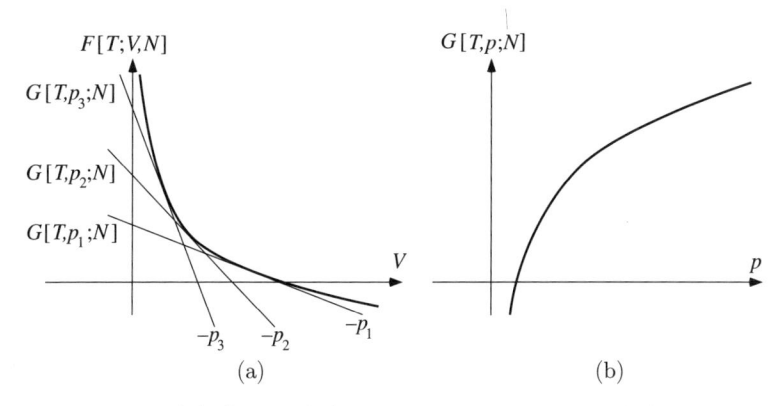

図 8.5 相転移のない場合の (a) $F[T;V,N]$ のグラフに傾き $-p$ の直線を何本か描き，(b) 対応する $G[T,p;N]$ のグラフを求める。(a), (b) で T, N は同じ値に固定されている。

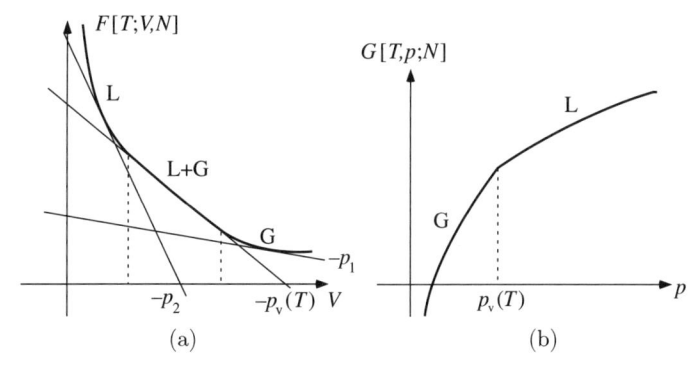

図 8.6 相転移がある場合の (a) $F[T;V,N]$ のグラフに傾き $-p$ の直線を何本か描き，(b) 対応する $G[T,p;N]$ のグラフを求める。相転移に対応する圧力 $p_{\rm v}(T)$ で $G[T,p;N]$ の傾きが不連続に変わる。(a), (b) で T, N は同じ値に固定されている。

何学的な方法で $G[T,p;N]$ の値を求めている。明らかに，$G[T,p;N]$ は p に関して増加していく。全体としては，図 8.5 の (b) に描いたようななめらかな増加関数になる。

次に図 7.3 の $T = T_3$ の場合のように，系が気体と液体の間で相転移をおこす温度をとる。Helmholtz の自由エネルギーは，図 7.5 のように $V_{\rm L}(T;N) \leq V \leq V_{\rm G}(T;N)$ を満たす V の範囲で傾き $-p_{\rm v}(T)$ の直線にな

る。このとき，Gibbs の自由エネルギー $G[T, p; N]$ を先ほどと同じ幾何学的な方法で求める。$0 < p_1 < p_v(T)$ を満たす p_1 については，$G[T, p; N]$ を決める傾き $-p_1$ の直線は，図 8.6 の (a) のように，F のグラフ上の気体に対応する部分に接している。しだいに p を大きくしていき，ちょうど $p_v(T)$ になったところを考えると，傾き $-p_v(T)$ の直線は，図 8.6 の (a) のように F のグラフの直線部分と完全に重なる。そして，$p_2 > p_v(T)$ を満たす p_2 については，傾き $-p_2$ の直線は F のグラフ上の液体に対応する部分に接することになる。この結果，得られる $G[T, p; N]$ の（p の関数としての）グラフは，図 8.6 の (b) のように，途中の p_v で不連続的に傾きを変えることになる。p を変数とした図 8.6 の (b) のグラフでは，$p = p_v(T)$ というたった一点に，液体と気体が共存する様々な状態が「圧縮」されてしまっていることに注意しよう。いずれの場合にも，$G[T, p; N]$ は p について上に凸な関数になる。問題 8.5 を参照。

もちろん，体積の積分として Gibbs の自由エネルギーを表す (8.17) を使って，p-V の関係から，同じ結論を導くことができる。

Gibbs の自由エネルギーの温度依存性

次に，圧力 p を（臨界圧力 p_c より小さい）ある値に固定し，温度 T のみを変化させたときの $G[T, p; N]$ のふるまいを調べよう。図 7.7 の (a) のように，沸点 $T_b(p)$ があり，$T < T_b(p)$ で系は液体，$T > T_b(p)$ で系は気体になる。圧力 p を固定するので，以下では $T_b(p)$ を単に T_b と書く[18]。

(8.13) によれば，Gibbs の自由エネルギーを温度 T で微分すれば，エントロピー $S(T, p; N)$ が得られる。しかし，相転移があれば，沸点 T_b において $G[T, p; N]$ の T についての微分係数が不連続になるので，注意が必要である。このような状況を間違いなく処理するためには，もとの $(T; V, N)$ による表示に戻るのがよい。この表示でのエントロピー $S(T; V, N)$ は沸点においても連続なので，問題なく扱うことができる。まず圧力を固定したまま，温度を高い側から T_b に近づけることを考えれば，系はつねに気体なので，

---

[18] この T_b を使えば，$p_v(T_b)$ が固定した p に等しい。

8-4 Gibbs の自由エネルギーの性質

$$\frac{\partial G[T_{\rm b}, p; N]}{\partial T_+} \equiv \lim_{T \searrow T_{\rm b}} \frac{\partial G[T, p; N]}{\partial T} = - \lim_{T \searrow T_{\rm b}} S(T, p; N)$$
$$= - \lim_{\substack{T \searrow T_{\rm b} \\ V \searrow V_{\rm G}(T_{\rm b}; N)}} S(T; V, N) = -S(T_{\rm b}; V_{\rm G}(T_{\rm b}; N), N)$$
(8.27)

が成り立つ[19]。同様にして,温度の低い側から $T_{\rm b}$ に近づくときは,

$$\frac{\partial G[T_{\rm b}, p; N]}{\partial T_-} \equiv \lim_{T \nearrow T_{\rm b}} \frac{\partial G[T, p; N]}{\partial T} = -S(T_{\rm b}; V_{\rm L}(T_{\rm b}; N), N) \quad (8.28)$$

がいえる。ここで蒸発のエンタルピーとエントロピーの関係 (7.55) を用いれば,

$$H_{\rm vap}(p; N) = T\{S(T_{\rm b}; V_{\rm G}(T_{\rm b}; N), N) - S(T_{\rm b}; V_{\rm L}(T_{\rm b}; N), N)\}$$
$$= T \left\{ \frac{\partial G[T_{\rm b}, p; N]}{\partial T_-} - \frac{\partial G[T_{\rm b}, p; N]}{\partial T_+} \right\} \quad (8.29)$$

のように,Gibbs の自由エネルギーの温度微分の不連続性によって蒸発のエンタルピー(潜熱)を表現する関係が得られる[20]。また,(8.18) の関係を使ってこれを書き直せば,

$$h_{\rm vap}(p) = T \left\{ \frac{\partial \mu(T_{\rm b}, p)}{\partial T_-} - \frac{\partial \mu(T_{\rm b}, p)}{\partial T_+} \right\} \quad (8.30)$$

のように化学ポテンシャルと単位物質量あたりの蒸発のエンタルピー $h_{\rm vap}(p) = H_{\rm vap}(p; N)/N$ の関係になる。(8.29) と (8.30) は,実験結果と完全な熱力学関数を結びつける上で重要な関係である。

---

[19] $\partial G[T_{\rm b}, p; N]/\partial T_+$ という記号は $G[T, p; N]$ の右微分という量を表す。上の式は,右微分の一般の定義ではないが,この状況で右微分と一致する。詳しくは付録 G を見よ。

[20] (7.54) でエンタルピーを定義したときは,温度を一定に保つことを想定していたので,$H_{\rm vap}(T; N)$ という記号を用いた。ここでは, p を一定にして温度を変化させるので,同じ量を $H_{\rm vap}(p; N)$ と書いた。本来は,異なった記号を用いるべきだが,混乱の余地はないだろうから,このような「悪い書き方」をする。蒸発のエンタルピーは液体と気体が共存する点でのみ定義されているから,T か p の一方を知れば,もう一方は自動的に決まるのである。この関係をあえて式で書けば,$H_{\rm vap}(p_{\rm v}(T); N) = H_{\rm vap}(T; N)$ および $H_{\rm vap}(T_{\rm b}(p); N) = H_{\rm vap}(p; N)$ となる。

演習問題 8.

8.1 (8-1 節, 8-2 節, 付録 F) S, V, N の関数としてのエネルギーを (8.7) に相当する（逆）Legendre 変換により，

$$U[S, V, N] = \max_T \{F[T; V, N] + TS\} \tag{8.31}$$

と定義する．示量性 $U[\lambda S, \lambda V, \lambda N] = \lambda U[S, V, N]$ を示せ．$S(T; V, N)$ が一意に定義されているとき（三重点以外），$U(T; V, N) = U[S(T; V, N), V, N]$ であることを示せ．また，同じときに，$U[S, V, N]$ の S, V, N それぞれについての偏微分を求めよ．

8.2 (8-1 節) (8.31) と Helmholtz の自由エネルギーについての変分原理の不等式 (7.30) をもとにして，$S = S_1 + S_2, V = V_1 + V_2, N = N_1 + N_2$ を満たす任意の $S_1, S_2, V_1, V_2, N_1, N_2$ について，変分原理の不等式

$$U[S, V, N] \leq U[S_1, V_1, N_1] + U[S_2, V_2, N_2] \tag{8.32}$$

が成立することを示せ．これと示量性により，$U[S, V, N]$ が S, V, N について下に凸な関数であること（G.2 節参照）が示される．これを確かめよ．

8.3 (8-1 節) エントロピー，体積，物質量が (S_1, V_1, N_1) の系と (S_2, V_2, N_2) の系を接触させ，間の壁を取り払うという断熱操作の結果，エントロピー S, 体積 $V = V_1 + V_2$, 物質量 $N = N_1 + N_2$ の状態が得られた．エネルギー保存則と変分原理の不等式 (8.32) からエントロピーについての不等式 $S \geq S_1 + S_2$ を示せ．証明には $U[S, V, N]$ が S についての増加関数であること（問題 8.1 を参照）を使う．

8.4 (8-1 節) T, p, N の関数としての Helmholtz の自由エネルギーを

$$F(T, p; N) = F[T; V(T, p; N), N] \tag{8.33}$$

により定義する．$V(T, p; N)$ は T, p, N の関数としての体積であり (8.10) を満たす．$F(T, p; N)$ が完全な熱力学関数でないことを具体例で示そう．

パラメーター $a > 0$ を含んだ Helmholtz の自由エネルギー

$$F[T; V, N] = -NRT \log\left\{\left(\frac{T}{T^*}\right)^c \frac{V - aN}{v^* N}\right\} \tag{8.34}$$

を考える．これは，理想気体の Helmholtz の自由エネルギー (7.9) に分子の体積の効果を（安易に）加味したものと思うこともできる．ここから，$p(T; V, N)$ と $V(T, p; N)$ を求め，$F(T, p; N)$ を計算せよ．$F(T, p; N)$ にはパラメーター a の情報が含まれないことから，これは完全な熱力学関数でないことがわかる．念のために $G[T, p; N]$ を求めて比較せよ．

演習問題 8.   169

8.5 (8-1 節，10-3 節) $F[T;V,N]$ が T について上に凸であること（これは，$S(T;V,N)$ が T の増加関数であることの帰結）を用いて，$G[T,p;N]$ が T, p について上に凸であること，つまり，任意の T_1, T_2, p_1, p_2 と $0 \leq \lambda \leq 1$ について，

$$G[\lambda T_1 + (1-\lambda)T_2, \lambda p_1 + (1-\lambda)p_2; N]$$
$$\geq \lambda G[T_1, p_1; N] + (1-\lambda) G[T_2, p_2; N] \tag{8.35}$$

が成り立つことを示せ。（これは，N を $\mathbf{N}$ に置き換えれば，多成分系でも，そのまま成り立つ。）

同じ議論から，(10.16) の $G[T,H;N]$ が T と H について上に凸であることを示せ。

8.6 (8-2 節，問題 7.10) Joule-Thomson の実験において $p_\mathrm{H} = p$, $p_\mathrm{L} = p - \Delta p$, $T' = T - \Delta T$ と書き，Joule-Thomson 係数を $\mu_\mathrm{JT}(T,p) = \lim_{\Delta p \searrow 0}(\Delta T/\Delta p)$ と定義する。つまり，圧力を Δp 低下させる際の温度降下は，ほぼ $\mu_\mathrm{JT}(T,p)\Delta p$ である。

T, p, N の関数としてのエンタルピーは $H(T,p;N) = G[T,p;N] + TS(T,p;N)$ と書けることを示し，それを用いて，

$$\mu_\mathrm{JT}(T,p) = \frac{1}{C_\mathrm{p}(T,p;N)}\left\{T\frac{\partial V(T,p;N)}{\partial T} - V(T,p;N)\right\}$$
$$= \frac{1}{c_\mathrm{p}(T,p)}\left\{T\frac{\partial v(T,p)}{\partial T} - v(T,p)\right\} \tag{8.36}$$

を示せ。（もちろん $c_\mathrm{p}(T,p) = C_\mathrm{p}(T,p;N)/N$, $v(T,p) = V(T,p;N)/N$ である。）

8.7 理想気体について，$\mu_\mathrm{JT}(T,p) = 0$ であることを示せ。次に van der Waals の状態方程式 (3.37) を bN/V, $aN/(RTV)$ の 1 次まで展開すると $V(T,p;N) = NRT/p - aN/(RT) + bN$ が得られることを示せ。（これは，相転移点よりもはるかに高温・低圧の状況に対応する。）この場合に $\mu_\mathrm{JT}(T,p)$ の表式を求め（ただし $c_\mathrm{p}(T,p)$ は未知なのでそのままでよい），その意味を吟味せよ。

8.8 (8-2 節) T, p, N の関数としての理想気体のエントロピー $S(T,p;N)$ を求めよ。

状態 $(T;V,N)$ から $(T';V',N)$ に断熱準静操作で移るとき，T, V, T', V' は Poisson の関係式 (4.41) で結ばれている。同じことを T, p, N 表示のエントロピーを通して見ておこう。物質量 N の理想気体の系が温度 T，圧力 p の環境下で平衡状態にある。系を断熱したまま，ゆっくり圧力を p から p' まで変化させる。（同じことを T, V, N の表示で考えてみれば，これはピストンをゆっくり動かす断熱準静操作に他ならない。）エントロピーが不変なこと $S(T,p;N) = S(T',p';N)$ から最終的な状態での温度 T' を求め，(4.41) の結果と一致することを確認せよ。

問題 10.4 では，同じことを磁性体について考察する。（そちらの方が面白い。）

8.9 (8-3 節) T, p, N の関数としての定積熱容量を

$$C_{\mathrm{v}}(T, p; N) = C_{\mathrm{v}}(T; V(T, p; N), N) \tag{8.37}$$

と書こう．ここでは，定積熱容量と定圧熱容量の間に

$$C_{\mathrm{p}}(T, p; N) - C_{\mathrm{v}}(T, p; N) = -T \left\{ \frac{\partial V(T, p; N)}{\partial T} \right\}^2 \left\{ \frac{\partial V(T, p; N)}{\partial p} \right\}^{-1} \tag{8.38}$$

という関係があることを示す．ところで，

$$\left\{ \frac{\partial V(T, p; N)}{\partial p} \right\}^{-1} = \frac{\partial p(T; V, N)}{\partial V} \tag{8.39}$$

は結果 7.1 から 0 以下なので，(8.38) の右辺は 0 以上．よって，一般に

$$C_{\mathrm{p}}(T, p; N) \geq C_{\mathrm{v}}(T, p; N) \tag{8.40}$$

が成り立つ．

まず，$C_{\mathrm{v}}, C_{\mathrm{p}}$ をそれぞれエントロピーの微分として表す (6.17), (8.23) とエントロピーの変数の変換を表す (8.14) を用いて，

$$\begin{aligned} C_{\mathrm{p}}(T, p; N) - C_{\mathrm{v}}(T, p; N) &= T \frac{\partial V(T, p; N)}{\partial T} \left. \frac{\partial S(T; V, N)}{\partial V} \right|_{V = V(T, p; N)} \\ &= T \frac{\partial V(T, p; N)}{\partial T} \left. \frac{\partial p(T; V, N)}{\partial T} \right|_{V = V(T, p; N)} \end{aligned} \tag{8.41}$$

を示せ（最後に Maxwell の関係式 (7.19) を用いる）．変数としての V と T, p, N の関数 $V(T, p; N)$ をきちんと区別すること．ここで，次の問題 8.10 で導く偏微分についての一般的な関係を T, p, V について用いると，目指す (8.38) の関係が示される．これを確かめよ．

(8.38) の右辺には，圧力一定での体積の温度依存性 $\partial V/\partial T$ と温度一定での体積の圧力依存性 $\partial V/\partial p$ といういずれも（原理的には）実験で測定できる量が現れていることに注意．

8.10 一般に，x, y, z という三つの量があり，これらのうちの二つを決めれば残りの一つが決まるという関係があれば，等式

$$\frac{\partial x(y, z)}{\partial y} \frac{\partial y(z, x)}{\partial z} \frac{\partial z(x, y)}{\partial x} = -1 \tag{8.42}$$

が成り立つことを示せ[21]．

たとえば，x を変化させずに y, z をそれぞれ $\Delta y, \Delta z$ だけ変化させることを考えれば，$x(y, z) = x(y + \Delta y, z + \Delta z)$ が成り立つことを用いよ．数学的厳密さにこだわる読者は，微分可能性などについての条件をはっきりさせてほしい．

---
[21] 二つの量 x, y の間に，一方を決めれば他方が決まるという関係があれば，（微分についての適切な条件のもとに）$\{dx(y)/dy\}\{dy(x)/dx\} = 1$ という逆関数の微分についての等式が成り立つ．（この等式は，x と y の関係を表すグラフを描いてみれば，直観的に理解できる．）(8.42) は，この等式の三変数版とみることができる．

演習問題 8.

8.11 (8-4 節, 7-7 節) Clapeyron の関係 (7.59) は, Gibbs の自由エネルギーを利用して示すのが標準的である. 確かに, これは簡潔な方法なのだが, まさに $G[T,p;N]$ が微分不可能になるところを扱うことになる. それを意識せずに形式的に微分を使うと思わぬところで間違いを犯すので注意が必要である. ここでは, このような導出を注意深く行なう.

$T_b(p)$ を圧力 p における沸点とする. $G[T,p;N]$ は連続だから,

$$\lim_{\tau \searrow 0} G[T_b(p)+\tau, p; N] = \lim_{\tau \nearrow 0} G[T_b(p)+\tau, p; N] \tag{8.43}$$

が成り立つ. 左辺は気体の領域, 右辺は液体の領域に対応する. ここで, p をわずかにずらした関係

$$\lim_{\tau \searrow 0} G[T_b(p+\Delta p)+\tau, p+\Delta p; N] = \lim_{\tau \nearrow 0} G[T_b(p+\Delta p)+\tau, p+\Delta p; N] \tag{8.44}$$

と元の関係の差をとることで, Clapeyron の関係を導け. 数学的に厳密な証明を行なう場合には, $G[T,p;N]$ の性質について何を仮定したかをはっきりさせること.

9. 多成分系の熱力学

前章までは一成分の系だけを扱ってきたが，この章では複数の物質が混在する流体（気体か液体）の系での熱力学を議論する．多成分系の熱力学には，一成分系にないデリケートな問題[1]があるが，半透壁という仮想的な壁の存在を認めれば，これまで本書で展開してきた熱力学の簡単な拡張で多成分系を扱うことができる．ここでは理論的な扱いの基礎から出発し，理想気体や希薄溶液での自由エネルギーの表式を導く．基本的な応用として，浸透圧，希薄溶液での沸点上昇，気体の溶液についての Henry の法則といった相平衡の問題を取り上げる．また，化学反応系での化学平衡の条件を導き，平衡電気化学への入門として，水溶液中でのイオン化の反応と，濃淡電池の問題を取り上げる．化学反応の熱力学との関連で，いわゆる熱力学第三法則（Nernst-Planck の仮説）にも触れる．

9-1　多成分系の Helmholtz の自由エネルギー

体積 V の容器の中に m 種類の物質が入っていて，これらは流体であるとしよう．9-5 節までは化学反応は生じないとする．物質に $i = 1, 2, \ldots, m$ と名前をつけて，物質 i の量を N_i とする．簡単のために，$\mathbf{N} = (N_1, N_2, \ldots, N_m)$ という略記法を使う．$\mathbf{N} + \mathbf{N}' = (N_1 + N_1', \ldots, N_m + N_m')$，$\lambda \mathbf{N} = (\lambda N_1, \ldots, \lambda N_m)$ などのベクトル的な書き方も用いる．この系の示量変数の組は $X = (V, \mathbf{N}) = (V, N_1, \ldots, N_m)$ である．

Helmholtz の自由エネルギーの決定
この系の Helmholtz の自由エネルギー $F[T; V, \mathbf{N}] = F[T; V, N_1, \ldots, N_m]$

---

[1] 簡単にいえば，半透壁がないとき，混合や化学反応の熱力学をどのようにして理論的に定式化すればよいかという問題．これについて，Lieb-Yngvason の論文 [14] に深い考察がある．

9-1 多成分系の Helmholtz の自由エネルギー

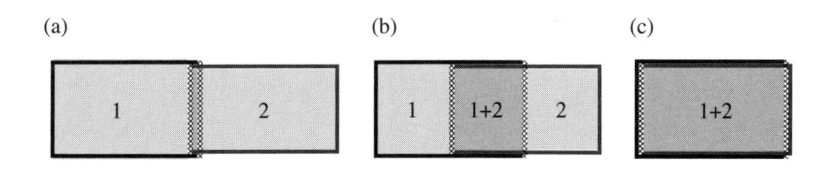

(a) (b) (c)

図 9.1 半透壁を利用して，物質の混合，分離を等温準静操作として実行する仮想的な装置．熱力学の教科書に必ずといってよいほど登場する．左側のシリンダーに物質 1 が入っていて，シリンダーの右端が物質 2 のみをとおす半透壁で封じてある．右側のシリンダーに物質 2 が入っていて，左端が物質 1 のみをとおす半透壁で封じてある．はじめの (a) で，2 枚の半透壁は重なっているが，左側のシリンダーを封じる半透壁の方が右側にある．二つのシリンダーがちょうど重なり合うようになっていて，各々のシリンダーと半透壁との位置関係を保ったままで，一方のシリンダーを (b) のように他方に押し込んでいくことができる．最終的には (c) のように，二つのシリンダーが完全に重なり，内部には物質 1 と物質 2 が混合した単一の領域ができる．逆にシリンダーを引き抜いていくと二つの物質は分離される．

を決定することを考えよう．まず，物質 i のみが物質量 N_i 存在する場合の Helmholtz の自由エネルギーを

$$F_i[T; V, N_i] = F[T; V, 0, \ldots, 0, N_i, 0, \ldots, 0] \tag{9.1}$$

と書く．これは一成分系についての量だから，前章までの操作的な方法で決定できるはずだ．各々の物質について $F_i[T; V, N_i]$ が決まったとして話を進めよう．

まず，簡単のため $m = 2$ とする．体積 V の二つの容器に，それぞれ純粋な物質 1 と物質 2 が入っている平衡状態 $(T; (V, N_1, 0), (V, 0, N_2))$ がある．そこから出発して，等温準静操作で，体積 V の一つの容器の中に物質 1 と物質 2 が入っている平衡状態 $(T; V, N_1, N_2)$ に移ることができるなら，この際の仕事

$$W_{\mathrm{mix}}(T; V, N_1, N_2) = W_{\max}(T; \{(V, N_1, 0), (V, 0, N_2)\} \to (V, N_1, N_2)) \tag{9.2}$$

を用いて，

$$F[T;V,N_1,N_2] = F_1[T;V,N_1] + F_2[T;V,N_2] - W_{\text{mix}}(T;V,N_1,N_2) \quad (9.3)$$

とすることができる。もちろん，最大仕事と Helmholtz の自由エネルギーの関係 (3.27) と相加性 (3.25) を用いた。

しかし，二種類の流体の混合（あるいは分離）を等温準静的に行なうのは容易でなく，多くの場合不可能だろう。ここで，特定の物質だけを完全に遮断する（仮想的な）壁が存在することを仮定する。このような壁を，**半透壁** (semipermeable walls) あるいは，**半透膜** (semipermeable membranes) と呼ぶ。そして，たとえば図 9.1 のような装置を用いて，等温準静操作による流体の混合が可能であり，その際の仕事が測定できるとしよう。これによって二成分系の Helmholtz の自由エネルギー $F[T;V,N_1,N_2]$ が操作的に決定される。

半透壁を利用した同様の装置を使えば，同じようにして一般の $F[T;V,\mathbf{N}] = F[T;V,N_1,\ldots,N_m]$ も操作的に決定できる。

多成分系の Helmholtz の自由エネルギーの性質

多成分系でも，Helmholtz の自由エネルギーは，示量変数 $V, \mathbf{N}$ について示量性 $F[T;\lambda V,\lambda\mathbf{N}] = \lambda F[T;V,\mathbf{N}]$ と相加性 $F[T;(V,\mathbf{N}),(V',\mathbf{N}')] = F[T;V,\mathbf{N}] + F[T;V',\mathbf{N}']$ をもつ。さらに，7-4 節と同様の考察をくり返せば，多成分の場合の変分原理の不等式

$$F[T;V,\mathbf{N}] \leq F[T;V_1,\mathbf{N}_1] + F[T;V_2,\mathbf{N}_2] \quad (9.4)$$

が任意の $V_1 + V_2 = V$, $\mathbf{N}_1 + \mathbf{N}_2 = \mathbf{N}$ について成立することがいえる。Helmholtz の自由エネルギーの微分についても，一成分系の場合とほとんど同じである。この場合の微分の関係を，(7.12) のように微分形式の言葉で表すと，

$$dF = -S\,dT - p\,dV + \sum_{i=1}^{m}\mu_i dN_i \quad (9.5)$$

となる。化学ポテンシャル $\mu_i(T;V,\mathbf{N}) = \partial F[T;V,\mathbf{N}]/\partial N_i$ は物質 i の量を（仮想的に）変化させる際の「手応え」と解釈できる。

この場合にも 7-5 節と同様の精神で様々なつり合いの条件を導くことができる。物質の種類が増えたことに対応して，つり合いを議論する状況も多彩になる。たとえば，物質 1 だけを透過させる半透壁によって隔てられ

9-1 多成分系の Helmholtz の自由エネルギー

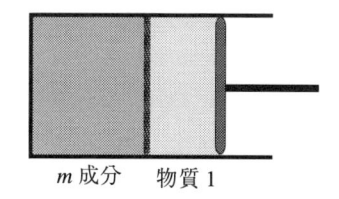

m 成分　物質 1

図 9.2　化学ポテンシャル $\mu_i(T, V; \mathbf{N})$ を操作的に測定するための仮想的な装置。左右の容器は物質 1 のみを透過させる半透壁で隔てられている。左の容器には状態 $(T, V; \mathbf{N})$ にある m 種類の物質の混合物が入っている。右の容器には温度 T の純粋な物質 1 が入っている。右の容器のピストンを調節して，左右の系がつり合うようにすると，つり合いの条件 (9.6) によって左右での μ_1 の値は等しくなる。純粋な物質 1 の化学ポテンシャルは，操作的な方法だけで決定できているから，これで m 成分系の化学ポテンシャルも測定できることになる。他の成分についても同じことをくり返せばよい。

た二つの状態 $(T; V, \widetilde{\mathbf{N}})$ と $(T; V', \widetilde{\mathbf{N}}')$ がつり合うための必要十分条件は，

$$\mu_1(T; V, \widetilde{\mathbf{N}}) = \mu_1(T; V', \widetilde{\mathbf{N}}') \tag{9.6}$$

である（導出は問題 9.1 で行なう）。このつり合いの条件を利用すれば，図 9.2 のような装置によって多成分系における特定の物質の化学ポテンシャルを（原理的には）測定できる。つまり，多成分系での化学ポテンシャルも，操作的な方法だけで決定できる状態量なのである。

多成分の理想気体の Helmholtz の自由エネルギー

以下で，理想気体と希薄溶液について Helmholtz の自由エネルギーの具体形を求めておこう。

m 成分の流体がすべて理想気体とみなせる領域では，混合のための仕事 W_{mix} は無視できることが経験的にわかっている。そこで，**m 成分の理想気体の Helmholtz の自由エネルギー**は，(7.9) を足し上げた

$$\begin{aligned} F[T; V, N_1, \ldots, N_m] &= \sum_{i=1}^{m} F_i[T; V, N_i] \\ &= -RT \sum_{i=1}^{m} N_i \log \left\{ \left(\frac{T}{T^*} \right)^{c_i} \frac{V}{v_i^* N_i} \right\} + \sum_{i=1}^{m} N_i u_i \end{aligned} \tag{9.7}$$

である.ここで,c_i は物質に固有の定数である.またエネルギーの付加定数[2] u_i と基準の(物質量あたりの)体積 v_i^* に物質の種類に依存する自由度を残した.(9.7) を体積で微分すれば,m 成分の理想気体の圧力は,

$$p(T;V,\mathbf{N}) = -\frac{\partial F[T,V;\mathbf{N}]}{\partial V} = \sum_{i=1}^{m} \frac{N_i RT}{V} \qquad (9.8)$$

という **Dalton** の法則に従うことが確認される[3].

希薄溶液の Helmholtz の自由エネルギー

m 成分系で,$i = 2, \ldots, m$ について,物質量が $N_1 \gg N_i$ を満たすとき,この系は物質 1 という溶媒の中に物質 $2, \ldots, m$ という溶質が微量に溶け込んだ**希薄溶液** (dilute solutions) である.混合の仕事 W_{mix} は示量的であることに注意して,

$$W_{\mathrm{mix}}(T;V,N_1,\ldots,N_m) = N_1 W_{\mathrm{mix}}(T;\frac{V}{N_1},1,\frac{N_2}{N_1},\ldots,\frac{N_m}{N_1}) \qquad (9.9)$$

と書く.$N_2 = \cdots = N_m = 0$ のときには,明らかに W_{mix} は 0 だから,右辺に現れる $W_{\mathrm{mix}}(T;V/N_1,1,N_2/N_1,\ldots,N_m/N_1)$ が微小量 $N_2/N_1, \ldots, N_m/N_1$ について展開できるなら,

$$W_{\mathrm{mix}}(T;\frac{V}{N_1},1,\frac{N_2}{N_1},\ldots,\frac{N_m}{N_1}) \simeq -\sum_{i=2}^{m} \frac{N_i}{N_1} w_i(T;\frac{V}{N_1}) \qquad (9.10)$$

となる.(9.9) に代入して,

$$W_{\mathrm{mix}}(T;V,N_1,\ldots,N_m) \simeq -\sum_{i=2}^{m} N_i w_i(T;\frac{V}{N_1}) \qquad (9.11)$$

を得る.$-w_i(T;V/N_1)$ は W_{mix} の微分として表現できるが,重要なのは w_i が T と V/N_1 のみの関数になることである.混合の操作の前には,体積 V の容器が m 個あり,それぞれに純粋な物質 i が入っている.溶質 $i = 2, \ldots, m$ については,物質量が少ないので,混合前の状態は理想気体として扱える.すると,(9.3) と (9.11) から,

$$F[T;V,\mathbf{N}] \simeq F_1[T;V,N_1] + \sum_{i=2}^{m} F_i^{(\mathrm{id})}[T;V,N_i] + \sum_{i=2}^{m} N_i w_i(T;\frac{V}{N_1}) \qquad (9.12)$$

---

[2] 前にも述べたが,u_i が意味をもつのは,化学反応を考察するときだけである.
[3] 和の中の $N_i RT/V$ は物質 i が作り出す圧力と解釈することができるので,物質 i の分圧と呼ばれる.しかし,分圧が意味をもつのは理想気体だけである.

のように希薄溶液の Helmholtz の自由エネルギーの一般的な近似式が求められる。もちろん，

$$F_i^{(\mathrm{id})}[T; V, N_i] = -N_i RT \log\left\{\left(\frac{T}{T^*}\right)^{c_i} \frac{V}{v_i^* N_i}\right\} + N_i u_i \quad (9.13)$$

は物質 i の理想気体の Helmholtz の自由エネルギーである。近似式 (9.12) は，溶質と溶媒に依存する未知関数 w_i を含んでいるので，一見すると，あまり役に立ちそうにない。しかし，本章の後半で見るように，これを元にして導く希薄溶液の Gibbs の自由エネルギーの近似式 (9.36) から様々な具体的な結果を導くことができる。

ただし，近似式 (9.12) は，(9.10) の展開が特異性なく行なえるときにのみ有効である。展開パラメター N_i/N_1 が小さければ展開が可能なのは当たり前だと思うかもしれないが，混合物質が相分離を起こす場合や，イオン化する場合は，展開が破綻することがわかっている。また，溶媒の相転移点の近傍では，わずかな量の溶質を溶かしただけで，相転移が起きて系の性質が大幅に変化することもあるので，やはり展開は破綻する。結局，溶媒の相転移点から離れた状況で，混合後の系が組成の一様な流体であり，溶質がイオン化していなければ[4]，希薄溶液の近似 (9.12) は信頼できると考えてよい。

希薄溶液の Helmholtz の自由エネルギーの表式 (9.12) は単に $F[T; V, N_1, \ldots, N_m]$ を N_i/N_1 $(i = 2, \ldots, m)$ について展開したものではないことに注意しよう。たとえば多成分の理想気体の Helmholtz の自由エネルギー (9.7) は $\log N_i$ という項のために決して N_i/N_1 については展開できない。一般的な状況でも，Helmholtz の自由エネルギーそのものは N_i/N_1 について展開できないと考えるべきである。

9-2 多成分系の Gibbs の自由エネルギー

現実の実験室では，温度と圧力が一定に保たれているから，実用的には Gibbs の自由エネルギーが重要になる。

---

[4] イオン化が生じる場合も，異なったイオンを異なった物質として扱うことで，ある程度は希薄溶液の近似を用いることができる。9-8 節を参照。

多成分系の Gibbs の自由エネルギーの定義と基本的な性質

一成分系での考察をそのままくり返し, (8.2) を一般化した

$$G[T,p;\mathbf{N}] = \min_{V}\{F[T;V,\mathbf{N}] + pV\} \tag{9.14}$$

により多成分系の Gibbs の自由エネルギーを定義する. 逆変換も (8.7) と同様に

$$F[T;V,\mathbf{N}] = \max_{p}\{G[T,p;\mathbf{N}] - pV\} \tag{9.15}$$

となる. また, 方程式 $p = p(T;V,\mathbf{N})$ を V について解いたときにただ一つの解 $V(T,p;\mathbf{N})$ が得られるなら, (8.11) に相当する簡易版の「定義」

$$G[T,p;\mathbf{N}] = F[T;V(T,p;\mathbf{N}),\mathbf{N}] + pV(T,p;\mathbf{N}) \tag{9.16}$$

を用いることもできる.

もちろん Gibbs の自由エネルギー $G[T,p;\mathbf{N}]$ は, 示量変数 $\mathbf{N}$ についての示量性 $G[T,p;\lambda\mathbf{N}] = \lambda G[T,p;\mathbf{N}]$ と相加性 $G[T,p;\mathbf{N},\mathbf{N}'] = G[T,p;\mathbf{N}] + G[T,p;\mathbf{N}']$ をみたす[5]. また, 諸変数での微分は,

$$dG = -S\,dT + V\,dp + \sum_{i=1}^{m}\mu_i\,dN_i \tag{9.17}$$

と表すことができる. 一成分の場合と違って, 化学ポテンシャル $\mu_i(T,p;\mathbf{N}) = \partial G[T,p;\mathbf{N}]/\partial N_i$ は T と p のみの関数とは限らないことに注意しよう. Euler の関係式 (8.18) の多成分版

$$G[T,p;\mathbf{N}] = \sum_{i=1}^{m} N_i\,\mu_i(T,p;\mathbf{N}) \tag{9.18}$$

も, 一成分のときと同様に導くことができる. 化学では, 化学ポテンシャル μ_i を中心にして理論を展開することが多いので, この関係は特に重要である.

変分原理とつり合いの条件

ここで $G[T,p;\mathbf{N}]$ についての変分原理を議論しよう[6]. 出発点になるのは, Gibbs の自由エネルギーについての変分原理の不等式である. 任意の T,p と, $\mathbf{N} = \mathbf{N}_1 + \mathbf{N}_2$ を満たす任意の $\mathbf{N}, \mathbf{N}_1, \mathbf{N}_2$ について,

---

[5] 相加性というときには, ともに温度 T, 圧力 p の環境にある物質量 $\mathbf{N}$ と $\mathbf{N}'$ の二つの系を, まとめて一つの系とみなすことを考えている.

[6] 当然, 一成分系の $G[T,p;N]$ についても同じ議論ができるのだが, その場合には意味のある結果がでないので, 第 8 章では変分原理に触れなかった.

9-2 多成分系の Gibbs の自由エネルギー

$$G[T,p;\mathbf{N}] \leq G[T,p;\mathbf{N}_1] + G[T,p;\mathbf{N}_2] \qquad (9.19)$$

が成立する．これを示すには，Gibbs の自由エネルギーの定義 (9.14) と Helmholtz の自由エネルギーの変分原理の不等式 (9.4) を用いて，

$$\begin{aligned}
G[T,p;\mathbf{N}] &= \min_{V}\{F[T;V,\mathbf{N}] + pV\} \\
&= \min_{V_1,V_2}\{F[T;V_1+V_2, \mathbf{N}_1+\mathbf{N}_2] + p(V_1+V_2)\} \\
&\leq \min_{V_1,V_2}\{F[T;V_1,\mathbf{N}_1] + F[T;V_2,\mathbf{N}_2] + p(V_1+V_2)\} \\
&= \min_{V_1}\{F[T;V_1,\mathbf{N}_1] + pV_1\} + \min_{V_2}\{F[T;V_2,\mathbf{N}_2] + pV_2\} \\
&= G[T,p;\mathbf{N}_1] + G[T,p;\mathbf{N}_2] \qquad (9.20)
\end{aligned}$$

となることをみればよい．

(9.19) と示量性を使えば，任意の $\mathbf{N}_1$, $\mathbf{N}_2$ と $0 \leq \lambda \leq 1$ について

$$G[T,p;\lambda\mathbf{N}_1+(1-\lambda)\mathbf{N}_2] \leq \lambda G[T,p;\mathbf{N}_1]+(1-\lambda)G[T,p;\mathbf{N}_2] \qquad (9.21)$$

を示すことができる．つまり，$G[T,p;\mathbf{N}]$ は $\mathbf{N}$ について下に凸である（付録 G を参照）．

温度 T, 圧力 p, 物質量 $\mathbf{N}$ の流体の平衡状態にしきりを入れて，物質量が $\widetilde{\mathbf{N}}_1$ と $\widetilde{\mathbf{N}}_2$ の二つの部分に分ける．相加性より $G[T,p;\mathbf{N}] = G[T,p;\widetilde{\mathbf{N}}_1] + G[T,p;\widetilde{\mathbf{N}}_2]$ なので，(9.19) より，変分原理

$$G[T,p;\widetilde{\mathbf{N}}_1] + G[T,p;\widetilde{\mathbf{N}}_2] = \min_{\substack{\mathbf{N}_1,\mathbf{N}_2 \\ (\mathbf{N}_1+\mathbf{N}_2=\widetilde{\mathbf{N}}_1+\widetilde{\mathbf{N}}_2)}} \{G[T,p;\mathbf{N}_1] + G[T,p;\mathbf{N}_2]\} \qquad (9.22)$$

が得られる．これは (7.31) に相当する物質の移動についての変分原理と解釈することができる．温度 T, 圧力 p をもつ二つの部分を隔てる壁に穴があいたとすると，全系の Gibbs の自由エネルギーを最小にするように物質が移動することが読みとれる．より一般には，**温度と圧力が一定の環境で，壁についての条件が変更され，系に自由に変化できる示量的な自由度が生じたとき，全系の Gibbs の自由エネルギーを最小にするような新しい平衡状態にむかって系は自発的に変化していく**といえる．

さらに，変分原理 (9.22) を出発点にして 7-5 節の議論をそのままくり返せば，温度 T 圧力 p が一定の状況で，系の中の物質量 $\widetilde{\mathbf{N}}_1$ と $\widetilde{\mathbf{N}}_2$ の二つの部分が，それぞれ平衡にあり，（直接に接していて）つり合うための必要

十分条件は,

$$\mu_i(T,p;\widetilde{\mathbf{N}}_1) = \mu_i(T,p;\widetilde{\mathbf{N}}_2) \tag{9.23}$$

がすべての $i=1,\ldots,m$ について成立することだとわかる[7]。このつり合いの条件は,相平衡の問題を議論するための基本的な関係であり,化学や物理の様々な問題において圧倒的な威力を発揮する。

多成分の理想気体の Gibbs の自由エネルギー

以下で,多成分系の Gibbs の自由エネルギーの具体形を求めておく。

まず m 成分の理想気体については,Helmholtz の自由エネルギーの表式 (9.7) と圧力の表式 (9.8) を Gibbs の自由エネルギーの(簡易版の)定義 (9.16) に代入すればよい。ここで (9.8) を,全物質量(全モル数) $N = \sum_{i=1}^m N_i$ を使って,$V = NRT/p$ と書いておく。整理すれば,

$$\begin{aligned} G[T,p;\mathbf{N}] &= NRT - RT \sum_{i=1}^m N_i \log\left\{\left(\frac{T}{T^*}\right)^{c_i} \frac{NRT}{pv_i^* N_i}\right\} + \sum_{i=1}^m N_i u_i \\ &= NRT + RT \sum_{i=1}^m N_i \log\left\{\left(\frac{T^*}{T}\right)^{c_i+1} \frac{p}{p_i^*} \frac{N_i}{N}\right\} + \sum_{i=1}^m N_i u_i \end{aligned} \tag{9.24}$$

のように表される。ここで, $p_i^* = RT^*/v_i^*$ とした。

特に,異なった成分の混合の効果を明確にしたいときは,一成分理想気体の Gibbs の自由エネルギー (8.12) に相当する部分を取り出して,

$$\begin{aligned} &G[T,p;\mathbf{N}] \\ &= NRT + RT \sum_{i=1}^m N_i \log\left\{\left(\frac{T^*}{T}\right)^{c_i+1} \frac{p}{p_i^*}\right\} + \sum_{i=1}^m N_i u_i + RT \sum_{i=1}^m N_i \log \frac{N_i}{N} \\ &= NRT + RT \sum_{i=1}^m N_i \log\left\{\left(\frac{T^*}{T}\right)^{c_i+1} \frac{p}{p_i^*}\right\} + \sum_{i=1}^m N_i u_i + NRT \sum_{i=1}^m x_i \log x_i \end{aligned} \tag{9.25}$$

のように表現する。$x_i = N_i/N$ は,物質 i のモル分率あるいは分率と呼ばれる。第四項の $NRT \sum_{i=1}^m x_i \log x_i$ は物質の混合の効果を表しているとみなせるので,(理想気体の)混合の自由エネルギーと呼ばれることがある[8]。

---

[7]ここでも結果 7.2 と同様に,局所的なつり合いと大域的なつり合いの条件が同値である。証明は結果 7.2 と同様にできる。付録の定理 G.10 を適用してもよい。

[8]ときとして,混合の自由エネルギー(あるいは,同様にして定義される混合のエントロピー)

9-2 多成分系の Gibbs の自由エネルギー

(9.25) を N_i で微分すれば，(8.16) により化学ポテンシャルが得られる。この際，

$$\frac{\partial}{\partial N_i}\left(\sum_{j=1}^{m} N_j \log \frac{N_j}{N}\right) = \frac{\partial}{\partial N_i}\left(\sum_{j=1}^{m} N_j \log N_j - N \log N\right)$$
$$= (\log N_i + 1) - (\log N + 1)$$
$$= \log \frac{N_i}{N} \qquad (9.26)$$

に注意すれば，

$$\mu_i(T, p; \mathbf{N}) = RT + RT \log\left\{\left(\frac{T^*}{T}\right)^{c_i+1} \frac{p}{p_i^*}\right\} + u_i + RT \log \frac{N_i}{N}$$
$$= RT + RT \log\left\{\left(\frac{T^*}{T}\right)^{c_i+1} \frac{p}{p_i^*}\right\} + u_i + RT \log x_i \qquad (9.27)$$

となる。一成分系についての (8.21) と比較すると，$RT \log x_i$ の部分が混合の効果を表しているといえる。

希薄溶液の Gibbs の自由エネルギー

次に，9-1 節で考察した希薄溶液について，今度は Gibbs の自由エネルギーの近似的な表式を導いてみよう。この結果は，化学などにおける多彩な問題に応用できる。以下では，系が相転移点の上にはないと仮定し，Helmholtz の自由エネルギーの一般的な表式 (9.12) と Gibbs の自由エネルギーの簡易版の定義 (9.16) から，希薄溶液での Gibbs の自由エネルギーの表式 (9.36) を導く。

これまでどおり，$V(T, p; \mathbf{N})$ は方程式 $p = p(T; V, \mathbf{N})$ の唯一の解，すなわち，$T, p, \mathbf{N}$ を与えたときの系の体積とし，$V_1(T, p; N_1) = V(T, p; N_1, 0, \ldots, 0)$ は物質 1 のみが N_1 モルあるときの体積とする。$V_1(T, p; N_1)$ が示量的だから，$v_1(T, p) = V_1(T, p; N_1)/N_1$ は T と p だけの関数である。さらに，m 種類の物質がある場合と，物質 1 だけの場合の

が何か神秘的なもののように受け取られることがあるが，それは見当違いである。9-1 節で見たように，体積を制御する状況では，理想気体の混合の仕事 W_{mix} は 0 であり，混合の効果は自明である。(9.25) で自明でない混合の項が現れたのは，混合の前後の状態で圧力が一定になるようにしたためであると考えればよい。また，混合の自由エネルギー（エントロピー）に関連して「Gibbs のパラドックス」と呼ばれる議論があるが，これも筋道立てて考えればいかなる意味でもパラドックスではない。

体積の差を
$$\Delta V = V(T,p;N_1, N_2, \ldots, N_m) - V_1(T,p;N_1) \tag{9.28}$$
と書く[9]。$\Delta V/V(T,p;\mathbf{N})$ は N_i/N_1 ($i=2,\ldots,m$) と同程度の小さな量である。

さて，Gibbs の自由エネルギーの簡易版の定義 (9.16) に希薄溶液の Helmholtz の自由エネルギーの一般形 (9.12) を代入して，(9.28) を用いると，

$$\begin{aligned}G[T,p;\mathbf{N}] &= F[T;V(T,p;\mathbf{N}),\mathbf{N}] + pV(T,p;\mathbf{N}) \\ &\simeq F_1[T;V_1(T,p;N_1) + \Delta V, N_1] + \sum_{i=2}^{m} F_i^{(\mathrm{id})}[T;V(T,p;\mathbf{N}),N_i] \\ &\quad + \sum_{i=2}^{m} N_i\, w_i(T;\frac{V(T,p;\mathbf{N})}{N_1}) + pV(T,p;\mathbf{N}) \end{aligned} \tag{9.29}$$

となる。ここで ΔV について 1 次までの展開を行なう。物質 1 の Helmholtz の自由エネルギーについては，(3.31) より，

$$\begin{aligned}F_1[T;&V_1(T,p;N_1) + \Delta V, N_1] \\ &\simeq F_1[T;V_1(T,p;N_1), N_1] - p_1(T;V_1(T,p;N_1), N_1)\,\Delta V \\ &= F_1[T;V_1(T,p;N_1), N_1] - p\,\Delta V \end{aligned} \tag{9.30}$$

とできる。また $i = 2, \ldots, m$ についての理想気体の Helmholtz の自由エネルギーからの寄与については，これらはすでに N_i/N_1 のオーダーの小さな量であることを思い出して，

$$\begin{aligned}F_i^{(\mathrm{id})}[T;V(T,p;\mathbf{N}),N_i] &= -RTN_i \log\left\{\left(\frac{T}{T^*}\right)^{c_i} \frac{V(T,p;\mathbf{N})}{v_i^* N_i}\right\} + N_i u_i \\ &\simeq -RTN_i \log\left\{\left(\frac{T}{T^*}\right)^{c_i} \frac{V_1(T,p;N_1)}{v_i^* N_i}\right\} + N_i u_i \\ &= -RTN_i \log\left\{\left(\frac{T}{T^*}\right)^{c_i} \frac{v_1(T,p)N_1}{v_i^* N_i}\right\} + N_i u_i \end{aligned} \tag{9.31}$$

と書き換えてよい。同様に，w_i の項についても，

$$w_i(T;\frac{V(T,p;\mathbf{N})}{N_1}) \simeq w_i(T;\frac{V_1(T,p;N_1)}{N_1}) = w_i(T;v_1(T,p)) \tag{9.32}$$

---

[9] よって ΔV は，$T, p, \mathbf{N}$ の関数だが，引数は省略する。

9-2 多成分系の Gibbs の自由エネルギー

とできる。(9.30), (9.31), (9.32) を (9.29) に代入して、(9.28) にも注意すると,

$$\begin{aligned}
G[T,p;\mathbf{N}] &\simeq F_1[T;V_1(T,p;N_1),N_1] + pV_1(T,p;N_1) \\
&\quad - RT\sum_{i=2}^{m} N_i \log\left\{\left(\frac{T}{T^*}\right)^{c_i}\frac{v_1(T,p)N_1}{v_i^* N_i}\right\} \\
&\quad + \sum_{i=2}^{m} N_i w_i(T;v_1(T,p)) + \sum_{i=2}^{m} N_i u_i \\
&= G_1[T,p;N_1] + \sum_{i=2}^{m} N_i \mu_i^*(T,p) \\
&\quad + RT\sum_{i=2}^{m} N_i \log\frac{N_i}{N_1} - RT\sum_{i=2}^{m} N_i \quad (9.33)
\end{aligned}$$

となる。一成分の Gibbs の自由エネルギーの簡易版の定義 (8.11) を用いた。ここで, $i = 2, \ldots, m$ について,

$$\mu_i^*(T,p) = RT - RT\log\left\{\left(\frac{T}{T^*}\right)^{c_i}\frac{v_1(T,p)}{v_i^*}\right\} + w_i(T;v_1(T,p)) + u_i \quad (9.34)$$

とした。これは, T と p のみの関数であることに注意しよう[10]。

近似式の形を整えるために, 総物質量を $N = \sum_{i=1}^{m} N_i$ と書き,

$$\begin{aligned}
\sum_{i=2}^{m} N_i \log\frac{N_i}{N_1} &= \sum_{i=2}^{m} N_i \log\frac{N_i}{N} - \sum_{i=2}^{m} N_i \log\frac{N_1}{N} \\
&= \sum_{i=1}^{m} N_i \log\frac{N_i}{N} - N\log\frac{N_1}{N} \\
&= \sum_{i=1}^{m} N_i \log\frac{N_i}{N} - N\log\left\{1 - \frac{1}{N}\sum_{i=2}^{m} N_i\right\} \\
&\simeq \sum_{i=1}^{m} N_i \log\frac{N_i}{N} + \sum_{i=2}^{m} N_i \quad (9.35)
\end{aligned}$$

とできることに注意する。最後の表式を得るために, $\sum_{i=2}^{m} N_i/N \ll 1$ を用いて log の Taylor 展開を行なった。これを (9.33) に代入すると,

---

[10] 筆者が理解する限り, 関数 $\mu_i^*(T,p)$ に簡単な直観的な意味付けはない。

$$G[T,p;\mathbf{N}] \simeq G_1[T,p;N_1] + \sum_{i=2}^{m} N_i\,\mu_i^*(T,p) + RT\sum_{i=1}^{m} N_i \log \frac{N_i}{N}$$
$$= G_1[T,p;N_1] + \sum_{i=2}^{m} N_i\,\mu_i^*(T,p) + NRT\sum_{i=1}^{m} x_i \log x_i \tag{9.36}$$

となる。ここで $x_i = N_i/N$ は物質 i のモル分率である。これが，希薄溶液の Gibbs の自由エネルギーの最終的な近似式である。第三項は混合の効果を表すとみなせるが，この部分は理想気体の Gibbs の自由エネルギー (9.25) の場合と同じ形をしている。

(8.16) によって化学ポテンシャルを求めると，溶媒については，

$$\mu_1(T,p;\mathbf{N}) \simeq \mu_1(T,p) + RT \log x_1 \tag{9.37}$$

溶質 $i = 2,\ldots,m$ については，

$$\mu_i(T,p;\mathbf{N}) \simeq \mu_i^*(T,p) + RT \log x_i \tag{9.38}$$

のようになる。ただし，log の部分の微分には (9.26) を用いた。

活量の定義

一般の希薄とは限らない溶液についても，(9.37), (9.38) にならって，溶媒の化学ポテンシャルを，

$$\mu_1(T,p;\mathbf{N}) = \mu_1(T,p) + RT \log a_1(T,p;\mathbf{N}) \tag{9.39}$$

溶質 $i = 2,\ldots,m$ の化学ポテンシャルを，

$$\mu_i(T,p;\mathbf{N}) = \mu_i^*(T,p) + RT \log a_i(T,p;\mathbf{N}) \tag{9.40}$$

のように書くことがある。(9.37), (9.38) とは違って，この二つは正確な等式であることに注意しよう。

(9.39), (9.40) で $i = 1,\ldots,m$ について定義される $a_i(T,p;\mathbf{N})$ は**活量** (activity) と呼ばれる。活量とは，一口で言うと，できる限りモル分率（あるいは，他の濃度）に近い性質をもち，しかも厳密な熱力学の関係に登場し得る量である。たとえば，理想気体や希薄溶液で成立する化学平衡の条件 (9.76) は分率で表現されているので，このままでは，一般の溶液では成立しない。これに対して，活量で表現した化学平衡の条件 (9.80) は一般の溶液で厳密に成立する。化学では，活量は多成分系を議論する際の主役にな

る[11]）。(9.37)–(9.40) から明らかなように，希薄溶液では，活量 $a_i(T,p;\mathbf{N})$ は分率 $x_i = N_i/N$ と等しくなるが[12]，一般には $T, p, \mathbf{N}$ の複雑な関数になる．

9-3　浸　透　圧

多成分系でのつり合いの条件の応用として，半透壁における浸透圧を議論する．また，技術的な問題ではあるが，ここでは $(T;V,\mathbf{N})$ による状態量の表示と $(T,p;\mathbf{N})$ による表示をうまく使い分けることで理論的な解析の見通しがよくなることもみよう[13]）．

一般の溶液の浸透圧

物質 1 （溶媒）と物質 2 （溶質）からなる溶液を考える．図 9.3 のような体積一定の閉じた容器を，動かない半透壁によって体積 V と V' の二つの部分に分ける．半透壁は物質 1 をとおすが，物質 2 はまったくとおさないとする．9-1 節では理論的な補助手段として半透壁を導入したが，ここでは実際に半透壁を含んだ系の性質に関心がある．たとえば，物質 1 が水，物質 2 が何らかの高分子の物質なら，優れた半透壁が存在する．

物質 1, 2 の総物質量をそれぞれ N_1^{tot}, N_2 とする．簡単のため，物質 2 は容器の左側の体積 V の部分に閉じこめられていて，右側の体積 V' の部分には存在しないとする．物質 1 の方は，半透壁をとおって二つの部分を行き来できるので，V と V' の部分での物質量をそれぞれ N_1, N_1' と書く．もちろん $N_1 + N_1' = N_1^{\text{tot}}$ である．温度 T での平衡状態では，物質 1 の二つの部分での物質量は自然に決定するはずなので，それらを $\tilde{N}_1, \tilde{N}_1'$ と書こう．これは，(9.6) のつり合いの条件がそのまま利用できる状況なので，$\tilde{N}_1, \tilde{N}_1'$ は，

---

[11])希薄溶液からのずれを表す活量係数 $\gamma_i(T,p;\mathbf{N}) = a_i(T,p;\mathbf{N})/x_i$ も多用される．
[12])**進んだ注**： これは，やや不正確ないい方である．ここでは，理論的な見通しの良さを重視して，希薄溶液で活量と（モル）分率が一致するような定義を使った．これは，モル分率表示を用い，溶質については（$x \to 0$ で $a = x$ とするという）Henry 則基準，溶媒については（$x \to 1$ で $a \to 1$ という）Raoult 則基準を用いていることに相当する．応用によっては，他の単位（たとえば質量パーセント表示）や基準を用いることも珍しくない．本書でも 9-8 節では，モル濃度の単位を用いた表示を採用する．
[13])このような使い分けをしない導出を問題 9.3 で取り上げる．

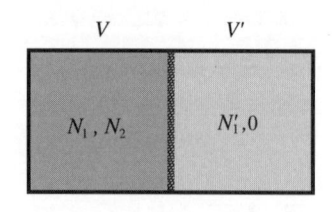

図 9.3 浸透圧の現れる状況。物質 2 をとおさない動かない半透壁で容器をしきると，左右の部分の圧力が異なってくる。希薄溶液の場合には，圧力の差は，物質の種類によらない普遍的な形を取る。浸透圧が有限になり，膜の左右で圧力の差が生じるということは，膜には全体として力が働くことを意味する。もし膜が多少の弾性をもっていれば，膜は押されて右側に膨れ上がるだろう。ところで，入浴すると指先の皮膚にしわができるのは皮膚が半透膜だからだという説明があるが，今日では，この現象は生物学的な機能の結果だと考えられているそうである。

$$\mu_1(T;V,\widetilde{N}_1,N_2) = \mu_1(T;V',\widetilde{N}_1',0) \tag{9.41}$$

と $\widetilde{N}_1 + \widetilde{N}_1' = N_1^{\text{tot}}$ を連立させて解けば決まる。つり合いの状況での左側の容器での圧力を $p_\text{L} = p(T;V,\widetilde{N}_1,N_2)$ とし，右側の容器での圧力を $p_\text{R} = p(T;V',\widetilde{N}_1',0)$ とする。半透壁の効果により，この二つの圧力は一般には等しくない。両者の差

$$p_\text{osmo} = p_\text{L} - p_\text{R} \tag{9.42}$$

を**浸透圧** (osmotic pressure) と呼ぶ。

ここで，われわれの扱っている系は相転移点から離れているとする。よって，V についての方程式 $p = p(T;V,\mathbf{N})$ はただ一つの解 $V(T,p;\mathbf{N})$ をもつ。すると，9-2 節のように，$\mu_i(T,p;\mathbf{N}) = \mu_i(T;V(T,p;\mathbf{N}),\mathbf{N})$ によって $T,p,\mathbf{N}$ の関数としての化学ポテンシャルを定義することができる。左右の容器での圧力が p_L と p_R であることに注意すれば，つり合いの条件 (9.41) は，

$$\mu_1(T,p_\text{L};\widetilde{N}_1,N_2) = \mu_1(T,p_\text{R}) \tag{9.43}$$

と書き直すことができる。右辺は元来は $\mu_1(T,p_\text{R};\widetilde{N}_1',0)$ だが，一成分系の化学ポテンシャルは物質量に依存しないので，上のように書いた。ここで，$(T,p;\mathbf{N})$ の表示を用いたからといって，温度と圧力が制御されてい

9-3 浸透圧

る状況に移行したわけではない。考えているのはあくまで体積一定の状況であり，つり合いの条件に現れる化学ポテンシャルに異なった表示を用いただけのことである。

つり合いの条件 (9.43) に溶媒の活量を定義する (9.39) を代入すると，

$$\mu_1(T, p_L) + RT \log a_1(T, p_L; \widetilde{N}_1, N_2) = \mu_1(T, p_R) \tag{9.44}$$

となる。一成分系の化学ポテンシャルについての (8.18) と (8.15) から $\partial \mu_1(T, p)/\partial p$ が純粋な物質 1 の単位物質量あたりの体積 $v_1(T, p)$ に等しいことがわかる。よって，(9.44) は

$$\int_{p_R}^{p_L} dp\, v_1(T, p) = -RT \log a_1(T, p_L; \widetilde{N}_1, N_2) \tag{9.45}$$

と書きかえられる。これは溶媒の活量と圧力 p_L, p_R を結びつける**厳密な関係**である。この関係は，希薄とは限らない高分子などの水溶液の活量の測定にも応用されている。

希薄溶液の浸透圧

ここで，この溶液が希薄溶液として扱えると仮定する。活量が分率で近似できるので，

$$\log a_1(T, p_L; \widetilde{N}_1, N_2) \simeq \log \frac{\widetilde{N}_1}{\widetilde{N}_1 + N_2} \simeq \log\left(1 - \frac{N_2}{\widetilde{N}_1}\right) \simeq -\frac{N_2}{\widetilde{N}_1} \tag{9.46}$$

であり，p_L と p_R の差も小さいので (9.45) の左辺の積分は，

$$\int_{p_R}^{p_L} dp\, v_1(T, p) \simeq (p_L - p_R) v_1(T, p_L) \simeq p_{\text{osmo}} \frac{V}{\widetilde{N}_1} \tag{9.47}$$

と評価できる。ここで $p_{\text{osmo}} = p_L - p_R$ は求める浸透圧である。(9.46)，(9.47) を (9.45) に代入すれば，

$$p_{\text{osmo}} \simeq \frac{N_2 RT}{V} \tag{9.48}$$

となり，理想気体の圧力とまったく同じ表式が得られる。つまり**希薄溶液における浸透圧は，真空中に溶質だけが希薄気体として存在している場合の圧力と等しい**ことがわかった[14]。

---

[14] 9-1 節で希薄溶液を扱う際に，いくつかの物理的な仮定を設けた。これらの仮定は決して技術的なものではなく実際に物理的に不可欠であることが，次の例を考えればよくわかる。この節と同じ状況を考えるのだが，ただし物質 1 は水で，物質 2 は水にまったく溶けない固体とする。水だけをとおす半透壁の左側に水と固体を入れ，右側には水のみを入れる。浸透圧は生

Fermi は，彼の熱力学の教科書 [3] の中で，この結果は分子論の立場からは当たり前だと書いているが，これはおそらく誤りである[15]。希薄溶液においても，溶媒である物質 1 の非自明な濃度変化があり，それが物質間の相互作用による圧力変化と絶妙に打ち消し合って (9.48) という普遍的な結果がでるのだ（問題 9.3 参照）。分子論の視点をとったところで，この絶妙な打ち消し合いを直観的に説明することは（少なくとも筆者には）できない。

9-4 Henry の法則

温度と圧力が一定の環境でのつり合いの条件 (9.23) と希薄溶液の化学ポテンシャルの表式 (9.37), (9.38) の応用として，液体と気体の共存する系での，液体中に溶けた気体の濃度についての Henry の法則 (9.60) を導く。

物質 1，物質 2 と呼ぶ二種類の物質からなる系を考える。温度 T，圧力 p の環境で，純粋な物質 1 は液体としてのみ，純粋な物質 2 は気体としてのみ存在するとしよう。さらに物質 1 の液体と物質 2 の気体は互いにほとんど溶け合わないと仮定する。両方の物質を混ぜたものが，温度 T，圧力 p の環境で平衡に達すれば，物質 1 に物質 2 がわずかに溶け混んだ液体と，物質 2 に物質 1 がわずかに溶け混んだ気体が共存する状況が得られる。たとえば，室温，常圧での窒素と水からなる系を考えればよい。液体の部分はわずかに窒素の溶けた水で，気体の部分はわずかに水（水蒸気）の溶けた窒素である。多少厳密さを犠牲にして，空気を単一の成分からなる気体とみなせば，（空気の溶けた）水と（湿った）空気の共存する日常でお馴染みの状況を扱っていると思うこともできる[16]。ちなみに，このように液体の水と相平衡にある湿った空気の湿度を 100 % と定義するのである。

考えている系は，液体の部分と気体の部分の二つに分かれている。液体の部分は，N_1 の物質 1 と N_2 の物質 2 からなり，$N_1 \gg N_2$ が成り立つ

じるだろうか？ 固体は実質的には容器の左側の体積を変化させるだけだから，浸透圧が生じるわけはない。つまり，このような状況では $N_1 \gg N_2$ は成立しても，決して希薄溶液の理論を使うことはできないのである。

[15] Fermi [3] による (9.48) の導出は筆者には理解できない。

[16] 空気の異なった成分を分離するような実験を行なわない限りは，空気を単一成分の気体として扱って熱力学を適用することに何の問題もない。しかし，空気の各成分は異なった割合で水に溶け込むので，空気と水を共存させたことで，まさに「空気の異なった成分を分離する」実験をしてしまうことになる。

9-4 Henryの法則

とする。少数派の物質 2 の分率を $x = N_2/(N_1 + N_2) \ll 1$ と書く。気体の部分は，N_1' の物質 1 と N_2' の物質 2 からなり，$N_1' \ll N_2'$ が成り立つとする。今度は少数派の物質 1 の分率を $y = N_1'/(N_1' + N_2') \ll 1$ と書く。

液体の部分と気体の部分が接して平衡にあるための必要十分条件は，(9.23) のように，$i = 1, 2$ について

$$\mu_i(T, p; N_1, N_2) = \mu_i(T, p; N_1', N_2') \tag{9.49}$$

が成り立つことである。液体も気体も希薄溶液として扱えるから，化学ポテンシャルの近似式 (9.37), (9.38) を使ってつり合いの条件 (9.49) を書き直す。ただし，液体中では物質 1 が溶媒，気体中では物質 2 が溶媒であることに注意しなくてはならない。得られる結果は，

$$\mu_1(T, p) + RT \log(1 - x) \simeq \mu_1^*(T, p) + RT \log y \tag{9.50}$$

$$\mu_2^*(T, p) + RT \log x \simeq \mu_2(T, p) + RT \log(1 - y) \tag{9.51}$$

となる[17]。これらの式で，$\log(1 - x) \simeq -x$ と $\log(1 - y) \simeq -y$ は他の量に比べて小さいと期待されるので無視しよう。つり合いにおける溶質の分率をそれぞれ $\tilde{x}(T, p), \tilde{y}(T, p)$ とする。上の式を解けば，

$$\log \tilde{x}(T, p) \simeq \frac{1}{RT} \{\mu_2(T, p) - \mu_2^*(T, p)\} \tag{9.52}$$

$$\log \tilde{y}(T, p) \simeq \frac{1}{RT} \{\mu_1(T, p) - \mu_1^*(T, p)\} \tag{9.53}$$

となる。

(9.52) と (9.53) は未知関数を多く含んでいるので，役に立たないような気がするが，これを出発点にしてかなり強い結果を導くことができる。まず一成分の Gibbs の自由エネルギーと化学ポテンシャルの性質 (8.18) と (8.15) より，

$$\frac{\partial \mu_2(T, p)}{\partial p} = \frac{V_2(T, p; N_2)}{N_2} \tag{9.54}$$

となる。次に Gibbs の自由エネルギーについての Maxwell の関係式

$$\frac{\partial}{\partial N_2} \frac{\partial}{\partial p} G[T, p; N_1, N_2] = \frac{\partial}{\partial p} \frac{\partial}{\partial N_2} G[T, p; N_1, N_2] \tag{9.55}$$

より

---

[17] $\mu_2^*(T, p)$ と $\mu_1^*(T, p)$ は，それぞれ，物質 1 と物質 2 を溶媒として扱って 9-2 節の議論を行なった際に溶質の Gibbs の自由エネルギーに現れる関数である。そういう意味で，ここでの記号はいささか略式だが，混乱の余地はないので，この書き方を貫こう。

$$\frac{\partial V(T,p;N_1,N_2)}{\partial N_2} = \frac{\partial \mu_2(T,p;N_1,N_2)}{\partial p} \simeq \frac{\partial \mu_2^*(T,p)}{\partial p} \tag{9.56}$$

となることに注意する。ただし，最右辺を得るのに，$N_1 \gg N_2$ であることから (9.38) を用いた。ここで，(9.52) を p で微分して，(9.54) と (9.56) を用いると，

$$\frac{\partial}{\partial p} \log \tilde{x}(T,p) \simeq \frac{1}{RT} \left\{ \frac{V_2(T,p;N_2)}{N_2} - \frac{\partial V(T,p;N_1,N_2)}{\partial N_2} \right\} = \frac{\Delta v}{RT} \tag{9.57}$$

となる。ここで，$V_2(T,p;N_2)/N_2$ は純粋な物質 2 の気体の単位物質量あたりの体積であり，$\partial V(T,p;N_1,N_2)/\partial N_2$ は（$N_1 \gg N_2$ なら）単位物質量の物質 2 が（主に物質 1 からなる）液体にとけ込む際の液体の体積変化を表す。よって，

$$\Delta v = \frac{V_2(T,p;N_2)}{N_2} - \frac{\partial V(T,p;N_1,N_2)}{\partial N_2} \tag{9.58}$$

は，単位物質量の物質 2 が液体から溶け出して気体に入る際の全系の体積変化という物理的な意味をもっている[18]。

さらに具体的な式を得るために，気体の体積と比べて液体の体積変化は非常に小さいので，上の式で $V_2(T,p;N_2)/N_2 \gg |\partial V(T,p;N_1,N_2)/\partial N_2|$ とできること，および，気体はほぼ理想気体として扱えて $V_2(T,p;N_2) \simeq N_2 RT/p$ とできることを仮定する。室温常圧の水と気体を考えれば，これはかなりもっともな仮定である。すると，$\Delta v \simeq RT/p$ とできるので，(9.57) は

$$\frac{\partial}{\partial p} \log \tilde{x}(T,p) \simeq \frac{1}{p} \tag{9.59}$$

となる。これを積分すれば，$\log \tilde{x}(T,p) \simeq \log p + (T \text{ のみによる量})$ なので，温度のみによって決まる $\alpha(T)$ があって，

$$\tilde{x}(T,p) \simeq \alpha(T) p \tag{9.60}$$

と書けることがわかる。温度が一定なら，**液体中に溶けこむ気体（物質 2）の濃度は，圧力に比例する**という **Henry の法則** (Henry's law) が導かれた。

---

[18] 実は，ここまでの議論で二つの相が液体と気体であることはいっさい用いなかった。よって，たとえば水と油のようにほとんど混じり合わない液体が接して平衡に達している場合にも同じことが成り立つ。

9-5 希薄溶液における沸点上昇

つり合いの条件 (9.23) と，希薄溶液の化学ポテンシャルの表式 (9.37)，(9.38) の次の応用として，溶液の沸点上昇の現象を扱う。

物質 1，物質 2 の二種類からなる系を考察する。この節では，圧力は常に一定値 p に保たれているとする。圧力 p のもとでは，物質 1 は，$T < T_b$ では液体，$T > T_b$ では気体として存在するとしよう。$T_b = T_b(p)$ は純粋な物質 1 の沸点であり，この温度で物質 1 の液体と気体が共存する。図 7.7 を参照。物質 1 を水とし，$p = 1$ 気圧とすれば，T_b はもちろん 373.15 K (100°C) である。

考えている圧力，温度の範囲で，物質 2 は，物質 1 の液体にはわずかに溶けるが，物質 1 の気体には（ほとんど）入らないとする。たとえば物質 1 が水で物質 2 が砂糖なら，この仮定は正しい。

ある温度で N_1 の物質 1 に N_2 の物質 2 が溶けた液体が存在するとしよう。ここで，$N_1 \gg N_2$ が成立し，この溶液は希薄溶液として扱えるとする。圧力を一定に保ったまま温度を上げていくと，ある温度 T_b' で液体が沸騰をはじめるだろう。この温度 T_b' では物質 1 に物質 2 が溶けた液体（以下では，単に「溶液」と書く）と純粋な物質 1 の気体（以下，単に「気体」）が共存するはずである。ここでは，**このような溶液と気体の共存があること**を経験的な前提として，溶液の沸点である T_b' を評価してみよう。

われわれは物質 2 は溶液中にしか存在しないと仮定しているので[19]，溶液と気体のつり合いの条件は (9.23) より

$$\mu_1(T_b', p; N_1, N_2) = \mu_1(T_b', p) \tag{9.61}$$

のただ一つである。左辺は溶液中での物質 1 の化学ポテンシャルであり，右辺は純粋な物質 1 の（気体の）化学ポテンシャルである[20]。

溶液が物質 2 の希薄溶液として扱えるので，希薄溶液の化学ポテンシャルの近似式 (9.37) により

$$\mu_1(T, p; N_1, N_2) \simeq \mu_1(T, p) + RT \log(1-x) \simeq \mu_1(T, p) - RTx \tag{9.62}$$

---

[19] 正しくは，μ_2 についてのつり合いの条件もきちんと取り入れた結果，気体中の物質 2 はごく微量だという結論になったと考えるべきだ。そのような扱いをしても，式が煩雑になるだけで結論は変わらないので，簡単のため気体中の物質 2 ははじめから無視する。

[20] 物質 1 の気体が N_1' モルあるとでもすれば，右辺は $\mu_1(T_b', p; N_1', 0)$ と書くべきだが，この量は N_1' に依存しないので単に $\mu_1(T_b', p)$ と書いた。

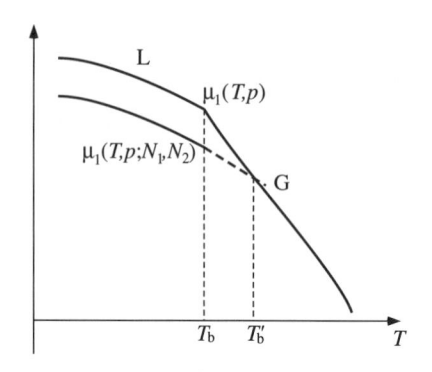

図 9.4 希薄溶液における沸点上昇についての考察。圧力 p を一定に保った際の，純粋な物質 1 の化学ポテンシャル $\mu_1(T,p)$ を T の関数として描いた。沸点 T_b を境にして，グラフは図のように折れ曲がる。物質 1 にわずかな物質 2 の溶けた溶液の化学ポテンシャル $\mu_1(T,p;N_1,N_2)$ は図のようになる。実線の部分は希薄溶液の近似理論から求められ，それより高温の点線の部分は実線部分を「自然に」延長したものである。$\mu_1(T,p)$ と $\mu_1(T,p;N_1,N_2)$ の（自然な延長の）交点が，溶液の沸点 T_b' を与える。

と書ける。微小量 $x = N_2/N_1$ は物質 2 の分率である。ただし，希薄溶液の近似理論は相転移点を含まない領域で成り立つので，(9.62) は $T \lesssim T_b$ という範囲で信頼できる。

では，(9.61) で表される溶液と気体の共存はどのようなとき実現されるのだろうか？純粋な物質 1 の化学ポテンシャル $\mu_1(T,p) = G[T,p;N_1,0]/N_1$ は，図 9.4 の一番上の曲線のように T について上に凸な連続関数であり，その傾きは純粋な物質 1 の沸点 T_b で不連続に変化する[21]。さらに $T \lesssim T_b$ の

---

[21] 多くの教科書で，純粋な物質 1 の化学ポテンシャル $\mu_1(T,p)$ を，液相での $\mu_{1,L}(T,p)$ と気相での $\mu_{1,G}(T,p)$ という 2 種類の関数（2 価関数といってもよい）におきかえてこの部分の議論を進めている。しかし，純粋な物質については，たった一つの（1 価の関数としての）化学ポテンシャル $\mu_1(T,p)$ が定義されるだけであり，その単一の関数が，液相も気相も記述し，相転移の情報も担っている。それこそが，熱力学の形式の強みである。著者の知る限り，液相，気相それぞれについての化学ポテンシャルの定義はない。（$\mu_1(T,p)$ を，液相と気相の側から，それぞれ，相転移点を越えて「解析接続」したものが，$\mu_{1,L}(T,p)$ と $\mu_{1,G}(T,p)$ だという考えはあり得る。しかし，解析接続の可能性は極めて高級な問題であり，最近の統計物理学モデルの厳密な解析からも，そのような解析接続の存在は強く疑問視されている。）実験で観測される過冷却などの準安定状態を調べれば，多価関数としての自由エネルギーが求められるのは事実である。しかし，それはここで議論している計算の方便のための多価性とは意味の違う，より重要な問題である。いずれにせよ，ここでの導出からわかるように，通常の熱力学の 1 価の化学ポ

9-5 希薄溶液における沸点上昇

範囲では，上の曲線のすぐ下に (9.62) の近似から得られる $\mu_1(T,p;N_1,N_2)$ のふるまいを実線で描き入れた．グラフからも式からも明らかだが，$T \leq T_\mathrm{b}$ の範囲で (9.61) の左辺 $\mu_1(T,p;N_1,N_2) \simeq \mu_1(T,p) - RTx$ と右辺 $\mu_1(T,p)$ が等しくなることはない．溶液と気体のつり合い (9.61) は $T \leq T_\mathrm{b}$ の範囲では決して成立しないのだ．

よって (9.61) が成り立つとすれば，T'_b は T_b よりも大きくなくてはならない．溶液と気体の共存があると仮定したのだから，溶液は純粋な物質 1 の沸点 T_b を越えても，新しい沸点 T'_b までは液体として存在し続けると結論できる．われわれは $T > T_\mathrm{b}$ での $\mu_1(T,p;N_1,N_2)$ のふるまいについて何も知らないので，厳密に考えれば議論をこれより先に進めることはできない．しかし，T'_b までには溶液の性質に極端な変化はないと仮定すれば，$\mu_1(T,p;N_1,N_2)$ は $T_\mathrm{b} \leq T \leq T'_\mathrm{b}$ の範囲でも，$T \lesssim T_\mathrm{b}$ でのふるまいを自然に延長したふるまいを示すと期待できる[22]．図 9.4 に点線で描き込んだのが，この「自然に」延長された $\mu_1(T,p;N_1,N_2)$ のふるまいである．点線と，$\mu_1(T,p)$ のグラフの交点が，溶液と気体の共存する T'_b を与えるはずである．

溶液中の物質 2 のモル分率 x が十分小さければ，T_b と T'_b の間隔も小さいだろうから，T_b と T'_b の間では $\mu_1(T,p)$ も $\mu_1(T,p;N_1,N_2)$ も一定の傾きをもつ直線と近似することにしよう．前者と後者の傾きは，それぞれ

$$\frac{\partial \mu_1(T_\mathrm{b},p)}{\partial T_+} = \lim_{T \searrow T_\mathrm{b}} \frac{\partial \mu_1(T,p)}{\partial T}, \quad \frac{\partial \mu_1(T_\mathrm{b},p)}{\partial T_-} = \lim_{T \nearrow T_\mathrm{b}} \frac{\partial \mu_1(T,p)}{\partial T} \tag{9.63}$$

としてよい．さらに $T \lesssim T_\mathrm{b}$ での $\mu_1(T,p)$ と $\mu_1(T,p;N_1,N_2)$ の差は (9.62) よりほぼ $RT_\mathrm{b}x$ なので，

$$\left(\frac{\partial}{\partial T_-} \mu_1(T_\mathrm{b},p) - \frac{\partial}{\partial T_+} \mu_1(T_\mathrm{b},p) \right) (T'_\mathrm{b} - T_\mathrm{b}) \simeq RT_\mathrm{b} x \tag{9.64}$$

となる．図 9.4 を参照．ここで式を整理して，化学ポテンシャルの微分の不連続性と蒸発のエンタルピーを結ぶ (8.30) を使って式を整理すると，

$$T'_\mathrm{b} - T_\mathrm{b} \simeq \frac{RT_\mathrm{b}^2}{h_\mathrm{vap}(p)} x \tag{9.65}$$

テンシャル $\mu_1(T,p)$ だけを用いて，沸点上昇に関して完全な議論を行なうことができるのだ．

[22] $T > T_\mathrm{b}$ でも希薄溶液の近似式 (9.62) を使うのが論理的だと考えてはいけない．溶液はあくまで液体であり，また物質 1 の気体は物質 2 を溶かさないとしているのだから，この領域で希薄溶液の近似をそのまま使うのは意味がない．(これが，相転移点の近傍では希薄溶液の近似が，そのままの形では使えない物理的な理由であるといってよいだろう．)

という希薄溶液における沸点上昇の表式が得られる。一般に $h_{\text{vap}}(p) > 0$ なので、**希薄溶液の沸点は溶質のモル分率 x に比例して上昇する**ことがわかる。しかも、**比例係数**[23]は**物質 1 に固有な物理量**である T_{b} と $h_{\text{vap}}(p)$ だけに依存する。

たとえば、1 気圧の水なら、沸点は $T_{\text{b}} = 373.15$ K、蒸発のエンタルピー（気化熱）は、$h_{\text{vap}} \simeq 539.8 \, \text{cal/g} \simeq 539.8 \times 4.184 \times 10^3$ J/kg だから、$RT_{\text{b}}^2/h_{\text{vap}} \simeq 0.51$ K/(mol·kg^{-1}) となる。ここでは、水の物質量を kg ではかり[24]、溶質の物質量をモルではかることにした。これは、変則的かもしれないが、確かに実用的である。たとえば 1 kg の水に 1 モルの溶質を溶かせば、沸点は 0.5 K ほど上昇する計算になる。

9-6 化学反応における平衡

いよいよ熱力学を拡張して、複数の物質が化学反応をおこす状況を取り扱う。これまでと同様、$i = 1, \ldots, m$ の m 種類の物質からなる多成分の流体系を考えるが、これらの物質の間に化学反応があるとする。温度と圧力が一定の環境で、化学反応の結果として達成される**化学平衡**[25] (chemical equilibrium) での物質の組成を求めるのが、この節の目標である。

化学反応の記述と扱い

物質 i に対応する化学式を A_i と書き、

$$n_1 \text{A}_1 + n_2 \text{A}_2 + \cdots + n_\ell \text{A}_\ell \rightleftarrows n_{\ell+1} \text{A}_{\ell+1} + \cdots + n_m \text{A}_m \tag{9.66}$$

という化学反応が可能だとする。係数 $n_1, \ldots, n_m$ は非負の整数である。物質 $1, 2, \ldots, \ell$ が反応物で、物質 $\ell+1, \ldots, m$ が生成物である。便利のために、

$$\nu_i = \begin{cases} -n_i, & i = 1, \ldots, \ell \text{ のとき（反応物）} \\ n_i, & i = \ell+1, \ldots, m \text{ のとき（生成物）} \end{cases} \tag{9.67}$$

と定義する。$\mathbf{N} = (N_1, \ldots, N_m)$ という略記法に合わせて、$\boldsymbol{\nu} = (\nu_1, \ldots, \nu_m)$

---

[23] 沸点上昇係数と呼ばれる。
[24] 第 7 章の脚注 30) を参照。
[25] 第 7 章の脚注 22) でも述べたように、物質系の平衡を大きく相平衡と化学平衡に分けて考えることがある。

9-6 化学反応における平衡

とも書く。

化学反応を理論的に扱う際，物質の混合の効果と反応の効果を分離すると見通しがよい。そのため，通常の状況では化学反応 (9.66) の進行速度は極めて遅いと仮定する。任意の組成 $\mathbf{N}$ の系を何らかの環境に置けば，組成の変化はいっさいおこらない間に物質の混合だけが生じて，実質的な平衡状態 $(T; V, \mathbf{N})$ が達成されることになる。これは，単なる多成分系だから，今までと同じようにして（少なくとも原理的には）自由エネルギー $F[T; V, \mathbf{N}]$ や $G[T, p; \mathbf{N}]$ が決定できる[26]。

さらに，化学反応 (9.66) は，何らかの**触媒** (catalyst) の作用で大幅に加速されると仮定する。系を触媒と接触させれば，反応 (9.66) が自動的に進行し，その組成は，与えられた環境に応じて決まる平衡値に落ちつくとする。

触媒のない状況で，組成 $\mathbf{N} = (N_1, \ldots, N_m)$ の系を考える。ここで，（触媒などの助けにより）反応 (9.66) がいずれかの向きにある程度進行したとすると，物質 i の量は $N_i + \nu_i \xi$ になる。m 種類の物質量をまとめたものは，$\mathbf{N} + \boldsymbol{\nu}\xi$ のように書ける。ここで ξ は**反応進行度** (extent of reaction) と呼ばれる示量的な変数である。ξ は正，負両方の値を取り得ることに注意しよう。

触媒と接していない系では，反応進行度 ξ は変化しない定数である。もし系に触媒を挿入して反応を進めれば，反応進行度 ξ は自動的に変化し，平衡での値に落ちつく。ここで，さらに**反応進行度 ξ は外界からの操作で自由に制御できる**という仮定を設けよう。この仮定はここでの論理の流れにとって本質的である。混合の熱力学のために図 9.1 のような仮想的な装置が便利だったように，化学反応の熱力学を操作的に論じる際，化学反応 (9.66) を望みの向きに望みの量だけゆっくりと行なえるような装置を考えると見通しがよくなる。そのような装置は一般には実在しないだろうが，図 9.5 のように半透壁を用いた仮想的な装置を思い描くことはできる[27]。また，9-9 節で述べるように，化学電池においては，電流を流すという現実的な方法で，反応進行度をある意味で制御できる。

---

[26] 実は，ここでは各々の物質の自由エネルギーを決める際の任意定数をどのように選ぶかという微妙な（しかし本質的な）問題がある。9-7 節を参照。

[27] このような装置が絶対に存在しないとしたら，あるいは，触媒なしでは反応が遅いという条件が満たされなければ，以下の解析は（厳密に考えれば）破綻する。たとえ，そうだとしても，最終的に得られる化学平衡についての結果は，（仮想的な装置や触媒についての仮定を離れて）一般の化学反応系にあてはまるだろうという楽観的な立場をとる。

変分原理とつり合いの条件

反応進行度を操作的に制御できるとしたので,これに対応した変分原理を導く。9-2 節のように,まず Helmholtz の自由エネルギーについての変分原理を導き,それを Legendre 変換によって Gibbs の自由エネルギーについての変分原理に焼き直すこともできる。ここでは,9-9 節での電池への応用をも念頭において,Gibbs の自由エネルギーと仕事を結びつけることで,温度と圧力が一定の条件での変分原理を直接導こう。

はじめ,触媒のない系が温度 T,圧力 p のもとで平衡状態 $(T; V, \mathbf{N}+\boldsymbol{\nu}\xi_1)$ にあったとする。この系を,温度 T,圧力 p の環境においたまま,反応進行度を ξ_1 から ξ_2 まで変化させる。この際,系から外界に取り出される仕事の最大値を,今までの記号を拡張して,$W_{\max}(T, p; \mathbf{N}+\boldsymbol{\nu}\xi_1 \to \mathbf{N}+\boldsymbol{\nu}\xi_2)$ と書こう。操作が終わった後の系の体積を V' とすると,上の仕事は,従来の最大仕事を使って,

$$W_{\max}(T; (V, \mathbf{N}+\boldsymbol{\nu}\xi_1) \to (V', \mathbf{N}+\boldsymbol{\nu}\xi_2)) - p(V' - V) \qquad (9.68)$$

と書ける。第一項は系が行なう仕事の総計であり,第二項は圧力を一定に保つしかけに行なう[28]ために外界に取り出せない仕事を表している。求める最大仕事は,未知の V' を色々に動かして上の仕事を最大にすることで決められる[29]。よって,最大仕事と Helmholtz の自由エネルギーの関係 (3.27) より

$$\begin{aligned}
& W_{\max}(T, p; \mathbf{N}+\boldsymbol{\nu}\xi_1 \to \mathbf{N}+\boldsymbol{\nu}\xi_2) \\
&= \max_{V'} \left\{ W_{\max}(T; (V, \mathbf{N}+\boldsymbol{\nu}\xi_1) \to (V', \mathbf{N}+\boldsymbol{\nu}\xi_2)) - p(V' - V) \right\} \\
&= \max_{V'} \left\{ F[T; V, \mathbf{N}+\boldsymbol{\nu}\xi_1] - F[T; V', \mathbf{N}+\boldsymbol{\nu}\xi_2] - pV' + pV \right\} \\
&= F[T; V, \mathbf{N}+\boldsymbol{\nu}\xi_1] + pV - \min_{V'} \left\{ F[T; V', \mathbf{N}+\boldsymbol{\nu}\xi_2] + pV' \right\} \\
&= G[T, p; \mathbf{N}+\boldsymbol{\nu}\xi_1] - G[T, p; \mathbf{N}+\boldsymbol{\nu}\xi_2] \qquad (9.69)
\end{aligned}$$

となることがわかる。一つ目の G は $p = p(T; V, \mathbf{N}+\boldsymbol{\nu}\xi_1)$ であることを使って Gibbs の自由エネルギーの簡易版の定義 (9.16) から得られ,二つ目の G はまさに定義 (9.14) から得られる。つまり,**温度と圧力が一定の環境で系が外界に行なう仕事の最大値は Gibbs の自由エネルギーの差で**

---

[28] たとえば,図 8.1 の装置のおもりをもち上げるために使われる。
[29] もちろん最大値を与える V' が最終的な平衡状態での体積であり,そのときの系の圧力は p に等しい。この事実は Kelvin の原理 3.1 から簡単に示すことができる。

9-6 化学反応における平衡

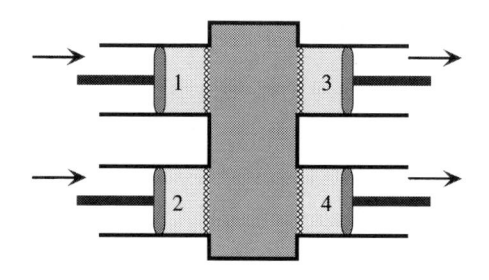

図 **9.5** 化学反応を操作的に制御するための仮想的な装置である van't Hoff の反応箱 (reaction box)。例として $n_1 A_1 + n_2 A_2 \rightleftarrows n_3 A_3 + n_4 A_4$ という反応を行なう系を扱う。反応箱は，図のように，中央の部屋と，ピストンのついた四つの小さな部屋からなる。小さな部屋には $i = 1, \ldots, 4$ と番号がついていて，小部屋 i と中央の部屋は物質 i だけを透過させる半透膜で仕切ってある。反応箱を使う際には，中央の部屋には化学平衡にある流体と触媒をいれ，それぞれの小部屋 i には純粋な物質 i をいれる。各小部屋内の圧力をピストンで調整し，半透膜を介して，小部屋と中央の部屋の物質 i がつり合うようにしておく。その状況で，四つの部屋のピストンをゆっくりと操作して，小部屋 1, 2 からは，それぞれ $n_1 \xi$ と $n_2 \xi$ の物質 1 と 2 を送り出し，小部屋 3, 4 へは，それぞれ $n_3 \xi$ と $n_4 \xi$ の物質 3 と 4 を吸い出す。中央の部屋に流れ込んだ物質と中央の部屋から出ていった物質は，化学反応によって完全に移り変わるから，この操作によって中央の部屋の中の組成はまったく変化しない。よって，純粋な物質 1, 2 から，純粋な物質 3, 4 を作り出す化学反応が，等温準静操作として実現できたことになる。われわれが求めたいのは，一様な混合流体で，反応を進行させる際の仕事である。それを求める（極めてまだるっこしい）方法は，まず図 9.1 の装置で混合物を各々の物質に分離し，それらを van't Hoff の反応箱にいれて好みの量だけ反応させ，最後に再び図 9.1 の装置で準静的な混合を行なうことである。

与えられるのである。等温環境での最大仕事が Helmholtz の自由エネルギーの差で与えられるという (3.27) の関係と完璧に対応している[30]。

---

[30] 図 8.1 のような装置を念頭に置くと，Gibbs の自由エネルギーは系とおもりを合わせた系全体の Helmholtz の自由エネルギーに他ならない。ということは，(9.69) の関係は実は Helmholtz の自由エネルギーについての (3.27) そのものであり，上の導出は必要なかったことがわかる。ここでは読者が「だまされたような気になる」説明を避けるために，直接的な導出を示した。

化学平衡を議論するための準備が整った。温度 T, 圧力 p の環境で, 組成 $\mathbf{N}+\boldsymbol{\nu}\xi$ の（触媒なしの）平衡状態 $(T;V,\mathbf{N}+\boldsymbol{\nu}\xi)$ に触媒を挿入し, 系をしばらくそのままにして平衡に達するのを待ち, そして, 触媒を取り去る。新たに得られる状態は, $(T;V',\mathbf{N}+\boldsymbol{\nu}\tilde{\xi})$ である。$\mathbf{N}+\boldsymbol{\nu}\tilde{\xi}$ は温度 T, 圧力 p における化学平衡での組成であり, $\tilde{\xi}$ は化学平衡での反応進行度である。さて, 上で組成 $\mathbf{N}+\boldsymbol{\nu}\xi$ の状態から平衡での組成 $\mathbf{N}+\boldsymbol{\nu}\tilde{\xi}$ の状態に移る操作は, 触媒の出し入れだけで達成できるから, この間に系が外界に行なった仕事は 0 である。よって, 先ほどの最大仕事の定義から,

$$W_{\max}(T,p;\mathbf{N}+\boldsymbol{\nu}\xi \to \mathbf{N}+\boldsymbol{\nu}\tilde{\xi}) \geq 0 \tag{9.70}$$

が成り立つことがわかる。よって, (9.69) から,

$$G[T,p;\mathbf{N}+\boldsymbol{\nu}\tilde{\xi}] \leq G[T,p;\mathbf{N}+\boldsymbol{\nu}\xi] \tag{9.71}$$

が任意の ξ について成り立つことになる。これが, 化学平衡に関する変分原理の不等式である。これを, 変分原理の形に書き直した

$$G[T,p;\mathbf{N}+\boldsymbol{\nu}\tilde{\xi}] = \min_{\xi} G[T,p;\mathbf{N}+\boldsymbol{\nu}\xi] \tag{9.72}$$

が化学平衡での反応進行度 $\tilde{\xi}$ を決定する基本的な関係である。最小値では ξ についての微分係数が 0 になることから, これに対応する化学平衡の局所的な条件を求めれば[31],

$$\left.\frac{\partial G[T,p;\mathbf{N}+\boldsymbol{\nu}\xi]}{\partial \xi}\right|_{\xi=\tilde{\xi}} = 0 \tag{9.73}$$

となる[32]。Gibbs の自由エネルギーの微分についての (9.17) を用いれば, この条件は,

$$\sum_{i=1}^{m} \nu_i \mu_i(T,p;\widetilde{\mathbf{N}}) = 0 \tag{9.74}$$

となる。ここで $\widetilde{\mathbf{N}} = \mathbf{N}+\boldsymbol{\nu}\tilde{\xi}$ は化学平衡における組成である。(9.74) がこの節の目標だった化学平衡での組成を決定する基本の関係式である[33]。化

---

[31] $G[T,p;\mathbf{N}+\boldsymbol{\nu}\xi]$ は ξ について下に凸（定理 G.8 を参照）だから, 凸関数の最小値に関する定理 G.6 により局所的な平衡条件 (9.73) と大域的な条件 (9.72) は同値である。結果 7.2 を参照。

[32] 化学の文献では, (9.73) の左辺の量を $\Delta G(T,p;\mathbf{N}+\boldsymbol{\nu}\tilde{\xi})$ と書き, 生成 Gibbs 関数 (reaction Gibbs function) と呼ぶ。ΔG という記号は微小変化を思わせるが, この場合に限り導関数のしるしである。

[33] 化学の文献では, 親和力 $A(T,p;\mathbf{N}) = -\sum_{i=1}^{m} \nu_i \mu_i(T,p;\mathbf{N})$ という量を用いることが多い。すると, 条件 (9.74) は $A(T,p;\widetilde{\mathbf{N}}) = 0$ と書ける。

9-6 化学反応における平衡

学ポテンシャル $\mu_i(T,p;\mathbf{N})$ の具体的な関数形がわかっていれば，与えられた初期の組成 $\mathbf{N}$ について (9.74) を解くことで，化学平衡での反応進行度 $\tilde{\xi}$ と組成 $\widetilde{\mathbf{N}}$ がただ一つに決まる．

理想気体における反応の平衡条件

反応に関わる物質がすべて理想気体として扱えるなら，化学ポテンシャルは (9.27) の形をとる．よって化学平衡の条件 (9.74) は，

$$RT \sum_{i=1}^{m} \nu_i \left(1 + \log\left\{ \left(\frac{T^*}{T}\right)^{c_i+1} \frac{p}{p_i^*} \right\} + \frac{u_i}{RT} + \log \tilde{x}_i \right) = 0 \quad (9.75)$$

と書ける．ただし，$\tilde{x}_i = \widetilde{N}_i/(\sum_{j=1}^{m} \widetilde{N}_j)$ は化学平衡での物質 i の分率を表す．これを変形すれば，

$$\prod_{i=1}^{m} (\tilde{x}_i)^{\nu_i} = K(T,p) \quad (9.76)$$

という簡潔な関係が得られる[34]．ここで T と p の関数 $K(T,p)$ は（定数ではないが）**平衡定数** (equilibrium constant) と呼ばれ，理想気体の場合，

$$K(T,p) = \exp\left[-\sum_{i=1}^{m} \nu_i \left(1 + \log\left\{ \left(\frac{T^*}{T}\right)^{c_i+1} \frac{p}{p_i^*} \right\} + \frac{u_i}{RT} \right) \right]$$

$$\propto \exp\left[-\frac{1}{RT} \sum_{i=1}^{m} \nu_i u_i \right] T^{\sum_{i=1}^{m} \nu_i(c_i+1)} p^{-\sum_{i=1}^{m} \nu_i} \quad (9.77)$$

である．

溶液中の反応の平衡条件

次に，一般的な溶液について，実際的な応用に便利なように化学平衡の条件 (9.74) を書き直しておこう．ここでも活量は，(9.39), (9.40) によって定義する．平衡の条件 (9.74) に (9.39), (9.40) を代入すれば，

$$\nu_1 \mu_1(T,p) + \sum_{i=2}^{m} \nu_i \mu_i^*(T,p) + RT \sum_{i=1}^{m} \nu_i \log a_i(T,p;\widetilde{\mathbf{N}}) = 0 \quad (9.78)$$

となる．ここで平衡定数を

$$K(T,p) = \exp\left[-\frac{1}{RT} \left\{ \nu_1 \mu_1(T,p) + \sum_{i=2}^{m} \nu_i \mu_i^*(T,p) \right\} \right] \quad (9.79)$$

---

[34] この関係が成立するという事実を，「質量作用の法則」(law of mass action) と呼ぶことがある．この用語は最近はあまり用いられないようである．

と定義すれば[35]，化学平衡の条件 (9.78) は，

$$\prod_{i=1}^{m}(a_i(T,p;\widetilde{\mathbf{N}}))^{\nu_i} = K(T,p) \tag{9.80}$$

と書き直すことができる。特に希薄溶液では活量 $a_i(T,p;\mathbf{N})$ は分率 x_i に等しいから，(9.80) は形としては (9.76) と一致する（ただし，平衡定数は (9.79) を使わなくてはならない）。

Le Chatelier の原理

再び一般の m 成分の反応系を考える。(9.74) で定まる化学平衡での反応進行度 $\tilde{\xi}$ は，($\mathbf{N}$ を固定しても）環境の温度と圧力に明らかに依存する。それを明示するために，以下では $\tilde{\xi}$ を $\tilde{\xi}(T,p)$ と書き，その T や p への依存性を調べる。

化学平衡の条件 (9.73) の両辺を T で微分すると，

$$\frac{\partial}{\partial T}\left\{\left.\frac{\partial G[T,p;\mathbf{N}+\boldsymbol{\nu}\xi]}{\partial \xi}\right|_{\xi=\tilde{\xi}(T,p)}\right\} = 0 \tag{9.81}$$

となる。$G[T,p;\mathbf{N}]$ が 2 回微分可能と仮定して，Gibbs の自由エネルギーについての (9.17) を使うと，これは，

$$-\left.\frac{\partial S(T,p;\mathbf{N}+\boldsymbol{\nu}\xi)}{\partial \xi}\right|_{\xi=\tilde{\xi}(T,p)} + \frac{\partial \tilde{\xi}(T,p)}{\partial T}\left.\frac{\partial^2 G[T,p;\mathbf{N}+\boldsymbol{\nu}\xi]}{\partial \xi^2}\right|_{\xi=\tilde{\xi}(T,p)} = 0 \tag{9.82}$$

と書きかえられる。ところで，反応進行度 ξ が微小に変化して $\xi+\Delta\xi$ になる際に系が熱の形で環境から吸収するエネルギー[36]は，最大吸熱量とエントロピーを結ぶ (6.7) より

$$\Delta Q = T\left\{S(T,p;\mathbf{N}+\boldsymbol{\nu}(\xi+\Delta\xi)) - S(T,p;\mathbf{N}+\boldsymbol{\nu}\xi)\right\}$$
$$= T\Delta\xi\left.\frac{\partial S(T,p;\mathbf{N}+\boldsymbol{\nu}\xi)}{\partial \xi}\right|_{\xi=\tilde{\xi}(T,p)} + O\{(\Delta\xi)^2\} \tag{9.83}$$

---

[35] ここに現れた $\nu_1\mu_1(T,p)+\sum_{i=2}^{m}\nu_i\mu_i^*(T,p)$ という T,p（のみ）の関数を標準反応 Gibbs 関数と呼び $\Delta G_0(T,p)$ と書く。よって，平衡定数は $K(T,p)=\exp[-\Delta G_0(T,p)/(RT)]$ と書ける。化学の応用では，実験データから平衡定数を見積もる場合もあるが，基本的な化学反応の熱測定のデータから標準反応 Gibbs 関数を算出し上の関係を通じて平衡定数を見積もる場合もある。

[36] 化学平衡の条件 (9.73) により，この際に系が外界にする仕事（つまり，Gibbs の自由エネルギーの変化）は $(\Delta\xi)^2$ のオーダーである。よって，$\Delta\xi$ が小さければ，系と外界とのエネルギーのやりとりは熱のみとしてよい。

となる[37]。ここで，$Q' = \lim_{\Delta\xi \to 0} \Delta Q / \Delta \xi$ という量を定義すると，(9.82) と (9.83) より

$$\frac{\partial \tilde{\xi}(T,p)}{\partial T} = \frac{Q'}{T} \left(\left. \frac{\partial^2 G[T,p;\mathbf{N}+\boldsymbol{\nu}\xi]}{\partial \xi^2} \right|_{\xi=\tilde{\xi}(T,p)} \right)^{-1} \qquad (9.84)$$

が得られる。ところが，$G[T,p;\mathbf{N}+\boldsymbol{\nu}\xi]$ が ξ について下に凸だから，定理 G.1 より $\partial^2 G[T,p;\mathbf{N}+\boldsymbol{\nu}\xi]/\partial \xi^2$ は常に非負なので，

$$\frac{\partial \tilde{\xi}(T,p)}{\partial T} \begin{cases} > 0, & Q' > 0 \text{ のとき} \\ < 0, & Q' < 0 \text{ のとき} \end{cases} \qquad (9.85)$$

という不等式が得られる。まず $Q' = \lim_{\Delta\xi \to 0} \Delta Q/\Delta \xi > 0$ としよう。このとき，温度を上げれば ξ が増える方向の反応，つまり，吸熱反応が進む。逆に温度を下げれば，ξ が減る方向の発熱反応が進む。$Q' < 0$ の場合にも事情は同じで，温度を上げれば吸熱反応，温度を下げれば発熱反応がおきる。これを擬人化して表現すれば，環境の温度変化を少しでも打ち消す方向に化学反応が生じるということができる。一般に，熱力学的な系で，環境の変化を打ち消す方向の変化が自発的に生じるという主張を Le Chatelier の原理と呼ぶ。問題 7.7 を参照。

同様にして，平衡での反応進行度 $\tilde{\xi}(T,p)$ の圧力依存性について，

$$\frac{\partial \tilde{\xi}(T,p)}{\partial p}$$
$$= - \left. \frac{\partial V(T,p;\mathbf{N}+\boldsymbol{\nu}\xi)}{\partial \xi} \right|_{\xi=\tilde{\xi}(T,p)} \left(\left. \frac{\partial^2 G[T,p;\mathbf{N}+\boldsymbol{\nu}\xi]}{\partial \xi^2} \right|_{\xi=\tilde{\xi}(T,p)} \right)^{-1} \qquad (9.86)$$

という関係を示すことができる。これによって，環境の圧力が増せば体積の減る方向に反応が進み，圧力が減れば体積の増える方向に反応が進むことがわかる。これも Le Chatelier の原理の一例である。

複数の反応が共存する場合の扱い

最後に，m 種類の物質が (9.66) 以外にもう一つ別の化学反応をおこす場合について簡単に触れておこう。より多くの化学反応が共存する場

---

[37] 細かい注：$(T,p;\mathbf{N})$ 表示でのエンタルピーを $H(T,p;\mathbf{N}) = G[T,p;\mathbf{N}] + T S(T,p;\mathbf{N})$ と定義すると，化学平衡の条件 (9.73) より $\{\partial H(T,p;\mathbf{N}+\boldsymbol{\nu}\xi)/\partial \xi\}_{\xi=\tilde{\xi}} = T\{\partial S(T,p;\mathbf{N}+\boldsymbol{\nu}\xi)/\partial \xi\}_{\xi=\tilde{\xi}}$ である。よって $\Delta H = \Delta Q$ である。(9.84) や (9.85) では，ΔQ の代わりに ΔH を用いるのが標準的である。

合も同様に扱える。もう一つの反応を表す（$\boldsymbol{\nu}$ に対応する）係数の組を $\boldsymbol{\kappa} = (\kappa_1, \ldots, \kappa_m)$ とする。反応前の組成（物質量）を $\mathbf{N}$ とし，二つの反応の進行度をそれぞれ ξ, η とすると，対応する組成は $\mathbf{N} + \boldsymbol{\nu}\xi + \boldsymbol{\kappa}\eta$ である。反応進行度 ξ と η が独立に制御可能であるとすると[38] 単一の反応の場合と同様に，ξ と η の2変数関数としての $G[T, p; \mathbf{N} + \boldsymbol{\nu}\xi + \boldsymbol{\kappa}\eta]$ を最小にする ξ, η の組が化学平衡での値 $\tilde{\xi}, \tilde{\eta}$ を与えることがわかる。よって (9.73) に対応して

$$\left.\frac{\partial G[T, p; \mathbf{N} + \boldsymbol{\nu}\xi + \boldsymbol{\kappa}\eta]}{\partial \xi}\right|_{\xi=\tilde{\xi}, \eta=\tilde{\eta}} = 0,$$
$$\left.\frac{\partial G[T, p; \mathbf{N} + \boldsymbol{\nu}\xi + \boldsymbol{\kappa}\eta]}{\partial \eta}\right|_{\xi=\tilde{\xi}, \eta=\tilde{\eta}} = 0 \quad (9.87)$$

という二つの条件が得られる。未知数が ξ と η の二つであることを反映して，条件も二つある。これによって，化学平衡は完全に決定される。これらの条件を，化学ポテンシャル，活量，分率等で書き直す作業は，単独の反応の場合と同様である。

9-7　Nernst-Planck の仮説

ここで，Nernst-Planck の仮説，あるいは，熱力学の第三法則 (third law of thermodynamics) と呼ばれる主張について簡単に議論する。Nernst-Planck の仮説は，化学反応の熱力学を念頭に置いたときとりわけ実用的な意味をもつので，ここではその側面を中心に話を進める[39]。

まず，理想気体について考える。理想気体の Gibbs の自由エネルギー (9.24)，あるいは，化学ポテンシャル (9.27) の表式の中に現れる定数 p_i^* は，(9.7) で Helmholtz の自由エネルギーの定義の際に導入した任意定数 v_i^* から決まる（(8.12) を参照）。一成分系の場合，任意定数 v^*（あるいは p^*）をいかに選ぶかは，単に自由エネルギーに RT の定数倍を足し引きすることに相当し，観測可能な量には何の影響も及ぼさない。多成分系になっても，物質の混合や相平衡だけを考える限り，やはり，定数 v_i^*, p_i^* の選択に実質的な意味はない。ところが，理想気体の平衡定数 (9.77) は，

---

[38] 二つの反応が異なった触媒で加速されると仮定すればよい。
[39] より一般の状況で Nernst-Planck の仮説に意味がないといっているわけではない。ただ，熱力学の体系の中での Nernst-Planck の仮説の位置づけを筆者が完全には理解していないので，踏み込んだ議論はしない。

9-7 Nernst-Planck の仮説

あからさまに定数 p_i^* に依存する．平衡定数は，化学平衡での系の組成を通して直接観測にかかる量である．つまり，互いに反応する物質の p_i^* の相対的な大小関係は[40]，**化学反応についての本質的な情報をもっている**のだ．より直接的には，化学反応から取り出される仕事についての (9.69) を見れば，Gibbs の自由エネルギーに含まれる任意定数が，仕事の大きさに反映することもわかる．物質 i 単独についての実験から，定数 p_i^* を決定するのは原理的に不可能である．化学反応についての何らかの実験結果によって，反応に関わる定数 p_i^* の関係が決定されるのだ[41]．

理想気体以外でも，事情は同じである．一般に物質 i のみの系の Helmholtz の自由エネルギーを決定する際に，たとえば v_i^* のような一つの任意定数を選ぶ自由度がある．物質 i を単独で扱う限り，定数 v_i^* の値が，観測できる量に影響を及ぼすことはない．しかし，複数の物質が化学反応を行なう状況では，定数 v_i^* は実質的な意味をもってくる．化学反応についての情報から，v_i^* の相対的な大小が決定されるのである．

ところが，化学反応の実験データを利用することなく，定数 v_i^* を決定する手続きがあることが経験的に知られている．それは，各々の物質について，エントロピー $S_i(T, p; N_i) = S(T, p; 0, \ldots, 0, N_i, 0, \ldots, 0)$ が，任意の p について

$$\lim_{T \searrow 0} S_i(T, p; N_i) = 0 \tag{9.88}$$

を満たすように任意定数を選ぶことである[42]．このようにして**選んだ任意定数によって，化学反応を含めた現実のふるまいが正しく再現される**という驚くべき主張は，**Nernst-Planck の仮説**と呼ばれている．これが正しければ，物質 i 単独での実験から定数 v_i^* を決定することができるので極めて便利である．

Nernst-Planck の仮説が成立するかどうかは，現実の系での実験によって確かめるしかない．今日までに，多くの系について，この仮説が正しいことが，精密な実験データによって確認されている[43]．Nernst-Planck の

---

[40] $\prod_{i=1}^{m}(p_i^*)^{\nu_i}$ という量を一定に保ったまま，p_i^* を自由に変化させても観測量には何の影響も与えない．
[41] エネルギーの付加定数 u_i についても類似のことがいえるが，それはこの節のテーマとは関係がない．
[42] より一般には，任意の X について $\lim_{T \searrow 0} S_i(T; X) = 0$ ということ．
[43] 実際には，極低温から高温までの熱容量の実測値と Nernst-Planck の仮説を用いてエントロピーを求め，それが統計物理学的に計算した高温でのエントロピーと一致することを検証

仮説は**熱力学の第三法則** (third law of thermodynamics) と呼ばれることもある。しかし，これは第一法則（エネルギー保存則・要請 4.3）や第二法則（Kelvin の原理・要請 3.1，エントロピー原理・結果 6.5, Planck の原理・結果 6.4 などを指す）のような熱力学の基本的な構造に関わる主張ではないことを注意しておこう。第一法則，第二法則が不在の熱力学の体系は（少なくとも筆者の理解する範囲では）あり得ないが，第三法則を仮定しないでも熱力学の体系は成立する。実際，理想気体は Nernst-Planck の仮説に従わないが，（少なくとも理論的には）健全な熱力学的な系である。現実の物質でも，たとえばガラスのように，測定温度の範囲内では Nernst-Planck の仮説に従わない（ように見える）例も知られている。どのような系が第三法則を満足し，どのような系が（どのような測定の範囲で）第三法則を破るかを議論するのは，熱力学の範囲を越えた統計物理学の問題であろう。

9-8 水溶液中の化学平衡

化学反応の熱力学のもっとも重要な応用の一つは，水溶液中でおきる様々な反応の解析である。ここでは，酸の水溶液を例に議論するが，より複雑な反応の解析にも使える一般的な方法を示す。この節と次の 9-9 節では，平衡電気化学の基本を概観することも目指す。

イオンの扱いについての注意

熱力学の立場でイオンを扱うと，これまでになかった微妙な問題が生じてくる。

たとえば MA という金属塩を水に溶かしたとき，$MA \to M^+ + A^-$ のように完全にイオン化するとしよう。この水溶液に電極を二つさし込んで外から電圧をかければ，（電気分解を起こしつつ）電流が流れる。これは，水中で M^+ と A^- が独立にふるまっていることの（マクロな）証拠である。よって，M^+ と A^- を異なった物質とみなし，この系は溶媒 H_2O と溶質 M^+, A^- の三種類の物質からなると考えるべきである。化学ポテンシャルも $\mu_{H_2O}, \mu_{M^+}, \mu_{A^-}$ の三種類（当然，活量も $a_{H_2O}, a_{M^+}, a_{A^-}$ の三種類）

することが多い。

9-8 水溶液中の化学平衡

を考えるのが自然である。以下で見るように，このように熱力学における物質の概念をイオンにまで拡張することによって，化学平衡など様々な問題を解析することができる。

しかし，通常の分子と違って，陽イオンと陰イオンは互いに Coulomb 力で引き合っている。このため，一つの陽イオンのまわりには，陰イオンが存在する確率が高く，逆に，陰イオンのまわりには，陽イオンが存在する確率が高い。つまり，通常の環境で，陽イオンと陰イオンは全体として対をなして存在しており，どちらか一方を単独に取り出して調べることはできない。このため，たとえば図 9.2 のような装置で単独のイオンの化学ポテンシャルを測定するのはきわめて困難である[44]。これに対して，陽イオンと陰イオンの化学ポテンシャルの和 $\mu_{M^+} + \mu_{A^-}$（あるいは，活量の積 $a_{M^+} a_{A^-}$）は，幾通りかの「まっとうな」方法で測定することができる。そこで，イオンを含む系では，μ_{M^+}, μ_{A^-} といった単独のイオンの化学ポテンシャル（あるいは，a_{M^+}, a_{A^-} といった単独のイオンの活量）は実質的な意味のない形式的な表式であり，電荷がゼロになるようなイオンの組み合わせに対応する化学ポテンシャルの和 $\mu_{M^+} + \mu_{A^-}$（あるいは，活量の積 $a_{M^+} a_{A^-}$）のみが意味をもつとするのが一つの健全な立場なのである。実際，この節で求める化学平衡の条件にも，次節の濃淡電池の起電力の表式 (9.123) にも，すべて陽イオンと陰イオンの活量が積の形で現れる。

ところが，実際の化学の研究には，単一のイオンの活量も頻繁に顔を出す。たとえば，pH の定義 (9.98) には，H_3O^+ イオンの活量があらわに現れる。このような定義をどのように理解するか，特に，単一のイオンの活量をどのように定式化するか（そしてどのように測定するか）というのはデリケートな問題で，本当にすっきりした解決策はないようである。しかし，この本の範囲では，単一のイオンの化学ポテンシャルや活量という概念には微妙な問題が潜んでいることを認識した上で，その問題にはあまり深入りせず先へ進むのが得策だろう。

---

[44] 原理的に不可能とはいっていない。強い Coulomb 力にうち勝って単一のイオンだけを（マクロに）分離することができれば，図 9.2 の方法で化学ポテンシャルをはかることは**原理的**には可能である。ただし，その場合には電気化学ポテンシャル（この節の最後を参照）を用いて強い電場の効果を取り入れなくてはならない。

水のイオン化における化学平衡

最も基本的な例である純粋な水だけからなる系を考える。この場合も,

$$H_2O + H_2O \rightleftarrows H_3O^+ + OH^- \tag{9.89}$$

というイオン化の化学反応がおきている[45]。水 H_2O, オキソニウムイオン (oxonium ion) H_3O^+, 水酸化物イオン (hydroxide ion) OH^- の物質量をそれぞれ, $N_{H_2O}, N_{H_3O^+}, N_{OH^-}$ のように書き, それらをまとめて $\mathbf{N} = (N_{H_2O}, N_{H_3O^+}, N_{OH^-})$ と書く。もちろん, H_2O を溶媒, 二種類のイオンを溶質として扱う。また, それぞれの物質 (イオン) の活量 ((9.39), (9.40) 参照) を $a_{H_2O}(T,p;\mathbf{N}), a_{H_3O^+}(T,p;\mathbf{N}), a_{OH^-}(T,p;\mathbf{N})$ と書こう。すると化学平衡の条件 (9.80) は

$$\frac{a_{H_3O^+}(T,p;\mathbf{N})\, a_{OH^-}(T,p;\mathbf{N})}{\{a_{H_2O}(T,p;\mathbf{N})\}^2} = K_W(T,p) \tag{9.90}$$

となる。後の便利のために平衡定数に W という添字をつけておいた。

9-2 節 (特に脚注 12) で注意したように, われわれは希薄溶液の極限で, 溶質の活量 a_i と分率 x_i が等しくなる活量の定義を採用した。しかし, 水溶液の問題を扱う際は, 溶質について, 希薄溶液の極限で, 単位体積あたりの物質量 (モル濃度) $\tilde{x}_i$ と等しくなる活量 $\tilde{a}_i$ を用いることが多い。ここでも, この慣習に従う。少しの間, 一般論に戻って, 物質量 $N_1, N_2, \ldots, N_m$ の系で, 物質 1 を H_2O とし, すべての $i \neq 1$ について $N_i/N_1 \to 0$ となる極限を考える。この極限では, 溶液全体の体積と物質量は, 水の体積と物質量そのものだとしてよい。よって, $i \neq 1$ について, モル濃度は[46],

$$\tilde{x}_i = \frac{N_i}{V} = \frac{N_i\, n_W(T,p)}{N_1} = n_W(T,p)\, x_i \tag{9.91}$$

のように分率 $x_i = N_i/N_1$ と関係づけられる。ここで, $n_W(T,p) = N_1/V$ は純粋な水の単位体積あたりの物質量で, 室温常圧では $n_W(T,p) \simeq 55.56$ mol/L である。(9.91) にそのままならって, 新しい基準での活量を

$$\tilde{a}_i(T,p;\mathbf{N}) = n_W(T,p)\, a_i(T,p;\mathbf{N}) \tag{9.92}$$

---

[45] 水溶液中では, 純粋な H^+ イオン (陽子) が単独で存在することはなく, 水分子と結合して主として H_3O^+ というイオンを形成していると考えられている。本書では水溶液中の H^+ を含むイオンは H_3O^+ だということにして話を進める。なお, このような事情を考慮した上で, 上の反応を単に $H_2O \rightleftarrows H^+ + OH^-$ のように表記することもある。その場合には分率 x_{H^+} や活量 a_{H^+} も実際には H_3O^+ の分率や活量を指していると理解すべきである。

[46] これまでチルダ (~) は主としてつり合いや平衡での値を指すのに用いてきたが, この節では, モル濃度を用いた表示での量を表すのに用いる。

9-8 水溶液中の化学平衡

と定義する[47]。

新しく定義した活量を用いると、平衡の条件 (9.90) は、

$$\frac{\tilde{a}_{H_3O^+}(T,p;\mathbf{N})\,\tilde{a}_{OH^-}(T,p;\mathbf{N})}{\{a_{H_2O}(T,p;\mathbf{N})\}^2} = K_W(T,p)\{n_W(T,p)\}^2 = \widetilde{K}_W(T,p) \tag{9.93}$$

となる。1 気圧、25°C では、$\widetilde{K}_W(T,p) \simeq 1.008 \times 10^{-14}$ mol^2/L^2 である。無次元の量に戻すと、$K_W(T,p) \sim 10^{-18}$ である。このように $K_W(T,p)$ が小さいということは、水はわずかにしかイオン化せず、分母の $a_{H_2O}(T,p;\mathbf{N})$ は 1 に極めて近いことを意味する。そこで、これを 1 と近似すれば[48]、上の条件は、

$$\tilde{a}_{H_3O^+}(T,p;\mathbf{N})\,\tilde{a}_{OH^-}(T,p;\mathbf{N}) = \widetilde{K}_W(T,p) \tag{9.94}$$

となる。平衡条件のこのような表現を念頭において、$\widetilde{K}_W(T,p)$ を水の**イオン積** (ionic product) と呼ぶ。

反応進行度 ξ を定義するために、$\xi = 0$ で、系は水がいっさいイオン化していない(仮想的な)状況

$$N_{H_2O} = N, \quad N_{H_3O^+} = N_{OH^-} = 0 \tag{9.95}$$

にあったとする。反応 (9.89) が右向きに反応進行度 ξ だけ進むと、各々の物質の量は、

$$N_{H_2O} = N - 2\xi, \quad N_{H_3O^+} = N_{OH^-} = \xi \tag{9.96}$$

になる。上で述べたように、常温、常圧で、平衡にある系は H_3O^+ と OH^- の希薄溶液だとしてよい。すると、活量 $\tilde{a}$ はモル濃度で近似できるので、$\tilde{y} = \xi/V$ を使って、$\tilde{a}_{H_3O^+}(T,p;\mathbf{N}) \simeq \tilde{a}_{OH^-}(T,p;\mathbf{N}) \simeq N_{OH^-}/V = \tilde{y}$ とできる。これを (9.94) に代入すると、$\tilde{y}^2 \simeq \widetilde{K}_W(T,p)$ が得られ、結局

$$\tilde{y} \simeq \sqrt{\widetilde{K}_W(T,p)} \tag{9.97}$$

のように反応進行度が求められる。1 気圧、25°C では $\widetilde{K}_W(T,p) \simeq 1.008 \times 10^{-14}$ mol^2/L^2 なので、$\tilde{y} \simeq 1.004 \times 10^{-7}$ mol/L となる。オキソニウム

---

[47] これは、新しい量の定義ではなく、水の物質量をはかる単位を mol から L に変えただけだと解釈することもできる。しかし、$n_W(T,p)$ という自明でない量が関与するのだから、kg を g に変えるほど単純な話ではない。新しい活量を用いれば、(9.40) の関係は $\mu_i(T,p) = \tilde{\mu}_i^*(T,p) + RT\log\tilde{a}_i(T,p;\mathbf{N})$ となる。ただし $\tilde{\mu}_i^*(T,p) = \mu_i^*(T,p) - RT\log n_W(T,p)$ である。

[48] もちろん、1 からのわずかなずれはあるが、それを取り入れても、化学平衡についての最終的な結果に高次の補正が入るだけである。

イオンの活量を表すのに，

$$\mathrm{pH}(T,p;\mathbf{N}) = -\log_{10}\{\tilde{a}_{\mathrm{H_3O^+}}(T,p;\mathbf{N})\cdot(\mathrm{L/mol})\} \quad (9.98)$$

と定義する[49] pH という量[50] を用いる[51]。常圧，室温の水の場合，上の結果から，$\mathrm{pH} \simeq -\log_{10}\{\tilde{y}\cdot(\mathrm{L/mol})\} \simeq -\log_{10}(1.004\times 10^{-7}) \simeq 7.00$ となり，よく知られている中性の pH は 7 という結果を得る。

酸の水溶液における化学平衡

次に，水の中に HCl, HF, HCN などの酸をわずかに溶かすことを考える。話を一般的にするために酸を HA と書く。酸は水の中でイオン化の反応

$$\mathrm{HA} + \mathrm{H_2O} \rightleftarrows \mathrm{A^-} + \mathrm{H_3O^+} \quad (9.99)$$

を起こす。酸 HA と塩基 $\mathrm{A^-}$ の物質量と活量を，それぞれ，N_{HA}，$a_{\mathrm{HA}}(T,p;\mathbf{N})$ および $N_{\mathrm{A^-}}$，$a_{\mathrm{A^-}}(T,p;\mathbf{N})$ と書こう。この系が化学平衡に達すると，(9.90) の他に，

$$\frac{a_{\mathrm{A^-}}(T,p;\mathbf{N})\,a_{\mathrm{H_3O^+}}(T,p;\mathbf{N})}{a_{\mathrm{HA}}(T,p;\mathbf{N})\,a_{\mathrm{H_2O}}(T,p;\mathbf{N})} = K_{\mathrm{a}}(T,p) \quad (9.100)$$

という条件が成り立つ。ここでも (9.92) の活量 $\tilde{a}$ を用い，溶液が希薄だと仮定して，$a_{\mathrm{H_2O}}(T,p;\mathbf{N}) \simeq 1$ を用いて (9.100) を書き直すと，

$$\frac{\tilde{a}_{\mathrm{A^-}}(T,p;\mathbf{N})\,\tilde{a}_{\mathrm{H_3O^+}}(T,p;\mathbf{N})}{\tilde{a}_{\mathrm{HA}}(T,p;\mathbf{N})} = \widetilde{K}_{\mathrm{a}}(T,p) \quad (9.101)$$

となる。$\widetilde{K}_{\mathrm{a}}(T,p) = n_{\mathrm{W}}(T,p)\,K_{\mathrm{a}}(T,p)$ である。9-6 節の最後で述べたように，(9.94) と (9.101) の二つの平衡の条件を連立させて解けば（少なくとも原理的には）平衡での系の組成が一意に決まる。

今度は，反応進行度が 0 の仮想的な状態での物質量を，

$$N_{\mathrm{H_2O}} = N - M, \quad N_{\mathrm{HA}} = M, \quad N_{\mathrm{H_3O^+}} = N_{\mathrm{OH^-}} = N_{\mathrm{A^-}} = 0 \quad (9.102)$$

---

[49] 活量 $\tilde{a}_{\mathrm{H_3O^+}}$ を mol/L の単位ではかり，その数値の対数をとるという計算である。(9.98) では，log の引数を無次元化し単位を合わせるために，L/mol をかけた。現代の感覚からすると，少し違和感のある定義ではある。（p は $-\log_{10}$ という演算子と考えればよい。）

[50] かつては「ペーハー」とよんだが，今日では，英語で「ピーエッチ」とよむようだ。

[51] この節の冒頭で述べたように，pH の定義には，単一のイオンの活量が含まれているから，この量がどのような意味で定義されているかは，実はデリケートな問題である。本書では踏み込んだ議論はしないが，電気化学を本格的に学びたい読者は，その事実を心に留めておくべきだろう。今日では，pH は電気化学的な方法で測定するのが標準的である。たとえばガラス電極と基準電極の間の起電力を，pH の基準溶液での値と比較するといった手法が取られる [13]。

9-8 水溶液中の化学平衡

とする。N, M は定数であり、$\tilde{m} = M/V$ が（溶液を調製する際の）酸のモル濃度である。水と酸のイオン化の反応 (9.89) と (9.99) の反応進行度をそれぞれ ξ, η とすると、反応後の物質量は、

$$N_{\mathrm{H_2O}} = N - M - 2\xi - \eta, \quad N_{\mathrm{HA}} = M - \eta, \quad N_{\mathrm{H_3O^+}} = \xi + \eta,$$
$$N_{\mathrm{OH^-}} = \xi, \quad N_{\mathrm{A^-}} = \eta \tag{9.103}$$

となる。これを体積 V で割ればモル濃度が求められる。$\tilde{y} = \xi/V$, $\tilde{z} = \eta/V$, $\tilde{m} = M/V$ として、

$$\tilde{x}_{\mathrm{HA}} = \tilde{m} - \tilde{z}, \quad \tilde{x}_{\mathrm{H_3O^+}} = \tilde{y} + \tilde{z}, \quad \tilde{x}_{\mathrm{OH^-}} = \tilde{y}, \quad \tilde{x}_{\mathrm{A^-}} = \tilde{z} \tag{9.104}$$

である。水のイオン化についての平衡条件 (9.94) に希薄溶液の近似 $\tilde{a}_i(T, p; \mathbf{N}) \simeq \tilde{x}_i$ と (9.104) のモル濃度を代入すれば、

$$(\tilde{y} + \tilde{z})\tilde{y} \simeq \widetilde{K}_{\mathrm{W}}(T, p) \tag{9.105}$$

となる。つまり $\tilde{x}_{\mathrm{H_3O^+}} \tilde{x}_{\mathrm{OH^-}} \simeq \widetilde{K}_{\mathrm{W}}(T, p)$ が成り立つということであり、希薄溶液中では、$\mathrm{H_3O^+}$ と $\mathrm{OH^-}$ のモル濃度の積が一定値をとることがわかる。酸のイオン化についての平衡条件 (9.101) からは、

$$\frac{\tilde{z}(\tilde{y} + \tilde{z})}{\tilde{m} - \tilde{z}} \simeq \widetilde{K}_{\mathrm{a}}(T, p) \tag{9.106}$$

を得る。初めに溶かす酸のモル濃度 $\tilde{m}$ と平衡定数 $\widetilde{K}_{\mathrm{W}}(T, p)$, $\widetilde{K}_{\mathrm{a}}(T, p)$ が数値として与えられれば、(9.105) と (9.106) を連立させて（数値的に）解くのは容易である。

酢酸 $\mathrm{CH_3COOH}$ のような弱酸 (weak acid) と呼ばれる酸では、平衡定数 $\widetilde{K}_{\mathrm{a}}(T, p)$ が非常に小さいので、酸はほとんどイオン化せず、$\tilde{m} \gg \tilde{z}$ が成り立つ[52]。その場合、(9.106) で $\tilde{m} - \tilde{z} \simeq \tilde{m}$ として、連立方程式

$$(\tilde{y} + \tilde{z})\tilde{y} \simeq \widetilde{K}_{\mathrm{W}}(T, p), \quad \frac{\tilde{z}(\tilde{y} + \tilde{z})}{\tilde{m}} \simeq \widetilde{K}_{\mathrm{a}}(T, p) \tag{9.107}$$

を解けばよい。それは簡単で

$$\tilde{y} = \frac{\widetilde{K}_{\mathrm{W}}(T, p)}{\sqrt{\widetilde{K}_{\mathrm{W}}(T, p) + \tilde{m}\widetilde{K}_{\mathrm{a}}(T, p)}}, \quad \tilde{z} = \frac{\tilde{m}\widetilde{K}_{\mathrm{a}}(T, p)}{\sqrt{\widetilde{K}_{\mathrm{W}}(T, p) + \tilde{m}\widetilde{K}_{\mathrm{a}}(T, p)}} \tag{9.108}$$

という解が得られる[53]。よって希薄な弱酸の水溶液の pH は、

---

[52] 逆に、塩酸 HCl のような強酸 (strong acid) では、$\widetilde{K}_{\mathrm{a}}(T, p)$ が非常に大きいので $\tilde{z} \simeq \tilde{m}$ が成り立つ。
[53] $\tilde{y}, \tilde{z}$ が負になる解もあるが、もちろんそれは非現実的である。

$$\begin{aligned}\mathrm{pH}(T,p;\mathbf{N}) &= -\log_{10}\{\tilde{a}_{\mathrm{H_3O^+}}(T,p;\mathbf{N})\cdot(\mathrm{L/mol})\}\\ &\simeq -\log_{10}\{(\tilde{y}+\tilde{z})\cdot(\mathrm{L/mol})\}\\ &\simeq -\log_{10}\{\sqrt{\widetilde{K}_{\mathrm{W}}(T,p)+\tilde{m}\widetilde{K}_{\mathrm{a}}(T,p)}\cdot(\mathrm{L/mol})\} \quad (9.109)\end{aligned}$$

と計算できる[54]。

たとえば室温常圧の HCN 溶液では $\widetilde{K}_{\mathrm{a}}(T,p)\simeq 4.9\times 10^{-10}$ mol/L である。よってモル濃度 $\tilde{m}=0.1$ mol/L の溶液の pH は,

$$\begin{aligned}\mathrm{pH}(T,p;\mathbf{N}) &\simeq -\log_{10}\left\{\sqrt{\widetilde{K}_{\mathrm{W}}(T,p)+\tilde{m}\widetilde{K}_{\mathrm{a}}(T,p)}\cdot(\mathrm{L/mol})\right\}\\ &\simeq -\frac{1}{2}\log_{10}(0.1\times 4.9\times 10^{-10})\simeq 5 \quad (9.110)\end{aligned}$$

と計算できる。

　これまで,物質の濃度が低ければ活量 $\tilde{a}_i(T,p;\mathbf{N})$ をモル濃度 $\tilde{x}_i$ で近似できるとしてきたが,イオン水溶液の場合には,これには注意が必要である[55]。この節の冒頭でも述べたように,イオンの水溶液では,陽イオンと陰イオンの間の Coulomb 力の効果が重要になる。イオンの水溶液は,どんなに希薄であっても,真の意味での希薄溶液としては取り扱えないのだ。経験的には,イオンのモル濃度が非常に小さい (およそ 10^{-3} mol/L 以下) なら $\tilde{a}_i(T,p;\mathbf{N})\simeq \tilde{x}_i$ の近似が使えることが知られている[56]。

9-9　濃淡電池の熱力学

　イオン化をともなう化学反応の重要な例として,化学電池の問題を取り上げる。この本の範囲では,日常でお馴染みの実用的な電池について十分な解析を行なうことはできない。ここでは,電池の原理がもっとも鮮明になる**濃淡電池** (concentration cell) を取り上げる。

---

[54] 実用的には,$\widetilde{K}_{\mathrm{W}}\ll \tilde{m}\widetilde{K}_{\mathrm{a}}$ が成立することが多いので,この表式はさらに $\mathrm{pH}(T,p;\mathbf{N})\simeq -\log_{10}\{\sqrt{\tilde{m}\widetilde{K}_{\mathrm{a}}(T,p)}\cdot(\mathrm{L/mol})\}$ と近似できる。この結果だけを導くためなら,もともと水のイオン化反応 (9.89) を無視して酸のイオン化 (9.99) だけが生じるとすれば十分である。ここで両方の反応を取り入れた解析を行なったのは,極めて希薄な弱酸の溶液にも適用できる一般的な表式を得るためだけではなく,複数の反応が絡み合う場合の取り扱いの例を示すためでもあった。

[55] 化学平衡の条件などの一般的な関係については,何の問題もない。

[56] それ以上の濃度になると Debye-Huckel の近似式など他の表式を用いる必要がある。電気化学に詳しい教科書を参照 [10, 12, 13]。

9-9 濃淡電池の熱力学　　　　　　　　　　　　　　　　　　　　　　　　211

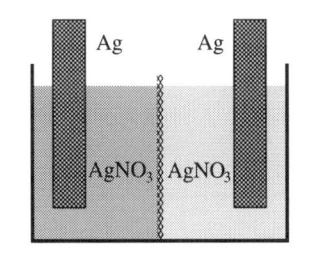

図 9.6　Ag 電極と AgNO$_3$ 水溶液を用いた濃淡電池。左側の水溶液が右側よりも濃度が高い。二つの水溶液は，NO$_3^-$ イオンだけを透過させる半透壁でしきられている。左側の電極が陽極になる。

濃淡電池の働き

図 9.6 に，濃淡電池の一例を示した。金属塩 MA の濃度の異なった二つの水溶液を，A$^-$ のイオンだけを自由に透過させる半透壁でしきり，各々の溶液に金属 M の電極を差し込む。水溶液中では，MA は完全にイオン化し，M$^+$ と A$^-$ になっているとし，H$_2$O のイオン化は無視してよいとする。図の例では，M = Ag, A = NO$_3$ である。この装置が温度 T，圧力 p の環境にある。

電極がない状況での平衡状態について考えてみよう。まず，通常の壁でしきられた容器があり，左側には濃度の高い MA 水溶液，右側には濃度の低い MA 水溶液が入っている。左右の容器での A$^-$ イオンの化学ポテンシャルを，それぞれ，$\mu_{A^-}^L$，$\mu_{A^-}^R$ と書く。濃度が高い方が化学ポテンシャルが大きいのが自然だから，$\mu_{A^-}^L > \mu_{A^-}^R$ としよう。ここで，左右を仕切る壁を，A$^-$ だけを透過させる半透壁に置き換える。平衡状態では，A$^-$ について化学ポテンシャルのつり合いの条件 (9.23) が成り立つべきだから，A$^-$ は濃度の高い左側から濃度の低い右側に向かって移動する。もし移動するのが電気的に中性な物質なら，かなり多くの物質の移動が生じ，最終的には，左右の溶液はそれぞれ一様で，左右の化学ポテンシャルが等しい状況が実現されるだろう。その際，9-3 節で見たように，左右の溶液の間に浸透圧が生じる。ところが，移動する物質 A$^-$ が電荷を帯びていると，状況は異なってくる。A$^-$ が半透壁をとおって移動すると，それに伴って右側の水溶液は全体としてごくわずかに負に帯電し，左側の水溶液もわずかに正に帯電する。正負の電荷は強く引き合うので，結局，溶液の濃度は

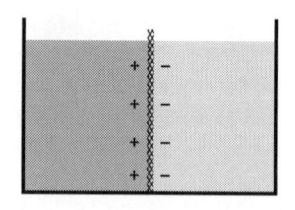

図 9.7 半透壁を通して A^- イオンが移動すると，半透壁の左側には A^- の濃度が相対的に低い正に帯電した薄い層が作られ，右側には A^- の濃度が相対的に高い負に帯電した薄い層が作られる。しかし，溶液内部の組成は実質的には変化しない。壁の両側には電位差（膜電位）が発生する。

一様にならず，図 9.7 のように，半透壁の左側に局所的に A^- の濃度が低くなる薄い層が，右側に局所的に A^- の濃度が高くなる薄い層が作られ，これらの間で，A^- の化学ポテンシャルのバランスが達成される。この過程での A^- の移動は，半透壁のごく近傍の層状の領域でのみ生じ，移動する A^- の量は化学分析では決して検出できないほど微量である。よって，溶液の内部の組成は変化しないとしてよい。観測できるような浸透圧も発生しない。また，溶液内部の組成が一様な領域に電場はなく，そこでの電位は一定である[57]。

図 9.7 からも明らかなように，この平衡状態では，半透壁の左右の水溶液の内部の間に電位差が生じる。このように二つの水溶液を仕切る壁の両側に発生する電位差を，一般に**膜電位** (membrane potential) と呼ぶ。ただし，この例のように組成の異なる二つの水溶液があるとき，それらの間の電位差（つまり膜電位）を**電気化学的な手段で直接測定することはできない**[58] ことを注意しておく。同種の電極をそれぞれの溶液に挿入し，電極間の電位差を測定すればいいように思えるが，そのときには水溶液中の二つの電極の表面の状況が異なるので，望んでいる膜電位の測定はできな

---

[57] これは，平衡状態では，導体の内部に電場がなく電位が一定になるという静電気学の一般的な事実の現れである。

[58] これは，単一のイオンの化学ポテンシャルが直接測定できないこととも深く関わっている。形式的に計算した膜電位の表式 (9.129) を見よ。なお，この事実は，はじめに Gibbs が指摘し，後に Guggenheim が強調した [12]。もちろん，電位差という概念は，電場を通じて明確に定義されているし，原理的には，不活性な電荷を液体の内部まで運ぶ際の仕事を通じて測定可能である。

9-9 濃淡電池の熱力学

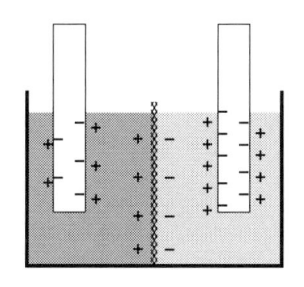

図 9.8 電極間に電流を流さないときの平衡状態の模式図。半透壁の周囲の状況は，図 9.7 と同じ。それぞれの電極で $Ag \to Ag^+ + e^-$ というイオン化の反応がおきる。しばらくすると，電極が Ag^+ のイオンにおおわれるので，反応が停止する。左右の電極で，溶けだす Ag の量が異なるので，電極間に電位差が生じ得る。水溶液中ではイオンが自由に移動するために静電遮蔽がおきて，半透壁と電極の近傍以外では電場はゼロになる。電極の間の空間には有限の電場が作られる。

い[59]。実際，これから計算する電極間の電位差 (9.123), (9.131) と膜電位 (9.129) は異なっている。

次に，左右の水溶液に電極を挿入し，電極に導線をつながない状況で何が生じるかを見てみよう。電極と水溶液が接するところでは，電極の金属 M がイオン化する反応

$$M \to M^+ + e^- \tag{9.111}$$

が生じる。ここで金属イオン M^+ は水溶液中に流れ出し，電子 e^- は電極に残る。この場合にも，正負の電荷は引き合うから，溶液中の M^+ イオンは図 9.8 のように電極の周辺に集中する。電極が十分に M^+ イオンにおおわれると，局所的に M^+ イオンの濃度が高くなり，電極と（電極のまわりの）溶液との平衡が達成される。ここでも，溶液内部の組成は変化しないとしてよい。

二つの金属塩の溶液の濃度に差があるから，このように反応が停止するまでの間に左右の電極から溶けだした M^+ イオンの量に差が生じるだろう。直観的に明らかなように，薄い溶液で囲まれた右の電極から，より多

---

[59] そのために，**基準電極** (reference electrode) や塩橋を用いた測定法があるが，それらについては，電気化学の教科書 [13] を見よ。

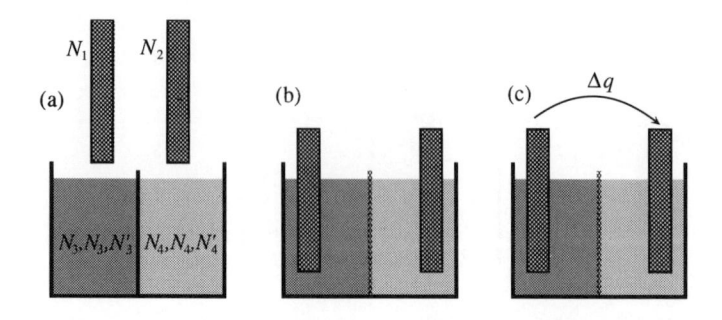

図 9.9 (a) 必要な材料がすべてばらばらにあるときの Gibbs の自由エネルギーを $G^{(0)}$, (b) 電池に電流を流さずに平衡に達した状況での Gibbs の自由エネルギーを $G^{(1)}$, そして, (c) 左の電極から右の電極へ微小な電荷 Δq が移動した後の平衡状態での Gibbs の自由エネルギーを $G^{(2)}$ とする。$G^{(1)}$ と $G^{(2)}$ の差をみることで, 電池の起電力が評価できる。

くの M^+ イオンが溶けだす。よって右の電極により多くの電子がたまることになるので, 左右の電極の間に電位差が生じる。電子の少ない左の電極はプラス極になり, 右の電極がマイナス極になりそうだ[60]。このときも, 溶液の内部では, 電場はなく, 電位は一定である。

図 9.8 のような平衡状態において, 二つの電極の間の電位差を求めよう。以下では, 物質の移動に着目した比較的直観的な方法と, 電気化学ポテンシャルを用いるより洗練された方法の二つを述べる。

起電力の計算 —— Gibbs の自由エネルギーの差に注目する方法

一つ目の方法では, いくつかの状況での系の Gibbs の自由エネルギーに着目する。まず, 図 9.9 (a) のように二つの溶液が通常の壁でしきられ, 電極が溶液に入っていない状況での Gibbs の自由エネルギー $G^{(0)}$ を求めよう。これは, 左右の電極と左右の溶液という四つの独立な系の Gibbs の自由エネルギーの単純な和である。左右の電極の金属 M の物質量を, それぞれ N_1, N_2 とする。電極は M だけからできているとしているので, そ

---

[60] もちろん半透壁の両側に生じた電位差とのかねあいがあるので, この結論は必ずしも正しくはない。いずれにせよ, これから何の仮定も設けずに電極の間の電位差を計算する。問題 9.5 も参照。

9-9 濃淡電池の熱力学

の Gibbs の自由エネルギーは，それぞれ

$$G_1 = N_1 \mu_M, \quad G_2 = N_2 \mu_M \qquad (9.112)$$

である。ここで，$\mu_M = \mu_M(T,p)$ はこの温度と圧力における純粋な M の化学ポテンシャルである。左側の水溶液では，M^+ イオンと A^- イオンの物質量が等しいので，それを N_3 とし，H_2O の物質量を N_3' とする。Gibbs の自由エネルギーについての Euler の関係式 (9.18) を使って，左側の溶液全体の Gibbs の自由エネルギーは，

$$G_3 = G[T, p; N_3, N_3, N_3'] = N_3 \mu_{M^+}^L + N_3 \mu_{A^-}^L + N_3' \mu_{H_2O}^L \qquad (9.113)$$

のように書ける。ただし，$\mu_{M^+}^L = \mu_{M^+}(T, p; N_3, N_3, N_3')$，$\mu_{A^-}^L = \mu_{A^-}(T, p; N_3, N_3, N_3')$，$\mu_{H_2O}^L = \mu_{H_2O}(T, p; N_3, N_3, N_3')$ は，この組成の溶液における M^+, A^-, H_2O の化学ポテンシャルである。右側の溶液についても，同様に，

$$G_4 = N_4 \mu_{M^+}^R + N_4 \mu_{A^-}^R + N_4' \mu_{H_2O}^R \qquad (9.114)$$

とできる。こうして，図 9.9 (a) のように「材料だけを集めた」状況での全系の Gibbs の自由エネルギーは，

$$\begin{aligned} G^{(0)} &= G_1 + G_2 + G_3 + G_4 \\ &= (N_1 + N_2)\mu_M + N_3(\mu_{M^+}^L + \mu_{A^-}^L) + N_4(\mu_{M^+}^R + \mu_{A^-}^R) + G_{H_2O} \end{aligned}$$
$$(9.115)$$

となる。ここで H_2O からの寄与を G_{H_2O} としてまとめた。

次に，図 9.9 (b) のように，二つの溶液のしきりを半透壁にし，電極をそれぞれの溶液に挿入し，系が平衡に達した状況での Gibbs の自由エネルギー $G^{(1)}$ を考える。すでに考察したように，半透壁を介しての A^- イオンの移動や，金属のイオン化の反応は，壁や電極の近傍の組成だけに変化をもたらす。これによって生じる Gibbs の自由エネルギーの変化を δG とする。δG は壁や電極表面での物質の分布の詳細に依存する量で，一般的に計算することはできないが，それは問題にならない。この状況での全系の Gibbs の自由エネルギーは，

$$G^{(1)} = G^{(0)} + \delta G \qquad (9.116)$$

である。

ここで二つの電極の間に電圧計を接続し，電位差を測定することを考える。電位差の測定とは，たとえば図 9.9 (c) のように，左の電極から右の電極へ，微小な電荷 $\Delta q > 0$ をゆっくり移動させ，その際に外界に取り出されるエネルギー（仕事） ΔW を測定することである。静電気学で学んだように，電位差 $\mathcal{E}$ は，

$$\mathcal{E} = \frac{\Delta W}{\Delta q} \tag{9.117}$$

で与えられる。

われわれが考察している濃淡電池で，電荷が移動すると何がおこるだろうか。左の電極から右の電極に $\Delta q > 0$ の電荷が移動するということは，実際には，対応する量の電子が右の電極から左の電極に移動することである。左右の電極の電子の濃度がわずかずつ変化するので，それぞれの電極の周囲で達成されていた静電気的なバランスが崩れる。左の電極では電子が過剰になるので，$M^+ + e^- \to M$ という反応が生じ金属が電極に析出し，右の電極では電子が不足するので $M \to M^+ + e^-$ というイオン化がさらに進む。これらの二つの反応は移動した電荷 Δq をちょうど相殺するように生じる。よって電荷が Δq だけ移動する間の反応進行度の変化は，Faraday 定数 $F \simeq 9.6485 \times 10^4$ C/mol を用いて $\Delta \xi = \Delta q / F$ と書ける。つまり，電池という化学反応系においては，**外界から電荷の移動を制御してやれば，反応進行度が制御できるのだ**[61]）。

それでは，Δq の電荷が移動した後での全系の Gibbs の自由エネルギー $G^{(2)}$ を求めよう。上の考察から明らかなように，左右の電極での M の物質量は[62]），

$$N_1 \to N_1 + \Delta \xi, \quad N_2 \to N_2 - \Delta \xi \tag{9.118}$$

のように変化する。金属イオン M^+ は半透壁を通って移動しないから，上の変化にともなって左右の溶液中の M^+ の物質量は，

$$N_3 \to N_3 - \Delta \xi, \quad N_4 \to N_4 + \Delta \xi \tag{9.119}$$

のように変化する。もし溶液中の M^+ イオンの量だけが変化すると，全

---

[61]）ここでは，電荷を移動させて電池からエネルギーを取り出す操作（放電）を考察したが，外界から仕事をして電荷を逆向きに移動させ，電池にエネルギーを蓄える「充電」の操作も可能である。

[62]）正確にいえば，図 9.9 の (a) から (b) に移行するときにそれぞれの電極から M が溶けだしたことを反映して，電荷が移動する直前のそれぞれの電極での M の物質量は，N_1, N_2 ではない。ここでいいたいのは，電荷の移動の際にこれらの量は $\Delta \xi$ だけ変化するということである。同じことは，次の (9.119) についてもいえる。

9-9 濃淡電池の熱力学

体の静電気的バランスが崩れてしまう。実際は，それを補うように同量の A^- が半透壁を介して移動し，（半透壁と電極の近傍以外では）溶液は電気的に中性に保たれる。よって，左右の溶液中の A^- の物質量も (9.119) に従って変化する。こうして，Δq の電荷が移動した後での Gibbs の自由エネルギーは，

$$G^{(2)} = \{(N_1 + \Delta\xi) + (N_2 - \Delta\xi)\}\mu_M + (N_3 - \Delta\xi)(\mu_{M^+}^L + \mu_{A^-}^L)$$
$$+ (N_4 + \Delta\xi)(\mu_{M^+}^R + \mu_{A^-}^R) + G_{H_2O} + \delta G \quad (9.120)$$

と評価できる。ここで電荷の移動の際の $\mu_{M^+}^L, \mu_{A^-}^L, \mu_{M^+}^R, \mu_{A^-}^R, G_{H_2O}, \delta G$ の変化は無視できると仮定した[63]。

電荷の移動の際に外界に取り出すことのできる仕事の最大値は，(9.69) のように Gibbs の自由エネルギーの差で与えられる。ここで (9.116) と (9.120) より

$$\Delta W_{max} = G^{(1)} - G^{(2)} = \Delta\xi\{(\mu_{M^+}^L + \mu_{A^-}^L) - (\mu_{M^+}^R + \mu_{A^-}^R)\} \quad (9.121)$$

となる。ここで電荷の移動の操作を準静的に行なうとすると[64]，外界に取り出される仕事 ΔW は最大仕事 ΔW_{max} に等しい。すると (9.117) と (9.121) より，起電力は

$$\mathcal{E} = \frac{\Delta W_{max}}{\Delta q} = \frac{\Delta W_{max}}{F\Delta\xi} = \frac{(\mu_{M^+}^L + \mu_{A^-}^L) - (\mu_{M^+}^R + \mu_{A^-}^R)}{F} \quad (9.122)$$

のように左右の溶液の化学ポテンシャルの差で表されることがわかる[65]。**化学ポテンシャル（の差）という多分に抽象的な量を，電圧測定という直接的な手段で決定できる**ことになる。これは，電池の熱力学の際だった特徴である。

化学ポテンシャルを (9.40) のように活量によって表すと，電池の起電力は，

---

[63] これは移動する電荷 Δq が十分に小さいとしたときにのみ許される仮定である。多くの電荷が移動すれば，左右の溶液の濃度は変化し，これらの量も変わってくる。特に，電池からエネルギーを取り出していけば，二つの溶液の濃度の差は小さくなり，電池の起電力も小さくなる。

[64] そのためには，ほとんど電流を流さずに電圧を測定する必要がある。かつてはそのために色々の工夫をしたそうだが，今日では，デジタル電圧計を用いることで，実質的に電流を流さない電圧測定を簡単に実現することができる。放電と充電が準静操作として実現できる電池を可逆電池と呼ぶことがある。

[65] 9-8 節の冒頭で述べたように陽イオンと陰イオンの化学ポテンシャルが和の形で現れている。

$$\mathcal{E} = \frac{RT}{F} \log \frac{a_{\mathrm{M}^+}(T,p;N_3,N_3,N_3')\, a_{\mathrm{A}^-}(T,p;N_3,N_3,N_3')}{a_{\mathrm{M}^+}(T,p;N_4,N_4,N_4')\, a_{\mathrm{A}^-}(T,p;N_4,N_4,N_4')} \tag{9.123}$$

と書ける。特に $N_3' \gg N_3$, $N_4' \gg N_4$ で, 金属塩溶液が希薄溶液として扱える場合, 左右の溶液での M^+ と A^- の分率 $x_{\mathrm{L}} = N_3/(N_3' + 2N_3) \simeq N_3/N_3'$, $x_{\mathrm{R}} = N_4/(N_4' + 2N_4) \simeq N_4/N_4'$ を使って, 起電力 (9.123) は,

$$\mathcal{E} \simeq 2\frac{RT}{F} \log \frac{x_{\mathrm{L}}}{x_{\mathrm{R}}} \tag{9.124}$$

と表すことができる。たとえば, 左側の溶液の濃度が右側の 10 倍 ($x_{\mathrm{L}}/x_{\mathrm{R}} = 10$) なら, 室温での希薄濃淡電池の起電力は,

$$\mathcal{E} \simeq 2\frac{RT}{F} \log 10 \simeq 118 \mathrm{mV} \tag{9.125}$$

と評価できる[66]。

電気化学ポテンシャル

電池の起電力のもう一つの導出の準備として, 電気化学ポテンシャルについて簡単に述べる。3 次元空間の位置を $\mathbf{r}$ と表す。電位 $\varphi(\mathbf{r})$ で記述される電場がある空間に, 電荷 q の物体がある。物体の広がりの範囲内で, 電位 $\varphi(\mathbf{r})$ はあまり変化しないとする。静電気学で学んだように, この物体を位置 $\mathbf{r}_1$ から $\mathbf{r}_2$ まで移動する際に物体が外界 (操作を行なう相手) に対して行なう仕事は[67],

$$W_{\mathrm{el}} = q\{\varphi(\mathbf{r}_1) - \varphi(\mathbf{r}_2)\} \tag{9.126}$$

である。この物体が熱力学的な系であるとする。一定の温度 T, 圧力 p のもとで, 系を上のように移動したとき外界に (9.126) だけの仕事が行なわれることと, Gibbs の自由エネルギーと仕事の関係 (9.69) を照らし合わせれば, この系の Gibbs の自由エネルギーに電位の効果を表す $q\varphi(\mathbf{r})$ という項が含まれているべきだとわかる。よって, これまで扱ってきた Gibbs の自由エネルギーは電場が 0 の場合の自由エネルギーだと考えるべきであり, 電場のある状況では, それに $q\varphi(\mathbf{r})$ を加えたものを新たに Gibbs の自由エネルギーとみなす必要がある。もしこの系が単一の物質 (イオン) からなるのであれば, これに対応して, 化学ポテンシャル $\mu(T,p) = G[T,p;N]/N$ には $zF\varphi(\mathbf{r})$ という項を足すことになる。ここで z はイオンの価数であ

---

[66] $25°\mathrm{C}$ では $RT/F \simeq 25.7\mathrm{mV}$ である。これは, 電気化学では大切な数値である。
[67] 電荷の受ける力を表す (力学の) ポテンシャルは $V(\mathbf{r}) = q\varphi(\mathbf{r})$ だから, これは (3.6) そのものである。

り，$zF = q/N$ は単位物質量あたりの電荷である．以下では，このように電位の効果を加味した化学ポテンシャルを $\tilde{\mu} = \mu + zF\varphi(\mathbf{r})$ という記号で表し，**電気化学ポテンシャル** (electrochemical potential) と呼ぶ．これまでのように物質の移動だけを考えてきた（$\varphi = 0$ の場合の）化学ポテンシャルを μ と書く．以下で見るように，電場のある状況では，電気化学ポテンシャル $\tilde{\mu}$ が物理的に意味のある化学ポテンシャルである．

一般に，何種類かの物質があり，かつ系の中での $\varphi(\mathbf{r})$ の変化を無視できない場合，電気化学ポテンシャルを，

$$\tilde{\mu}_{i,\mathbf{r}}(T,p;\mathbf{n}(\mathbf{r})) = \mu_i(T,p;\mathbf{n}(\mathbf{r})) + z_i F \varphi(\mathbf{r}) \tag{9.127}$$

と定義する．ここで，z_i は物質 i の価数である[68]．また $\mathbf{n} = \mathbf{N}/V = (N_1/V,\ldots,N_m/V)$ は単位体積あたりの物質量である．これからは，溶液の組成が連続的に変化する場合も扱う必要があるので，（示強性を考慮して）化学ポテンシャルを $\mathbf{n}$ の関数として表し，さらに $\mathbf{n}$ が位置 $\mathbf{r}$ に依存する自由度をもたせた．T, p が一定の環境下の，電場が存在する領域で，電荷をもった物質のつり合いをこれまでのように考察すると，当然予想されるように，新しく (9.127) で定義した電気化学ポテンシャル $\tilde{\mu}_{i,\mathbf{r}}$ が等しいことがつり合いの条件だとわかる．この拡張されたつり合いの条件は，平衡電気化学の基礎になる．

起電力の計算 ── 電気化学ポテンシャルを用いる方法

濃淡電池の電位差を，電気化学ポテンシャルとつり合いの条件を用いて求めよう．半透壁で仕切られた濃度差のある水溶液に電極を挿入した図 9.8 の状況では，半透壁や電極の近傍では，物質の濃度も電位も一定ではないことを見た．しかし，このような領域でも，物質のやりとりのつり合いは成立しているので，電気化学ポテンシャル $\tilde{\mu}_{i,\mathbf{r}}$ は一定値をとる[69]．

この考察だけから，問題は簡単に解けてしまう．左右の電極の電位をそれぞれ φ_1, φ_2 とし，左右の水溶液の内部の電位をそれぞれ φ_3, φ_4 とする．左右の溶液は A^- イオンを透過させる半透壁でしきられているから，A^- の化学ポテンシャルは左右の溶液全体を通じて一定値をとる．

---

[68] Euler の関係式 (9.18) によりこの場合の Gibbs の自由エネルギーは (9.126) の仕事を正しく再現することがわかる．
[69] この領域を，さらに，組成も電位も一様とみなすことができるような微小な領域に分割し，それらの間でのつり合いの条件を考えれば，この事実が示される．

(9.127) より，左の溶液の内部では $\tilde{\mu}_{A-} = \mu_{A-}^L - F\varphi_3$，右の溶液の内部では $\tilde{\mu}_{A-} = \mu_{A-}^R - F\varphi_4$ だから，これらを等しいとおけば，

$$\mu_{A-}^L - F\varphi_3 = \mu_{A-}^R - F\varphi_4 \tag{9.128}$$

となる．よって，

$$\varphi_3 - \varphi_4 = \frac{\mu_{A-}^L - \mu_{A-}^R}{F} = \frac{RT}{F} \log \frac{a_{A-}(T, p; N_3, N_3, N_3')}{a_{A-}(T, p; N_4, N_4, N_4')} \tag{9.129}$$

が，左右の溶液の内部の電位差（膜電位）である[70]．同様に，電極とそれに接する水溶液の M^+ の化学ポテンシャルが等しいことから，

$$\mu_{M^+}^{\text{metal}} + F\varphi_1 = \mu_{M^+}^L + F\varphi_3, \quad \mu_{M^+}^{\text{metal}} + F\varphi_2 = \mu_{M^+}^R + F\varphi_4 \tag{9.130}$$

が成り立つ．ただし，$\mu_{M^+}^{\text{metal}}$ は，純粋な金属中での M^+ の（電位が 0 のときの）化学ポテンシャルである．(9.129) と (9.130) を合わせれば，

$$\begin{aligned}\varphi_1 - \varphi_2 &= \frac{\mu_{M^+}^L - \mu_{M^+}^R}{F} + (\varphi_3 - \varphi_4) \\ &= \frac{(\mu_{M^+}^L + \mu_{A-}^L) - (\mu_{M^+}^R + \mu_{A-}^R)}{F}\end{aligned} \tag{9.131}$$

となり (9.122) と同じ結果が直ちに得られる．

演習問題 9.

9.1 (9-1 節) つり合いの条件 (9.6) を導け．m 成分系の二つの状態を用意し，まず通常の壁でしきっておく．壁を物質 1 のみを透過する半透壁で置き換えた際の自発的な変化について，7-4 節と類似した考察を行ない，基本の不等式を導くのがよい．

9.2 (9-1 節，9-2 節) 問題 7.2 にならって，Gibbs-Duhem の関係式 (7.62) を多成分系に拡張せよ．Helmholtz の自由エネルギーを用いた導出と，Gibbs の自由エネルギーを用いた導出の両方を試みよ．そこから得られる多成分系ならではの関係を論じよ．

9.3 (9-3 節) 希薄溶液の浸透圧の表式 (9.48) を，$T, V, \mathbf{N}$ の表示で Helmholtz の自由エネルギーの近似式 (9.12) を用いて示せ．かなり面倒な計算だが，浸透圧の生じる状況で何がおきているかがよくわかる．

---

[70] ただし，前の脚注 58) とそれに対応する本文を参照．

演習問題 9.

計算の方針は以下のとおり。まず，(9.12) から $(T; V, N)$ 表示での希薄溶液の圧力と化学ポテンシャルの近似式を求めておく。平衡での物質 1 の物質量を

$$\widetilde{N}_1 = \frac{V}{V+V'}N_1^{\text{tot}} - M, \quad \widetilde{N}_1' = \frac{V'}{V+V'}N_1^{\text{tot}} + M \tag{9.132}$$

とする。明らかに $N_2 = 0$ では，$M = 0$ が解である。M は物質 2 と物質 1 の相互作用のために移動した物質 1 の量である。よって，M/N_1^{tot} は微小と考えられる。左右の容器での化学ポテンシャル μ_1 を評価する。この際，希薄溶液の近似を用いるとともに M/N_1^{tot} についても 1 次まで展開する。左の容器の化学ポテンシャルは，

$$\begin{aligned}
&\mu_1(T; V, \frac{V}{V+V'}N_1^{\text{tot}} - M, N_2) \\
&\simeq \mu_1(T; V, \frac{V}{V+V'}N_1^{\text{tot}} - M) + \frac{VN_2}{[\{V/(V+V')\}N_1^{\text{tot}} - M]^2} s(T; \frac{V+V'}{N_1^{\text{tot}}}) \\
&\simeq \mu_1(T; \frac{V+V'}{N_1^{\text{tot}}}, 1 - \frac{V+V'}{VN_1^{\text{tot}}}M) + \frac{(V+V')^2 N_2}{V(N_1^{\text{tot}})^2} s(T; \frac{V+V'}{N_1^{\text{tot}}}) \\
&\simeq \mu_1(T; \frac{V+V'}{N_1^{\text{tot}}}, 1) - M\frac{V+V'}{VN_1^{\text{tot}}}\left.\frac{\partial}{\partial n}\mu_1(T; \frac{V+V'}{N_1^{\text{tot}}}, n)\right|_{n=1} \\
&\quad + \frac{(V+V')^2 N_2}{V(N_1^{\text{tot}})^2} s(T, \frac{V+V'}{N_1^{\text{tot}}})
\end{aligned} \tag{9.133}$$

と評価できる。ここで，s は未知関数 w_2 の導関数である。化学ポテンシャルの示強性を使った。右の容器の μ_1 についても同様の評価を行ない，これらが等しいことから，物質 1 の移動量 M を純粋な物質 1 の化学ポテンシャルと未知関数 s を使って表す。物質の移動量には際だった普遍性はない。理想気体なら，物質 1 は移動しないので，これは明らかだろう。次に左右の容器の圧力を同様に評価し，その差から浸透圧の表式を作り，ここでも M/N_1^{tot} について 1 次まで展開する。これも決してきれいな表式にはならない。ここに，上で求めた M の形を代入し，さらに (7.61) の二つ目の関係を使うと，いくつかの項が打ち消し合って，求める (9.48) が得られる。

9.4 (9-6 節) 温度一定の環境で体積一定の容器内で化学反応が進行する場合の化学平衡の条件を求めよ。特に理想気体の系について，化学平衡の条件を具体的に書き表せ。

9.5 (9-9 節) 本文で考察した濃淡電池で，二つの水溶液のしきりを M^+ イオンだけを透過させる半透壁にすると，電池の起電力が 0 になることを示せ。本文で示した二つの方法をどちらも試みよ。

10. 強磁性体の熱力学

　この章では，流体系を離れ，物性物理学の主要テーマの一つである強磁性体の相転移と臨界現象の問題を，熱力学の観点から議論する．強磁性体においても熱力学の構造は基本的には流体系と等価であり，いくつかの対応関係を明らかにすれば，これまでの蓄積をそのまま用いることができる[1]．強磁性体の相転移と臨界現象について述べた後，Landau の擬似自由エネルギーを用いる方法を議論する．この理論については混乱が見られるので，基本的なアイディアと理論の構造を詳しく解説する．最後に，臨界現象のスケーリング仮説について述べる．この章は，これまでの章に比べてやや専門的であることを断っておく．

10-1　強磁性体の扱い

　強磁性体の熱力学を，流体系との対応を明確にしながら，形式的に導入する．物質量 N の強磁性体がある．この磁性体は固体であり，簡単のため，その密度は温度によらず一定とする．鉄のかたまり，あるいは，適当な永久磁石を思い浮かべればよい．系の体積は常に一定なので，この章では体積 V をあらわに書かないことにする．強磁性体ならではの新しい示量変数は，**磁化** (magnetization) M である[2]．磁化 M は実数値を取る変数で，磁性体全体の磁気モーメントを表す[3]．直観的にいえば，磁性体が

---

[1] この章を読むために必要なのは，第 8 章までの知識である．第 9 章の知識は用いない．
[2] 単位物質量あたりの磁化 $m = M/N$ を単に磁化と呼ぶことも多い．
[3] 磁気モーメントは元来ベクトル量である．ここでは，扱いを簡単にするため，一軸異方性の強い（つまり，特定の軸に沿って磁化しやすい）磁性体を考え，磁化を実数とした．磁化をベクトル量としても，ほとんど同様に扱うことができる．

10-1 強磁性体の扱い

「どの程度磁石になっているか」を示す指標である。

熱力学の立場からは，**磁化 M が流体系の体積 V に相当する役割を果たす基本的な示量変数**である。よって，系の状態は，$(T; M, N)$ のように三つの変数の組で表すことができる。流体系の場合と同様，最大仕事を通して Helmholtz の自由エネルギー $F[T; M, N]$ が求められたとして議論を進める[4]。流体系の場合と同様，$F[T; M, N]$ は示量性と相加性をもち，(7.30) の形の変分原理の不等式を満足する。$F[T; V, N]$ の V 微分から流体の圧力が求められるという (3.31) に対応して，

$$\frac{\partial F[T; M, N]}{\partial M} = H(T; M, N) \tag{10.1}$$

という関係がある。流体系の体積を変化させる際に外界が感じる「手応え」が圧力なのと同じように，$H(T; M, N)$ は磁化を変化させる際の「手応え」である。電磁気学的なエネルギーについての考察から，この $H(T; M, N)$ は磁性体がおかれている空間に存在する一様な磁場の大きさであることがわかる[5]。圧力の定義 (3.31) と磁場の式 (10.1) を見比べれば，**流体系の圧力（の符号を変えたもの）$-p$ と強磁性体の磁場 H が対応している**ことが見てとれる。圧力の体積依存性についての結果 7.1 と同様に，Helmholtz の自由エネルギーの凸性から，$H(T; M, N)$ は M の非減少関数であることがいえる。$F[T; M, N]$ の微分を，(7.12) のように微分形式の言葉で表すと，

$$dF = -S\,dT + H\,dM \tag{10.2}$$

となる[6]。

外部磁場を $H(T; M, N)$ のように書くということは，磁性体の磁化が M だという事実を知って，そのとき系に磁場 $H(T; M, N)$ がかかっているは

---

[4]実は，この段階での流体とのアナロジーには問題がある。すぐ後の脚注 7 を参照。

[5]導出は問題 10.1 で行なう。(10.1) は，CGS 単位系で成立する式である。MKSA 単位系では，この M を $J = \mu_0 M$（磁気分極）で置き換えた式が成立する（$\mu_0 = 4\pi \times 10^{-7}$ は真空の透磁率）。電磁気学の記述には MKSA 単位系を一貫して使うのが望ましいが，熱力学の様々な関係式に μ_0 が現れるのは煩雑なので，ここでは (10.1) の書き方を用いる。単位系に注意を払いたい場合は，一貫して M を J に置き換えればよい。また，ここでは磁性体の磁化がつくる反磁場の効果は無視しているが，実用的な磁石になるような強磁性体では反磁場の効果は重要である。

[6]流体系との形式的な対応を考えると，右辺には $\mu\,dN$ のように N による微分を表す項をつけ加えるべきだ。しかし，磁性体では多成分系に相当するものを考えることがないので，化学ポテンシャルに実質的な意味はない。よって磁性体の扱いでは N を変化させる可能性は考慮しないのが慣例である。

ずだという発想をしていることになる.しかし,現実の実験の状況を考えると,まず磁場 H を外界から制御し,それに応じて磁化が決まるという方が自然である.これは,流体でいえば,圧力 p が制御パラメータである状況に対応している[7].そこで,流体系の Gibbs の自由エネルギーの定義 (8.2) にならって,

$$G[T, H; N] = \min_M \{F[T; M, N] - HM\} \tag{10.3}$$

により磁性体の Gibbs の自由エネルギーを定義する[8].示量性から,単位物質量あたりの Gibbs の自由エネルギー

$$g(T, H) = \frac{G[T, H; N]}{N} \tag{10.4}$$

は T と H のみの関数である.微分については,(8.13) と同じように計算して,(8.15) に対応する

$$M(T, H; N) = -\frac{\partial G[T, H; N]}{\partial H} \tag{10.5}$$

が得られる.T, H の関数としての磁化 M は必ずしも連続関数ではない.温度についての微分と合わせて,微分形式で表せば,

$$dG = -S\, dT - M\, dH \tag{10.6}$$

となる[9].

10-2　相転移と臨界現象

磁化 $M(T, H; N)$ は示量的なので,単位物質量あたりの磁化

---

[7] 流体系の場合には,V を制御する状況(把っ手のついたピストン)と p を制御する状況(おもりをのせたピストン)の両方が実現可能だった.ところが,現実の磁性体では,H を制御する状況は簡単に作り出せるが,M を直接に制御する状況はあり得ない.これによって,流体の熱力学と磁性体の熱力学とのアナロジーは完全でなくなる.(半透壁がない場合の多成分系の扱いにも同様の問題がある.)われわれは,この問題に深入りせず,少なくとも理論のレベルでは,磁性体の熱力学を流体との完全なアナロジーで展開できるものとして話を進めていく.

[8] ここで,磁性体の体積 V もあからさまに変数として書くことにすると,この G は,T, H, N と V の関数になる.これを,T, V, N という熱力学の基本的な変数に,新たなパラメーター H がつけ加わったものと解釈するなら,ここでの G は,むしろ Helmholtz の自由エネルギーと考えられる.流体で発達した熱力学の概念を他の系に拡張する際,自由エネルギーの命名法にはいくつかの流儀が可能であり,どれが論理的だといった基準はない.実際,統計物理学の文献では,ここでいう $G[T, H; N]$ を $F[T, H; N]$ と表記する($F[T, H; V, N]$ の V を省略したものとみなす)のが一般的である.

[9] 磁性体の Gibbs の自由エネルギーの具体例として,問題 10.2, 10.3 を見よ.

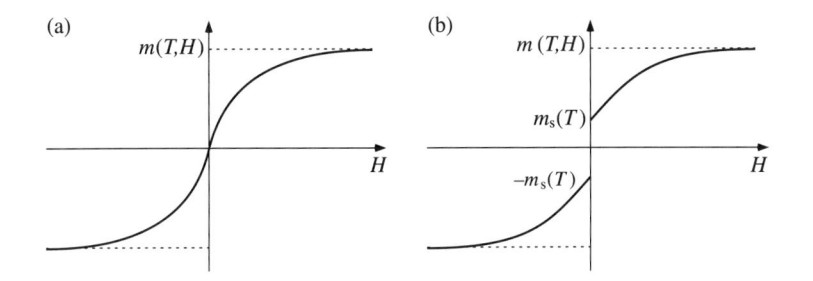

図 10.1 強磁性体の磁化曲線。温度 T を固定し，磁場 H の関数としての磁化 $m(T,H)$ のふるまいを描いた。(a) 温度が $T > T_c$ を満たすとき，$m(T,H)$ は H のなめらかな増加関数である。(b) 温度が $T < T_c$ を満たすとき，$m(T,H)$ は $H = 0$ で不連続なとびを示す。いずれの場合にも，$H \to \pm\infty$ で，磁化は飽和磁化と呼ばれる物質固有の定数に近づく。

$$m(T,H) = \frac{M(T,H;N)}{N} = -\frac{\partial g(T,H)}{\partial H} \tag{10.7}$$

は T と H だけの関数である。以下では，簡単のために $m(T,H)$ を磁化と呼び，そのふるまいを議論する。

強磁性体の相転移

図 10.1 は，典型的な強磁性体での磁化 $m(T,H)$ の H 依存性を示した磁化曲線である。温度 T が十分高いとき，$m(T,H)$ は (a) のように H のなめらかな増加関数になり，特に $H = 0$ での磁化は 0 である。つまり，外部磁場がなければ，磁性体は磁石にはならない。このようなとき，系は **常磁性** (paramagnetism) を示すという。これに対して，温度 T が十分に低いとき，磁化曲線は (b) のように $H = 0$ で不連続性を示す。磁場が 0 のときの磁化の値は，

$$\lim_{H \searrow 0} m(T,H) = m_s(T) > 0, \quad \lim_{H \nearrow 0} m(T,H) = -m_s(T) < 0 \tag{10.8}$$

のように，磁場を正の側から 0 に近づけるか，負の側から 0 に近づけるかで，異なってくる[10]。ここで，$m_s(T)$ は（単位物質量あたりの）**自発磁**

---

[10] 現実の系では，磁場を正の値から減少させていくと，たとえ磁場が負になっても（磁場の絶対値が小さい間は）正の磁化がみられるという履歴現象が観測される。これは準安定状態の一種である。7-5 節の最後（特に脚注 21）で述べたように，ここで提示する（通常の）熱力学

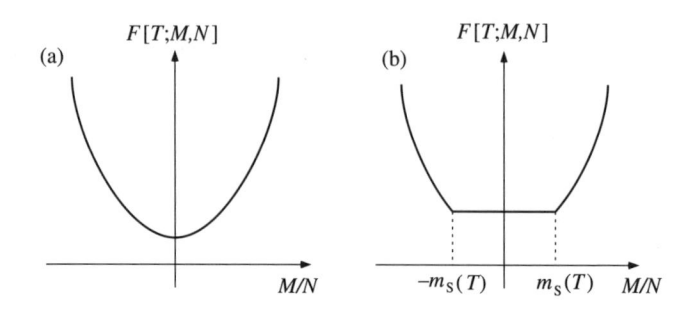

図 10.2 (a) 常磁性と (b) 強磁性を示す温度での Helmholtz の自由エネルギー $F[T; M, N]$ の M/N の関数としてのふるまい。Helmholtz の自由エネルギーのグラフに「平らな底」が現れるのが, 強磁性相の特徴である。

化 (spontaneous magnetization) と呼ばれる重要な量である[11]。自発磁化が 0 でないときは, たとえ外部磁場がなくても, 系は有限の磁化を示し得る。磁性体は永久磁石としてふるまうのである。このようなとき, 系は**強磁性** (ferromagnetism) を示すという。強磁性体では, 高温での常磁性相と低温での強磁性相の間の相転移が見られるのである。

図 10.1 を横倒しにしてみれば, M/N の関数としての磁場 $H(T; M, N)$ のふるまいがわかる。それと Helmholtz の自由エネルギーを決める (10.1) の関係を合わせて, $F[T; M, N]$ のふるまいの大まかな様子を知ることができる。系が常磁性を示し, 磁化が図 10.1 (a) のようにふるまう温度では, $H(T; M, N)$ は M/N のなめらかな増加関数である。よって $F[T; M, N]$ は図 10.2 (a) のように $M/N = 0$ のみで最小値をとる下に凸な関数になる。系が強磁性を示し, 磁化が図 10.1 (b) のようにふるまう温度では, $-m_\mathrm{s}(T) \leq M/N \leq m_\mathrm{s}(T)$ の範囲で $H(T; M, N)$ は常に 0 である。よって $F[T; M, N]$ は図 10.2 (b) のように, 同じ範囲で一定値を取ることになる。このときも, $F[T; M, N]$ は M/N の下に凸な関数であることに注意しよう。このように, M/N の関数としての $F[T; M, N]$ のグラフに「平

の体系ではこのような準安定状態は記述できない。この先の脚注 20, 21 を参照。

[11] $H = 0$ での磁化は, 一般に $-m_\mathrm{s}(T)$ と $m_\mathrm{s}(T)$ の間の任意の値を取る。これは, 流体系で, 液相と気相が共存する際に, T と p を一定にしても, 系の体積が $v_\mathrm{L}(T)N$ と $v_\mathrm{G}(T)N$ の間の任意の値を取ることと完全に対応している。

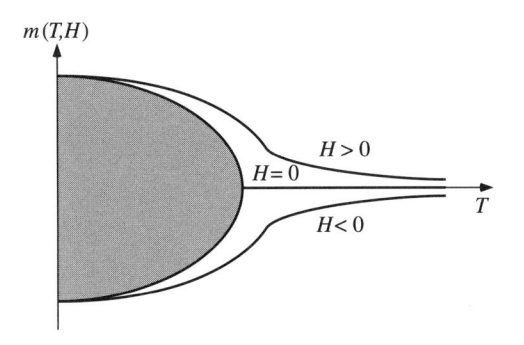

図 10.3 磁場 H を正，負，ゼロに固定したときの T の関数としての磁化 $m(T,H)$ のふるまいを描いた。$H=0$ のとき，$T<T_c$ では m の値は定まらず，灰色の領域の任意の値をとる。この領域の境界は $\pm m_s(T)$ のグラフになっている。

らな底」が現れることが，自発磁化が出現したしるしである。

臨界点と臨界現象

系が強磁性を示すか，常磁性を示すかの境界の温度を**臨界温度** (critical temperature) と呼び T_c と書く。臨界温度を境に，磁場を 0 にする極限での磁化のふるまいは，

$$\lim_{H \searrow 0} m(T,H) = \begin{cases} 0, & T \geq T_c \\ m_s(T) > 0, & T < T_c \end{cases} \tag{10.9}$$

のように変化する。

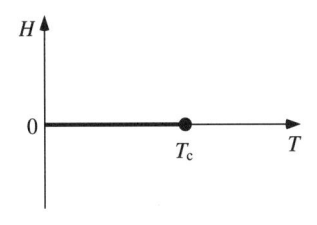

図 10.4 T-H 平面に表した典型的な強磁性体の相図。原点 $(0,0)$ と臨界点 $(T_c, 0)$ を結ぶ実線を横切る際にのみ磁化が不連続に変化する。

磁場 H を一定に保って、温度 T を変化させたときの磁化 $m(T,H)$ のふるまいを図 10.3 に示した。$H = 0$ で、$T > T_c$ なら $m(T,0) = 0$ であり、$T < T_c$ なら $m(T,0)$ は灰色の領域の中の任意の値を取る。$H \neq 0$ のときは、$m(T,H)$ は T のなめらかな関数になる。この場合には明確な相転移はなく、強磁性相と常磁性相の明確な区別もない。よって T-H 平面上に表した相図は図 10.4 のようになる。$(0,0)$ と $(T_c,0)$ を結ぶ直線を横切ると、磁化は不連続に変化する。ここで、この線がとぎれる $(T_c,0)$ を**臨界点** (critical point) と呼ぶ。この相図は、図 7.7 (a) の液体と気体の相図とよく似ている。10-4 節の最後に述べるように、両者の間には見た目の類似性をはるかに越える深い対応関係がある。

臨界点 $(T_c,0)$ の近辺で、強磁性体は**臨界現象** (critical phenomena) と総称される様々な特異なふるまいを示すことが知られている。たとえば、自発磁化 $m_s(T)$ は、$T \nearrow T_c$ のとき（つまり、温度 T が臨界温度 T_c に低温側から近づくとき）、

$$m_s(T) \approx (T_c - T)^\beta \tag{10.10}$$

のように独特のべき的なふるまいを見せる[12]。ここに現れた定数 β は**臨界指数** (critical exponents) の一つであり、臨界現象を定量的に特徴づける重要な量である。他にも、磁場が 0 で $T \to T_c$ となるときの**磁化率**[13] (magnetic susceptibility) $\chi(T)$ の発散[14]

$$\chi(T) = \left.\frac{\partial m(T,H)}{\partial H}\right|_{H=0} \approx |T - T_c|^{-\gamma} \tag{10.11}$$

および（磁場 0 での）比熱の発散

$$c(T) = -\frac{T}{N}\frac{\partial^2 G[T,0;N]}{\partial T^2} = -T\frac{\partial^2 g(T,0)}{\partial T^2} \approx |T - T_c|^{-\alpha} \tag{10.12}$$

なども見られる。この比熱は、流体系でいえば定圧比熱に相当する。(8.23) を参照。定数 γ, α も臨界指数である。

---

[12] 「$x \to 0$ のとき $f(x) \approx x^a$」というのは、$f(x)$ の示す特異性が x^a と同程度という意味である。より正確には、正の定数 C, C' があって、十分小さい x について $Cx^a \le f(x) \le C'x^a$ が成り立つということ。

[13] 系に磁場をかけたとき「どれくらい素直に磁石になるか」を表す指標である。

[14] より正確には、$T \searrow T_c$ のとき $\chi(T) \approx (T - T_c)^{-\gamma}$、$T \nearrow T_c$ のとき $\chi(T) \approx (T_c - T)^{-\gamma'}$ により二つの臨界指数 γ, γ' を定義する。多くの系で $\gamma = \gamma'$ が成り立つので、ここでは簡単のため (10.11) のように書いた。次の α の定義についても同様。

10-3 Landau の擬似自由エネルギー

相転移と臨界現象を理論的に扱うための標準的手法である Landau の擬似自由エネルギーの方法を議論しよう．これは，簡単な形をした現象論的な（擬似）自由エネルギーを用いる半定量的な方法であり，かなり粗雑な近似だが，現象の理解のためには見通しがよい．そのため，物性物理から宇宙論まで，広い分野の問題にこの方法が応用されている．熱力学で古典的な van der Waals による実在流体の理論も，同じタイプの近似とみなすことができる．問題 3.4, 7.8 を見よ．ここでは Landau の擬似自由エネルギーの位置づけを明確にし，文献にときに見られる混乱を解消することにも努める．

Landau の擬似自由エネルギーの導入

温度が十分に高く，かつ磁化が十分に小さいとき，磁化 M と磁場 H は

$$H(T; M, N) \simeq \frac{ATM}{N} \tag{10.13}$$

のような比例関係にあることが経験的に知られている．定数 A の値は物質によって異なるが，(10.13) の比例関係は，強磁性体に限らずほとんどすべての磁性体において普遍的に成立する．これを Curie の法則と呼ぶ[15]．Helmholtz の自由エネルギーの微分についての (10.1) を思い出し，(10.13) を積分すると，

$$F[T; M, N] = Nf_0(T) + \frac{ATM^2}{2N} = N\left\{ f_0(T) + \frac{AT}{2}\left(\frac{M}{N}\right)^2 \right\} \tag{10.14}$$

となる（問題 10.3 を参照）．$f_0(T)$ は (10.13) からは決まらない未知関数だが，T について上に凸で，なめらかな関数と仮定する．ここまでは，流体でいえばちょうど理想気体に対応するような，常磁性だけを示す系を扱ったことになる．

このままでは相転移現象は見られないので，(10.14) に最小限の修正を施して相転移のある系を作り出してみよう．その際，実験等を直接に参照するのでなく，理論的にもっとも単純で自然な拡張をさがすという方針で進むことにする．一つ目の修正で，新しい定数 T_c を用いて AT という項を $A(T - T_c)$ に置き換える．後で見るように，これによって T_c で磁化

---

[15] 通常は，$\chi(T) \propto T^{-1}$ と表現する．

率が発散するようになる．さらに，磁化が大きくなりすぎないよう，自由エネルギーに $(M/N)^4$ に比例する項をつけ加えるのが二つ目の修正である[16]．こうして得られる

$$\widetilde{F}[T;M,N] = N\left\{f_0(T) + \frac{A(T-T_c)}{2}\left(\frac{M}{N}\right)^2 + \frac{B}{4}\left(\frac{M}{N}\right)^4\right\} \quad (10.15)$$

が Landau の擬似自由エネルギー (pseudo free energy) である．A, B, T_c は正の定数であり，$f_0(T)$ は T のなめらかで上に凸な関数である．

温度が高く，磁化が小さいとき，Landau の擬似自由エネルギー (10.15) は Curie の法則に基づいた自由エネルギー (10.14) とほぼ一致する．$T > T_c$ では $\widetilde{F}[T;M,N]$ は M について下に凸だが，$T < T_c$ では下に凸でないことに注意しよう．これは，健全な熱力学的な系が満たすべき変分原理の不等式と矛盾する．つまり，$\widetilde{F}[T;M,N]$ は**熱力学的な系の Helmholtz の自由エネルギーではあり得ない**．そこで，$\widetilde{F}[T;M,N]$ を擬似自由エネルギーと呼ぶ[17]．

たとえ $\widetilde{F}[T;M,N]$ が下に凸でなくても，(10.3) にならって定義した

$$\begin{aligned}G[T,H;N] &= \min_M\left\{\widetilde{F}[T;M,N] - HM\right\} \\ &= N\left\{f_0(T) + \min_m\left(\frac{A(T-T_c)}{2}m^2 + \frac{B}{4}m^4 - Hm\right)\right\}\end{aligned} \quad (10.16)$$

は，T, H について上に凸で，連続であることが証明できる（問題 8.5 を参照）．よって，これは健全な熱力学的な系の Gibbs の自由エネルギーとみなすことができる．これを逆変換して作った

$$F[T;M,N] = \max_H\{G[T,H;N] + HM\} \quad (10.17)$$

---

[16] 一般に (M/N) の偶関数を Taylor 展開すれば必ずこのような項が現れるだろうという発想である．Landau 理論によって現実の系の臨界指数は再現できないという事実（10-4 節参照）は，この一見もっともらしい仮定が必ずしも成立しないことを示している．この点を深く考察することが現代的な臨界現象の理論の一つの出発点になったのだが，それは熱力学からは大きく逸脱するテーマである．

[17] 統計物理学を専門的に学んだ読者への注：強磁性体をモデル化したスピン系において，相関距離と同程度の大きさの系の自由エネルギー（有効ハミルトニアン）が $\widetilde{F}[T;M,N]$ に近いふるまいを示すという議論がある．確かに，Ising 型の対称性をもつ系については，このような対応が正当化される可能性はある．しかし，たとえば，長距離秩序をもたないことがわかっている 2 次元の連続対称性をもったスピン系について考えると，このような対応は自明とはほど遠いことがわかる．

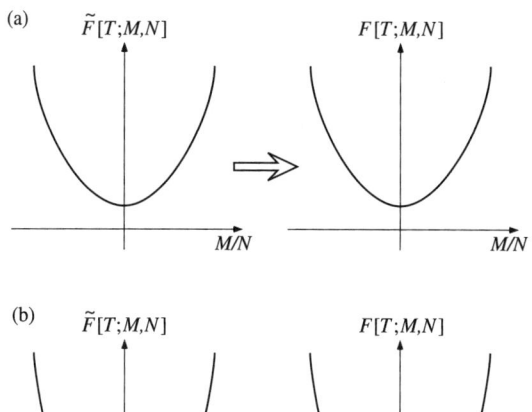

10-3 Landau の擬似自由エネルギー

図 10.5 Landau の擬似自由エネルギー $\widetilde{F}[T; M, N]$ に 2 回 Legendre 変換を施すことで，M について下に凸な「健全な」(10.17) の自由エネルギー $F[T; M, N]$ が得られる。(a) $T > T_c$ では $\widetilde{F}[T; M, N]$ がすでに下に凸なので，$F[T; M, N]$ は $\widetilde{F}[T; M, N]$ に等しい。(b) $T < T_c$ では $\widetilde{F}[T; M, N]$ のグラフの下端 2 カ所に接するような水平な線を引き，$\widetilde{F}[T; M, N]$ のグラフからこの線で切り取られた部分を取り除いて線分に置き換えたものが (10.17) の $F[T; M, N]$ のグラフになる。自発磁化の出現のしるしである「平らな底」が現れた。

が (M について下に凸な) 健全な Helmholtz の自由エネルギーである。図 10.5 (a) のように $\widetilde{F}[T; M, N]$ そのものが M について下に凸なら，$F[T; M, N] = \widetilde{F}[T; M, N]$ である。他方，図 10.5 (b) のように $\widetilde{F}[T; M, N]$ が下に凸でないとき，$\widetilde{F}[T; M, N]$ のグラフの中で下に凸でない部分を「平らな底」で置き換えたものが $F[T; M, N]$ になる[18]。よって，$F[T; M, N]$ のグラフは図 10.2 のふるまいを再現する[19]。

---

[18] これは，第 8 章で説明した作図法から示せる。数学的な詳細については付録 H を参照。
[19] 問題 7.8 では，van der Waals 型の擬似自由エネルギーについて同様の変換を行なった。

Landau の擬似自由エネルギーで記述される系の解析

これからは，(10.16) の Gibbs の自由エネルギーをもつ磁性体が存在すると仮定して，その性質を調べていこう．これは熱力学の一般論ではないし，具体的な系の実験結果に基づいた解析でもない．もっとも単純な（熱力学的）モデルを通じて，相転移と臨界現象を理論的に理解しようという近似的な現象論の試みである．結果を先取りしていうと，このような解析によって相転移と臨界現象の定性的な特徴は的確にとらえられるが，臨界現象に関わる微妙で定量的な性質は再現できない．後者の点については，次の 10-4 節を参照．

定量的な解析に入る前に，(10.16) での最小値がどのように実現されるかを定性的に見ておこう．温度を $T > T_c$ に固定すれば，$\widetilde{F}[T; M, N]$ は図 10.6 の (a) のような $M = 0$ で最小値を取る関数である．このとき，$\widetilde{F}[T; M, N] - HM$ は，$H > 0$ のとき (b) のように正の M で最小値をとり，$H < 0$ のとき (c) のように負の M で最小値をとる．他方，温度を $T < T_c$ に固定すれば，$\widetilde{F}[T; M, N]$ は図 10.7 の (a) のように正負の二つの M の値で最小値をとる．これに対応する $H > 0$ と $H < 0$ での $\widetilde{F}[T; M, N] - HM$ の最小値は，それぞれ (b) と (c) のようになる[20]．

図 10.6 と図 10.7 のグラフに描かれている $\widetilde{G}(T, H; M, N) = \widetilde{F}[T; M, N] - HM$ という関数を Landau の（擬似）自由エネルギーと呼ぶこともある．$\widetilde{G}(T, H; M, N)$ は，H と M という独立に制御できない変数の双方の関数になっている．明らかに，これは，物理的に意味のある量ではない．$\widetilde{G}(T, H; M, N) = \widetilde{F}[T; M, N] - HM$ は，あくまでも Landau の近似理論の範囲内で，しかも，(10.16) という表式で最小値の記号の中に現れるときにのみ意味をもつと考えるべきだ[21]．

それでは，(10.16) に従って Gibbs の自由エネルギー $G[T, H; N]$ を求めて，磁化 $m(T, H)$ のふるまいを議論しよう．(10.16) に現れる最小値は，

---

[20] 図 10.7 の (b), (c) に，最小値でない極小値が現れる．このような点が準安定状態を記述するのではないかという議論が行なわれることが少なくない．このような議論にもある程度の意味があるだろうが，次の脚注 21 でも述べるように，このグラフに描かれた関数の物理的な意味は乏しい．準安定状態へのこのような「理論的」アプローチをあまり真面目に受け取るべきでない．問題 7.6 のような状況とは本質的な違いがある．

[21] 統計物理学において，ある種の平均場近似を行なうと，$\widetilde{G}(T, H; M, N)$ に相当する関数が計算できることがある．しかし，これは近似の産物にすぎず，この関数に高級な意味づけがなされるわけではない．$\widetilde{G}(T, H; M, N)$ は $\min_M$ の中でだけ意味をもつという上の注意は，統計物理学的での近似計算の際にもあてはまる．脚注 17 も参照．

10-3 Landau の擬似自由エネルギー

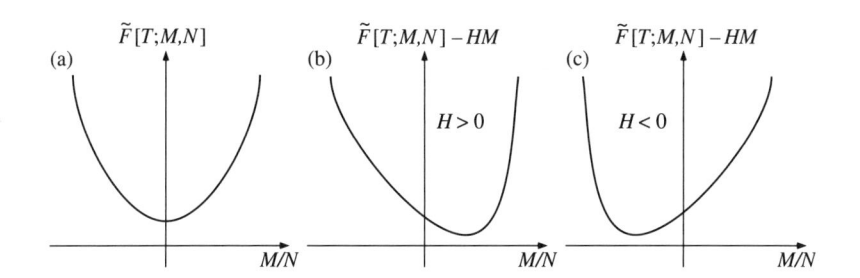

図 10.6 (a) は $T > T_c$ での Landau の擬似自由エネルギー $\widetilde{F}[T; M, N]$ の M/N の関数としてのふるまい。(b), (c) は，$H > 0$, $H < 0$ での対応する $\widetilde{F}[T; M, N] - HM$ の様子。$\widetilde{F}[T; M, N] - HM$ の最小値が $G[T, H; N]$ であり，最小値を与える M の値が系の磁化である。

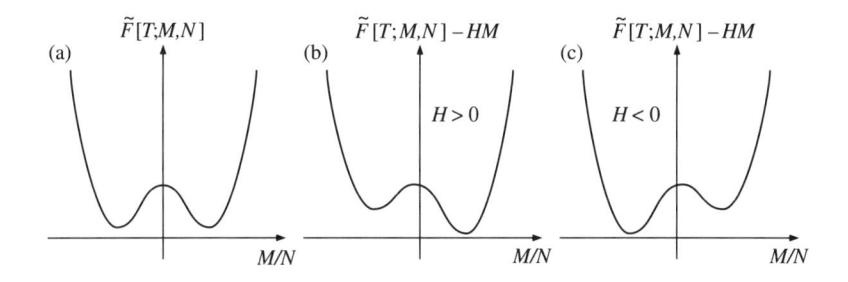

図 10.7 $T < T_c$ での図 10.6 に対応するグラフ。

min の中身を m で微分して 0 に等しいとおいた

$$A(T - T_c)m + Bm^3 - H = 0 \tag{10.18}$$

という条件を満たす m において得られる。固定した T と H について (10.18) を満たし，(10.16) で最小値を実現する m の値を $m_0(T, H)$ とする。(10.16) より

$$\begin{aligned}&G[T, H; N] \\ &= N\left\{f_0(T) + \frac{A(T - T_c)}{2}m_0(T, H)^2 + \frac{B}{4}m_0(T, H)^4 - Hm_0(T, H)\right\}\end{aligned} \tag{10.19}$$

と書ける．(10.5) に基づいて磁化を求めると，

$$\begin{aligned} M(T,H;N) &= -\frac{\partial G[T,H;N]}{\partial H} \\ &= -N\Big(\frac{\partial m_0(T,H)}{\partial H}\{A(T-T_c)m_0(T,H)+Bm_0(T,H)^3-H\}-m_0(T,H)\Big) \\ &= Nm_0(T,H) \end{aligned} \tag{10.20}$$

となる．ここで，$m_0(T,H)$ が (10.18) を満たすことを使った．結局 (10.16) で最小値を実現する m の値 $m_0(T,H)$ が磁化 $m(T,H)$ に他ならないことがわかった．そこで，以下では，(10.18) の解を表わすのに，$m_0(T,H)$ のかわりに単に $m(T,H)$ と書く．

相転移と臨界現象の解析

(10.18) は 3 次方程式だが，ここで根の公式をもちだしても見通しはよくならない．まず $H\to 0$ での磁化のふるまいを知るため，(10.18) で $H=0$ とした方程式 $A(T-T_c)m+Bm^3=0$ を考える．明らかに $T>T_c$ では実数の根は $m=0$ ただ一つである．これは $H\to 0$ では磁化は必ず 0 になることを意味している．他方，$T<T_c$ なら，この方程式には，

$$m = 0, \pm\sqrt{\frac{A(T_c-T)}{B}} \tag{10.21}$$

の三つの根がある．ただし，たとえば図 10.7 の (a) からも明らかなように，(10.16) での最小値を与えるのは $m=0$ 以外の正負の二つの根である．これは，$H\searrow 0$ あるいは $H\nearrow 0$ としたとき，磁化 $m(T,H)$ がこれらの二つの根に収束することを意味している．この状況を (10.9) と比較すれば，T_c は（多くの読者が予期したであろうように）系の臨界温度であり，自発磁化が

$$m_s(T) = \sqrt{\frac{A(T_c-T)}{B}} = \sqrt{\frac{A}{B}}\,(T_c-T)^{1/2} \tag{10.22}$$

のようにふるまうことがわかる．臨界指数 β の定義 (10.10) と比較すれば，この系では $\beta=1/2$ となる．

また $T>T_c$ で H が小さいとき，(10.18) で m^3 の項を小さいとすれば，解は

$$m(T,H) = \frac{H}{A(T-T_c)} + O(H^3) \tag{10.23}$$

と評価できる. 磁化率と臨界指数 γ の定義 (10.11) より

$$\chi(T) = \frac{1}{A}(T - T_c)^{-1} \tag{10.24}$$

および $\gamma = 1$ が得られる.

最後に, $H = 0$ として, $T > T_c$ での (10.18) の唯一の解 $m(T, 0) = 0$ と $T < T_c$ での解 (10.21) を (10.19) に代入すれば, $H = 0$ での Gibbs の自由エネルギーが

$$G[T, 0; N] = \begin{cases} N f_0(T), & T \geq T_c \\ N \left\{ f_0(T) - \frac{A^2}{4B}(T_c - T)^2 \right\}, & T \leq T_c \end{cases} \tag{10.25}$$

のように具体的に求められる. ここから比熱を求めると,

$$c(T) = -\frac{T}{N}\frac{\partial^2 G[T, 0; N]}{\partial T^2} = \begin{cases} c_0(T), & T > T_c \\ c_0(T) + \frac{A^2}{2B}T, & T < T_c \end{cases} \tag{10.26}$$

となる. $c_0(T) = -T f_0''(T)$ は T のなめらかな関数である. つまり臨界温度で比熱は有限のとびをもった不連続関数になる. 臨界指数については $\alpha = 0$ と解釈すべきである.

こうして, 最低限の理論的な考察から導いた Landau の擬似自由エネルギーから, 相転移と臨界現象の定量的な記述が得られた. 特に, 臨界指数について,

$$\alpha = 0, \quad \beta = \frac{1}{2}, \quad \gamma = 1 \tag{10.27}$$

という具体的な数値が得られた. これらの値が, 未知関数 $f_0(T)$ や定数 A, B, T_c の選び方に依存しないのが, この理論の強みである. (10.27) は**臨界指数の古典的な値** (classical values of critical exponents) と呼ばれ, 臨界現象の解析の出発点になる.

10-4 スケーリング仮説

しかし, 現実の磁性体の臨界現象についての精密な実験からは, 臨界指数 α, β, γ の値が, 古典的な値 (10.27) と一致しないことが見いだされた. 臨界指数の決定は, 極めて微妙な実験なので, ここでは詳細に立ち入らず実験結果を理想化して述べることにする.

臨界指数のスケーリング則

様々な強磁性体について相転移現象を調べると,当然予想されるように,臨界温度 T_c は磁性体の種類に応じてまちまちの値を取る。ところが,大変驚くべきことに(そして,その理由は実際に極めて深遠なものだと信じられているが),**それぞれの臨界温度の周辺での系の特異的なふるまいを表す臨界指数の値は,磁性体が異なってもほとんど変わらない**ことが見いだされた。より正確にいえば,許される臨界指数の値の組み合わせがいくつかあり,すべての磁性体における臨界指数が,その組み合わせのいずれかと一致するように見える。通常の強磁性体では,一軸異方性の強い場合の

$$\alpha \simeq 0.11, \quad \beta \simeq 0.325, \quad \gamma \simeq 1.24 \qquad (10.28)$$

という値の組み合わせか,等方性の高い場合の[22]

$$\alpha \simeq -0.14, \quad \beta \simeq 0.38, \quad \gamma \simeq 1.375 \qquad (10.29)$$

という値の組み合わせ[23]のどちらか一方を取るようである。このような状況を,臨界指数の値は**普遍的** (universal) であると表現する[24]。さらに興味深いことに,(10.28), (10.29) の臨界指数の実測値は,非常に高い精度で**スケーリング則** (scaling relation) と呼ばれる等式

$$\alpha + 2\beta + \gamma = 2 \qquad (10.30)$$

を満たすのである[25]。他のタイプの磁性体で観測された臨界指数,理論的に(あるいは計算機で)求めた統計物理モデルの臨界指数[26],そして,臨界指数の古典的な値 (10.27) も,すべてスケーリング則 (10.30) を満足する。

臨界指数の値の(定量的)普遍性とスケーリング則は,臨界点の近傍に何らかの新しい普遍的な構造が存在することを示唆している。この構造を

---

[22] 脚注 3 で述べたように,磁化は本来はベクトル量である。これまでは,磁化が実質的には実数として扱える一軸異方性の強い磁性体を想定して話を進めてきた。等方性の高い磁性体とは,磁化があらゆる方向を向き得るベクトルとしてふるまうような系を指す。その場合も,熱力学のレベルでの扱いは,本質的にはこれまでと同じなので,このまま議論を進める。

[23] α が負なので,比熱は発散せず特異的に T_c での値に近づく。

[24] ここでの「普遍」という言葉の用法は,1-2 節よりも狭く具体的だが,より定量的で強い。

[25] 臨界指数の存在を仮定すれば,熱力学の一般論だけから (10.30) に対応する Rushbrooke の不等式 $\alpha' + 2\beta + \gamma' \geq 2$ を厳密に示すことができる。問題 10.5 を見よ。現代の物性物理学において熱力学的な考察が強い威力を発揮した例の一つである。臨界指数 α', γ' の定義については,脚注 14 を参照。

[26] 有名な例は 2 次元 Ising 模型と呼ばれる理想化された強磁性体のモデルについての $\alpha = 0$, $\beta = 1/8, \gamma = 7/4$ という臨界指数である。

10-4 スケーリング仮説

数理的に解明するのは,現代の統計物理学(と場の量子論)の重要な課題で,本書を書いている段階でも大きな未解決の問題になっている[27]。

スケーリング仮説

熱力学の範囲内で,臨界点近傍での構造を明確に特徴づけたのが,Widom らの**スケーリング仮説** (scaling hypothesis) である.この節の残りで,スケーリング仮説の主張と,その帰結を述べる.

臨界点を基準にしてはかった Gibbs の自由エネルギー

$$\tilde{g}(\tau, H) = \frac{G[T_c + \tau, H; N] - G[T_c, 0; N]}{N} \tag{10.31}$$

を用いると議論がすっきりする.スケーリング仮説では,τ と H が十分小さいとき,任意の $0 \leq \lambda \leq 1$ について,上の Gibbs の自由エネルギーが,

$$\tilde{g}(\lambda^a \tau, \lambda^b H) \simeq \lambda \tilde{g}(\tau, H) \tag{10.32}$$

を満たすとする.ここで a, b は物質に固有の(正確には,臨界現象を支配する普遍的な構造に固有の)定数で,**スケーリング指数** (scaling exponents) と呼ばれる.スケーリング仮説 (10.32) は,(3.24) のような示量性の関係とよく似ている.実際,数学的にいえば,(10.32) は $\tilde{g}(\tau, H)$ が(漸近的には)一般化された同次関数であることを示しているので,確かに示量性 (3.24) と同じような意味をもっている.しかし,示量性は熱力学の世界では自明に近くすべての系で普遍的に成立するのに対し,スケーリングの関係 (10.32) は臨界現象を示す系の臨界点のごく近傍だけで,われわれには(今のところ)はかりしれない理由で成立する(らしい)関係なのである.

スケーリング仮説 (10.32) を認め,そこから臨界現象について何がわかるか調べよう.まず (10.32) で τ を $-\tau$ と書き換え,両辺を H で微分して $H \searrow 0$ とする.(10.7) より $m(T_c - \tau, H) = -\partial \tilde{g}(-\tau, H)/\partial H$ だから,自発磁化 $m_s(T)$ の定義 (10.9) を用いて

$$\lambda^b m_s(T_c - \lambda^a \tau) \simeq \lambda m_s(T_c - \tau) \tag{10.33}$$

---

[27] 臨界指数の古典的な値は Gauss 場の理論という数理的な構造に対応し,(仮想的な) 4 次元以上の強磁性体で「実現」されることがわかっている.また,脚注 26 で触れた仮想的な 2 次元の強磁性体については,臨界現象を支配する普遍的な構造が「共形場の理論」という名のついた場の量子論の数理モデルで表現できることがほぼ明らかになった.(磁性体の臨界点に場の量子論が「宿る」!) 3 次元の磁性体の問題には,1970 年代以降「くりこみ群」という考えからのアプローチが試みられ,ある程度の描像は得られたが,真の解決は未だ夢想さえできない.

という関係が得られる。ここで $\varepsilon = \lambda^a \tau$ とすると，この関係は

$$m_s(T_c - \varepsilon) \simeq \tau^{(b-1)/a} \varepsilon^{(1-b)/a} m_s(T_c - \tau) \tag{10.34}$$

と書き直すことができる。さらに τ を正の値に固定したまま，ε を変化させることにして，$T = T_c - \varepsilon$ と書くと，(10.34) は

$$m_s(T) \simeq (\text{定数}) \times (T_c - T)^{(1-b)/a} \tag{10.35}$$

となり，自発磁化の臨界現象 (10.10) が再現された。臨界指数の値は $\beta = (1-b)/a$ である。

同様に (10.32) を H で2回微分して $H = 0$ とし，(10.11) を思い出せば，

$$\lambda^{2b} \chi(T_c + \lambda^a \tau) \simeq \lambda \chi(T_c + \tau) \tag{10.36}$$

となり，

$$\chi(T_c + \varepsilon) \simeq \tau^{(2b-1)/a} \varepsilon^{(1-2b)/a} \chi(T_c + \tau) \tag{10.37}$$

が得られる。上と同じように，ここから磁化率の臨界現象が導かれ，$\gamma = (2b-1)/a$ が得られる。比熱の臨界現象についても，(10.32) を τ で2回微分して (10.12) に注意すれば同様に解析できる。こうして，

$$\alpha = \frac{2a-1}{a}, \quad \beta = \frac{1-b}{a}, \quad \gamma = \frac{2b-1}{a} \tag{10.38}$$

のように二つのスケーリング指数 a, b を用いてすべての臨界指数を表すことができる[28]。三つの臨界指数 α, β, γ が (10.38) のように書けるなら，スケーリング則 (10.30) が成立することは明らかである。

臨界指数の古典的な値 (10.27) は，

$$a = \frac{1}{2}, \quad b = \frac{3}{4} \tag{10.39}$$

というスケーリング指数から，実験データ (10.28) の臨界指数は，

$$a \simeq 0.529, \quad b \simeq 0.828 \tag{10.40}$$

というスケーリング指数から，実験データ (10.29) の臨界指数は，

$$a \simeq 0.467, \quad b \simeq 0.822 \tag{10.41}$$

---

[28] 他にも（熱力学的な量に関する）いくつかの臨界指数があるが，それらについても同様の表現が可能である。問題 10.6 を見よ。

というスケーリング指数から，それぞれ，得られる．スケーリング仮説が成立する理由を明らかにすること，さらに (10.40), (10.41) のスケーリング指数の値を理論的に求めることは，統計物理学の将来の重要な課題である．

さらに不思議なことに，流体系の液体，気体の相転移の実験結果を整理すると，臨界点 (T_c, p_c) の近傍では，定数 A, B, C, D をうまく選んでやると，

$$\tilde{g}(\tau, H) = \frac{G[T_c + A\tau + BH, p_c + C\tau + DH; N] - G[T_c, p_c; N]}{N} \tag{10.42}$$

という臨界点を基準にしてはかった Gibbs の自由エネルギーが，スケーリング仮説 (10.32) を満たすようなのである．

しかも，その際のスケーリング指数 a, b の値は，一軸異方性の強い強磁性体の指数 (10.40) と非常に高い精度で一致している．**強磁性体と流体の臨界現象が完全に等価な普遍的な構造で記述される**という驚くべき可能性を示唆する実験事実である．この深く興味深い対応関係を理論的に理解することも，臨界現象の本質に関わる統計物理学の未解決の課題である．

演習問題 10.

10.1 (10-1 節) 強磁性体の扱いの出発点になる (10.1) を簡単な場合に示そう．磁化 M を直接に制御することはできないので，電磁石で作った磁場を制御することで磁化をわずかに変化させることを考え，その際に必要な仕事を求める．

半径 r，長さ L の円柱状の磁性体を，同じ半径と長さのソレノイドで囲む．ソレノイドの単位長さあたりの巻き数を n とする．磁場 $\mathbf{H}(\mathbf{r},t)$，磁束密度 $\mathbf{B}(\mathbf{r},t)$，磁性体の単位体積あたりの磁化 $\mathbf{m}(\mathbf{r},t)$，電場 $\mathbf{E}(\mathbf{r},t)$，電流密度 $\mathbf{J}(\mathbf{r},t)$ の間には，

$$\mathrm{rot}\,\mathbf{H} = \mathbf{J}, \quad \mathrm{rot}\,\mathbf{E} = -\frac{\partial}{\partial t}\mathbf{B}, \quad \mathrm{div}\,\mathbf{B} = 0, \quad \mathbf{B} = \mu_0(\mathbf{H} + \mathbf{m}) \tag{10.43}$$

の関係がある[29]．L が r に比べて十分に大きいとし，ソレノイドの端の効果と磁性体がつくる反磁場の効果を無視する．すると，対称性から，$\mathbf{H}(\mathbf{r},t), \mathbf{B}(\mathbf{r},t), \mathbf{m}(\mathbf{r},t)$ は，ソレノイドの内部で常に一定で，ソレノイドの軸の方向を向いている．その方向の成分を，それぞれ $H(t), B(t), m(t)$ と書こう．本文で扱った磁化は，$M(t) = V m(t)$ である．ここで $V = \pi r^2 L$ は磁性体の体積．

この系を温度一定の環境におく．ソレノイドに一定の電流 I を流し続け，平衡状態が達成されたときの $H(t), B(t), M(t)$ の値を H, B, M と書く．まず H を求め

---

[29] もちろん，一つ目の関係は $\mathrm{rot}\,\mathbf{H} = \mathbf{J} + \partial \mathbf{D}/\partial t$ だが，変位電流の効果の無視できるゆっくりした変化を考えるので，第 2 項を省略した．MKSA 単位系を用いている．

よ。次に時刻 t_1 から t_2 の間に，電流を I から $I+\Delta I$ まで，ゆっくり微小に変化させる。この間の他の量の変化も，ΔH, ΔB, ΔM のように書く。電流が変化している間のソレノイドの両端に発生する起電力 $\mathcal{E}(t)$ を $dB(t)/dt$ で表せ。そして，時刻 t_1 から t_2 の間に，この起電力にさからって電流を維持するために電源が行なう仕事 $\Delta W_{\text{tot}} = \int \mathcal{E}(t)\,I(t)\,dt$ は，$\Delta W_{\text{tot}} = VH\Delta B + O\{(\Delta H)^2\}$ と書けることを示せ。

$\Delta W_{\text{tot}} = \Delta(V\mu_0 H^2/2) + \mu_0 H\Delta M + O\{(\Delta H)^2\}$ であることを確かめよ。ここで，$V\mu_0 H^2/2$ は磁場のエネルギーだから，磁化を変化させるのに必要なエネルギーは $\mu_0 H\Delta M$ であることがわかる。磁化の変化が等温準静操作であったことを思い出せば，これで (10.1) が導かれた。係数 μ_0 については，10-1 節の脚注 5 を見よ。

10.2 (10-1 節) 統計物理学のモデル計算から，ある種の理想化された常磁性体[30]の Gibbs の自由エネルギーが，

$$G[T,H;N] = -kT\,N\,N_A \log\left(2\cosh\frac{\mu H}{kT}\right) \tag{10.44}$$

のように求められる。ただし μ は（化学ポテンシャルではなく）電子の磁気モーメントという物質に固有の量であり，N_A は Avogadro 数，k は Boltzmann 定数である。

この系におけるエントロピー $S(T,H;N)$，磁化 $m(T,H)$，（定磁場）比熱 $c(T,H) = -T\,\partial^2(G[T,H;N]/N)/\partial T^2$ を求めよ。T を一定にした際の $m(T,H)$ の H 依存性，$H>0$ を一定にした際の $c(T,H)$ の T 依存性を，それぞれ，グラフに描け。

10.3 (10-1 節) 上の問題で $\mu H/(kT) \ll 1$ が成立するとし，$\mu H/(kT)$ の 2 次まで残す近似をすると，

$$\frac{G[T,H;N]}{N\,N_A} = -kT\log 2 - \frac{(\mu H)^2}{2kT} \tag{10.45}$$

となることを確かめよ。この Gibbs の自由エネルギーで記述される系におけるエントロピー $S(T,H;N)$，磁化 $m(T,H)$ を求めよ。また，対応する Helmholtz の自由エネルギー $F[T;M,N]$ を求め，(10.14) の形をしていることを確認せよ。

10.4 (10-1 節) 問題 8.8 での断熱準静操作の見方をそのまま磁性体に適用すると，**断熱消磁** (adiabatic demagnetization) の問題になる。（われわれの用語では，断熱準静消磁というべきであるが。）温度 T，磁場 H の環境で磁性体が平衡状態にある。磁性体を断熱壁で囲み，磁場をゆっくりと H' まで変化させる。最終的な磁性体の温度 T' は一般にどのようにして求められるか。また，問題 10.3 の系について，T' を求めよ。

---

[30] **進んだ注**：互いに相互作用しない大きさ $1/2$ のスピンの集まり。

10.5 (10-4 節) 定積熱容量と定圧熱容量を結ぶ関係 (8.38) をそのまま強磁性体の場合に焼き直し，$H \searrow 0$ の極限をとると，

$$c(T) - c_{\mathrm{M}}(T; Nm_{\mathrm{s}}(T), N) = T\left\{\frac{\partial m_{\mathrm{s}}(T)}{\partial T}\right\}^2 \{\chi(T)\}^{-1} \qquad (10.46)$$

と書けることを確かめよ。ここで $c(T)$ は (10.12) で定義される（磁場が 0 の場合の）比熱であり，

$$c_{\mathrm{M}}(T; M, N) = \frac{1}{N}\frac{\partial U(T; M, N)}{\partial T} = -\frac{T}{N}\frac{\partial^2 F[T; M, N]}{\partial T^2} \qquad (10.47)$$

は，(現実には測定できない) 磁化が一定という条件での比熱である。エネルギー $U(T; M, N)$ は T の増加関数なので $c_{\mathrm{M}}(T; M, N)$ は正である。よって不等式

$$c(T) \geq T\left\{\frac{\partial m_{\mathrm{s}}(T)}{\partial T}\right\}^2 \{\chi(T)\}^{-1} \qquad (10.48)$$

が成り立つ。$T \nearrow T_{\mathrm{c}}$ とするとき，不等式 (10.48) に臨界指数 α', β, γ' の定義（脚注 14 を参照）を代入すると，臨界指数についての Rushbrooke の不等式

$$\alpha' + 2\beta + \gamma' \geq 2 \qquad (10.49)$$

が導かれることを確かめよ。この不等式は，臨界指数の存在と熱力学の妥当性だけを仮定すれば完全に厳密に示されたことになる。

10.6 (10-4 節) 臨界指数 δ は，$H \to 0$ での臨界現象

$$m(T_{\mathrm{c}}, H) \approx H^{1/\delta} \qquad (10.50)$$

によって定義される。スケーリング仮説を認めれば，

$$\delta = \frac{b}{1-b} \qquad (10.51)$$

と書けることを示せ。また (10.51) をもとに，臨界指数 δ を含むスケーリング則を導け。ただし，スケーリング則とは，臨界指数の間の等式で，a, b を含まないもののことである。

付　録

A. 吸熱量ゼロの等温準静操作に対応する断熱準静操作

5-4 節の Carnot の定理の導出で，等温準静操作 (5.25b) に対応する断熱準静操作 (5.26) が存在することを用いた．ここではこの事実を示す．なお，この付録の内容は田中琢真氏の私信（2014 年 12 月）による．

示したい事実は，一般に吸熱量がゼロの等温準静操作には断熱準静操作が対応することを述べた以下の結果の特別な場合である．この結果はそれ自身でも十分に興味深い．

結果　任意の熱力学系において等温準静操作

$$(T;X) \xrightarrow{\text{iq}} (T;X') \tag{A.1}$$

が可能であり，また対応する最大吸熱量が

$$Q_{\max}(T;X \to X') = 0 \tag{A.2}$$

を満たすとする．このとき，断熱準静操作

$$(T;X) \xrightarrow{\text{aq}} (T;X') \tag{A.3}$$

が必ず存在する．

等温操作 (A.1) に対応する断熱操作が存在することがまったく自明でないのは本文の議論でもわかるだろう．実際，この結果の証明には Kelvin の原理が必要である．

導出：結果 4.2（58 ページ）より，

$$(T;X) \xrightarrow{\mathrm{a}} (T;X') \quad \text{または} \quad (T;X') \xrightarrow{\mathrm{a}} (T;X)$$

という断熱操作の少なくとも一方が実現できる．仮に前者が実現可能だとして話を進めよう（もし後者が実現可能なら X と X' を入れ替えればよいので，これで一般性は失われない）．系を断熱環境におき，示量変数を X から X' までゆっくりと変化させることで，断熱準静操作

$$(T;X) \xrightarrow{\mathrm{aq}} (T';X') \tag{A.4}$$

が実現される．ここで終温度 T' は未知である．以下で，実は $T'=T$ しかあり得ないことを示す．よって，実現された (A.4) が，存在を示したかった断熱準静操作 (A.3) にほかならない．

まず $T'>T$ と仮定する．断熱準静操作 (A.4) の逆操作と存在を仮定した断熱操作 $(T;X) \xrightarrow{\mathrm{a}} (T;X')$ を組み合わせれば，

$$(T';X') \xrightarrow{\mathrm{aq}} (T;X) \xrightarrow{\mathrm{a}} (T;X') \tag{A.5}$$

という断熱操作が得られる．全体としてみれば，示量変数 X' を変化させずに温度を下げる断熱操作になっている．実は，そのような断熱操作は決して実現できないことが Kelvin の原理から簡単に証明できる．この事実は，本文では，Planck の原理（結果 6.4, 100 ページ）としてまとめられている．こうして矛盾が導かれたので，$T' \leq T$ と結論される．

次に $T'<T$ と仮定する．もとの等温準静操作 (A.1) の逆操作と断熱準静操作 (A.4) を組み合わせることで，サイクル

$$(T;X') \xrightarrow{\mathrm{iq}} (T;X) \xrightarrow{\mathrm{aq}} (T';X') \xrightarrow{\mathrm{i'}} (T;X') \tag{A.6}$$

を作ることができる．最後の操作では，単に断熱壁を取り除き系を環境と接触させた（このような操作を広義の等温操作という．問題 5.2 を見よ）．サイクル (A.6) では，系はつねに温度 T の環境の中にあるので，これは等温サイクルである．等温準静操作，断熱準静操作それぞれにおけるエネルギー保存則 (5.6), (4.20) を用いれば，このサイクルの間に系が外界にする仕事が

B. エントロピーの一意性　　245

$$W_{\text{cyc}} = U(T; X') - U(T; X) + Q_{\max}(T; X' \to X) + U(T; X) - U(T'; X')$$
$$= U(T; X') - U(T'; X') \tag{A.7}$$

であることがわかる．広義の等温操作で系が仕事をしないこと，(A.2) のように最大吸熱量が 0 であることを用いた．エネルギーが温度の増加関数であることを示す結果 4.4 (63 ページ) より，$T' < T$ ならば (A.7) の最右辺は正である．これは $W_{\text{cyc}} > 0$ を意味するから Kelvin の原理（要請 3.1，38 ページ）と矛盾．よって $T' \geq T$ と結論される．

こうして $T' \leq T$ と $T' \geq T$ が示されたので $T' = T$ であり，(A.4) が求める断熱準静操作だとわかる．■

B. エントロピーの一意性

6-2 節で述べたエントロピーの一意性を証明しよう．示量変数の組 X で記述される一般の系を考える．状態量 $\widetilde{S}(T; X)$ がエントロピー原理を満たすというのは，エントロピー原理 6.5 の主張で $S(T; X)$ を $\widetilde{S}(T; X)$ に置き換えたものが成立することだとする．

結果 B.1 (エントロピーの一意性) 状態量 $\widetilde{S}(T; X)$ は，エントロピー原理を満たし，かつ示量性

$$\widetilde{S}(T; \lambda X) = \lambda \widetilde{S}(T; X) \tag{B.1}$$

と相加性

$$\widetilde{S}(T; X, X') = \widetilde{S}(T; X) + \widetilde{S}(T; X') \tag{B.2}$$

を満たすとする．すると，この状態量 $\widetilde{S}(T; X)$ とエントロピー $S(T; X)$ は，任意の T と X について，

$$\widetilde{S}(T; X) = a\, S(T; X) + b \tag{B.3}$$

の関係で結ばれる．ただし，a は正の定数であり，b は系を λ 倍すると λ 倍される量（定数）である．

最終結果 (B.3) がいっているのは，$\widetilde{S}(T; X)$ は自明な規格化とゼロ点のずれを除けば，エントロピー $S(T; X)$ と同じものだということである．つ

まり，エントロピー原理と示量性，相加性を仮定すれば，エントロピーという状態量が（自明な不定性を除いて）一意的に定まるのである。これこそが，エントロピーの本質であるといってよい。

結果 B.1 の以下の導出は，本質的には Lieb と Yngvason の論法 [14] をこの本での理論展開に合わせて書き直したものになっている[1]。

$S(T; X)$ をエントロピー (6.5) とし，$\widetilde{S}(T; X)$ を結果 B.1 の条件を満たす任意の状態量とする。互いに何らかの操作で移り合える X_1, X_2 と温度 T について，$S(T; X_1) < S(T; X_2)$ が成り立つとする。まず，二つの関係

$$\widetilde{S}(T; X_1) = aS(T; X_1) + b, \quad \widetilde{S}(T; X_2) = aS(T; X_2) + b \qquad (B.4)$$

が成り立つように定数 a, b を決める。仮定から $(T; X_1) \xrightarrow{a} (T; X_2)$ は不可逆である。$\widetilde{S}$ がエントロピー原理を満たすことから $\widetilde{S}(T; X_1) < \widetilde{S}(T; X_2)$ であり，よって $a > 0$ である。

X_1 から何らかの操作で移ることができる X に対して，温度 T の状態 $(T; X)$ をとる。まず $S(T; X) \leq S(T; X_1)$ が成り立つとしよう。このとき，

$$(\lambda + 1)S(T; X_1) = \lambda S(T; X_2) + S(T; X) \qquad (B.5)$$

によって $\lambda \geq 0$ を決める。エントロピーが等しい場合に断熱準静操作の存在を保証した結果 6.2 から，

$$(T; \lambda X_1, X_1) \xleftrightarrow{aq} (T; \lambda X_2, X) \qquad (B.6)$$

という断熱準静操作が可能なことがわかる。

(B.6) が許されることを，状態量 $\widetilde{S}$ についてのエントロピー原理で表せば，

$$(\lambda + 1)\widetilde{S}(T; X_1) = \lambda \widetilde{S}(T; X_2) + \widetilde{S}(T; X) \qquad (B.7)$$

となる。(B.5) と (B.7) をそれぞれ λ について解き，それらが等しいことから，

$$\frac{\widetilde{S}(T; X_1) - \widetilde{S}(T; X)}{\widetilde{S}(T; X_2) - \widetilde{S}(T; X_1)} = \frac{S(T; X_1) - S(T; X)}{S(T; X_2) - S(T; X_1)} \qquad (B.8)$$

が得られる。ここに (B.4) を代入して整理すれば，目的の (B.3) が示される。

---

[1] 彼らの議論は，一般の断熱過程を出発点にした公理的枠組みの中で展開されている。ここでの議論は，Lieb-Yngvason のエントロピーの定義を初等的に書き直した佐々真一と佐藤勝彦の未発表のノートにも負っている。

C. 「熱浴」と温度一定の環境　　　　　　　　　　　　　　　　　　　247

$S(T; X) > S(T; X_1)$ を満たす X については，(B.6) の代わりに，

$$(T; \lambda X_2, X_1) \xleftrightarrow{\text{aq}} (T; \lambda X_1, X) \tag{B.9}$$

という断熱準静操作を鍵にして上と同じ議論をくり返せば (B.3) が示される。

これで固定した一つの温度 T の状態についての議論は終わった。後は，断熱準静操作でエントロピーが不変であることに注意すれば，すべての温度の状態について等式 (B.3) が示される。最後に，示量性の仮定を用いると，結果 B.1 が完全に示される。

C. 「熱浴」と温度一定の環境

温度一定の環境というものが存在することを認めるのが，本書の立場である。しかし，視点を変えれば，われわれがこれまで環境とみなしていたもの（たとえば，部屋の中の空気，Dewar 瓶の中の液体窒素）を一つの熱力学的な系とみなすこともできる。環境の役割を果たすこのような系を，**熱浴** (heat bath, reservoir) と呼ぶ。熱浴は，われわれが着目している熱力学的な系と熱的に接触してエネルギーをやりとりしている。さらに，熱浴は着目している系に比べるとはるかに大きいので，着目している系に何らかの変化が生じても熱浴の温度はほとんど変化しないとする[1]。

ここでは，本書での熱力学の枠組みの中で熱浴を実現し，それが確かに温度一定の環境として機能することを示す。このような議論は，温度一定の環境を無定義概念として用いる本書の展開の中では「寄り道」であって，論理的にいえば必要ない。しかし，温度一定の環境の「素姓」について考えておくのは，熱力学を深く理解するためには，有益である。また，断熱操作を出発点にした熱力学の定式化では，このような考察は重要になる。

---

[1] 有限の大きさの系でも，温度を完全に一定に保つ「熱浴」として機能するものがある。たとえば，1 気圧での水と氷の共存する系は，多少の熱の出入りがあっても（全体が氷になるか全体が水になるまでは）厳密に 0°C を保つ。よって，氷水と接触させた系での操作は，0°C での等温操作になる。しかも，この氷水熱浴を使えば，氷の量をはかることで，出入りした熱の量も算定できる。このような熱量の測定法は，少なくとも 18 世紀の Black にまでさかのぼる。

原理的には，このように二相共存を用いることで，任意の温度の有限サイズの「熱浴」を構成することができる。ただし，相転移を利用した装置は，一種の「裏技」なので，本書で用いるつもりはない。興味をもった読者は，氷水型の熱浴を解禁することで，熱力学の議論がどの程度まで簡略化されるかを考えてほしい。たとえば，付録 A で取り上げた Carnot の定理の厳密な導出も，相当に簡略化できる。

C.1 熱浴の構成

示量変数の組 X で記述される系（以下，X 系）と示量変数の組 Y で記述される系（以下，Y 系）がある。X 系と，Y 系を λ 倍したものを組み合わせた系を考える。全系の示量変数の組は，$(X, \lambda Y)$ である。はじめ全系はある温度 T の平衡状態 $(T; X, \lambda Y)$ にある。系全体を断熱壁で囲んだまま，X 系にのみ一連の操作を行ない，X を X' に変える。これによって，全系についての断熱操作

$$(T; X, \lambda Y) \xrightarrow{\text{a}} (T'; X', \lambda Y) \tag{C.1}$$

が得られる。X を X' に変える操作を（時間依存性も含めて）一つに固定する。こうすると，操作後の温度 $T' = T_\lambda$ と操作 (C.1) の間に全系が外界に行なう仕事 W_λ は，パラメター $\lambda > 0$ の関数とみなすことができる。

断熱操作 (C.1) についてエネルギー保存則を用いると

$$W_\lambda = U(T; X) - U(T_\lambda; X') + Q_\lambda \tag{C.2}$$

が成り立つ。ここで

$$Q_\lambda = \lambda \{U(T; Y) - U(T_\lambda; Y)\} \tag{C.3}$$

は操作の間の Y 系のエネルギーの減少だから，X 系が Y 系（熱浴）から吸収した熱と解釈できる。問題 5.1 を参照。

ここで，健全な熱浴を得るために，

$$Q = \lim_{\lambda \to \infty} Q_\lambda \tag{C.4}$$

という極限が存在することを仮定する。これは，系の性質についての仮定というより，X 系と熱浴（Y 系）との相互作用についての仮定と考えるべきである。熱浴のサイズ λ が大きくなっても，X 系と熱浴（Y 系）との相互作用は 1 のオーダーに留まるという条件があれば，この仮定は満たされると期待される。しかし，このような議論は明らかに熱力学の守備範囲を越えている[2]。

---

[2] 少なくとも次のような（やや人工的な）「非常に弱い」相互作用を考えれば，この仮定は自動的に満たされる。相互作用の「非常に弱い」系では，操作 (C.1) を行なう際に，まず X 系と Y 系の間を断熱壁でしきって，X を X' まで変化させる。そこで X 系が平衡状態 $(T''; X')$ に達するのを待つ。それから，X 系と Y 系をしきる断熱壁を通常の壁（透熱壁）におきかえ，二つの系の熱的接触によって全系が最終の状態に到達するのを待つ。$\lambda \to \infty$ での X 系の吸熱量は $U(T; X') - U(T''; X')$ であり，これは有限である。

C. 「熱浴」と温度一定の環境　　　　　　　　　　　　　　　　　　　　　249

エネルギー $U(T;Y)$ は T の増加関数だから，(C.3) の形から，(C.4) の極限が存在するためには，
$$\lim_{\lambda\to\infty} T_\lambda = T \tag{C.5}$$
が成立しなくてはならないことがわかる．λ を十分に大きくとれば**操作の前後での系の温度変化はほとんど無視できる**のである．よって，断熱操作 (C.1) で $\lambda\to\infty$ の極限をとり，また X 系のみに着目すれば，
$$(T;X) \xrightarrow{\text{i}} (T;X') \tag{C.6}$$
という等温操作が実現される．

ただし，完全な温度一定の環境（ないしは熱浴）が得られるのは，$\lambda\to\infty$ の極限をとったときだけである[3]．有限の λ での Y 系は，本当の意味で系の温度を一定に保つ能力はもたない「近似的な熱浴」である．

以上から，仕事についての極限 $W=\lim_{\lambda\to\infty} W_\lambda$ が存在することも保証される．よって，エネルギー保存の関係 (C.2) の $\lambda\to\infty$ の極限をとれば，
$$W = U(T;X) - U(T;X') + Q \tag{C.7}$$
となり，われわれが 5-1 節でエネルギー保存則を仮定して書き下した (5.3) が導かれる．

次に，等温操作のもっとも重要な特徴づけである Kelvin の原理（要請 3.1）について考える．まず，λ は有限であるとして，X 系の操作として特に X が一連の操作の後再び初期値 X に戻るものを考えると，(C.1) は，
$$(T;X,\lambda Y) \xrightarrow{\text{a}} (T_\lambda;X,\lambda Y) \tag{C.8}$$
という断熱操作になる．示量変数の組が変化しないので Planck の原理（結果 6.4）によって，$T_\lambda > T$ がわかる．エネルギーは温度の増加関数だから $U(T_\lambda;X)\geq U(T;X)$ および $U(T_\lambda;Y)\geq U(T;Y)$ である．よって (C.3) より $Q_\lambda\leq 0$ であり，(C.2) で $X'=X$ とした関係にこれらの不等式を代入すれば，
$$W_\lambda \leq 0 \tag{C.9}$$
が導かれる．この結果は任意の $\lambda>0$ について成り立つので，特に $\lambda\to\infty$ とすれば，任意の等温サイクルについて $W\leq 0$ という Kelvin の原理が導

---

[3]最大仕事や最大吸熱量が熱浴の種類に依存せず温度だけで決まることも熱浴の重要な性質である．この事実は，（一般化された）圧力の連続性についての緩い仮定から簡単に示される．

かれる。こうして，$\lambda \to \infty$ の極限で構成される熱浴は，あらゆる意味で温度一定の環境と同様に機能することが確かめられた。

当たり前のことだが，Planck の原理の導出に Kelvin の原理を用いているので，上の議論によって Kelvin の原理を要請する必要がなくなるわけではない。しかし，これによって**温度一定の環境の存在を天下りに仮定しない熱力学の一つの定式化**が見えてくることを指摘しておこう。そのような定式化では，はじめは外界から孤立した（つまり，全体を断熱壁で囲まれた）系のみを考察し，操作としては断熱操作だけを考える。そして，平衡状態の存在についての要請，エネルギー保存則（要請 4.3），（温度を上げる操作についての要請 4.1 をも含めた）Planck の原理（結果 6.4）を基本的な要請とする。そして，この節で議論した方針で熱浴を構成し，等温操作の概念を導入する。こうすれば，Kelvin の原理は要請から導かれる結果と位置づけられる[4]。

C.2 吸熱量の測定

今，Y 系のエネルギー $U(T;Y)$ の T 依存性が十分に詳しくわかっているとする。操作 (C.1) の間の X 系の吸熱量の表式 (C.3) があるので，**パラメーター λ が有限である限り，熱浴（Y 系）の温度変化を正確に測定すれば，吸熱量 Q_λ がわかる**ことになる。パラメーター λ を十分に大きくとったとき，注目している X 系にとって温度変化が実質的に無視できるほど小さいものの，熱浴（Y 系）での温度変化が精密な測定によって決定できるとしよう。このような都合のいい（しかし，多くの場合に実現可能な）状況では，注目している X 系を（近似的にではあるが）温度一定の環境においたまま，系の吸熱量，発熱量を直接測定できることになる。これが，多くの実験で用いられている吸熱量，発熱量の測定の原理である（図 C.1 とその説明を参照）。

しかし，以上の議論はすべて λ が有限の「近似的な熱浴」についてであった。$\lambda \to \infty$ の極限で得られる真の熱浴と接している場合の X 系の吸熱量 (C.4) は測定可能と考えるべきだろうか？これは，理論的な問題で，

---

[4] これは，Lieb-Yngvason の公理的熱力学 [14] の方針ではない。彼らは等温操作の概念を用いずに，断熱操作だけを考察してエントロピーを導入している。これは理論的に美しいが，エントロピーを操作的に決定するには，われわれのように断熱準静操作と等温準静操作を併用する方法が簡便であろう。

C. 「熱浴」と温度一定の環境　　251

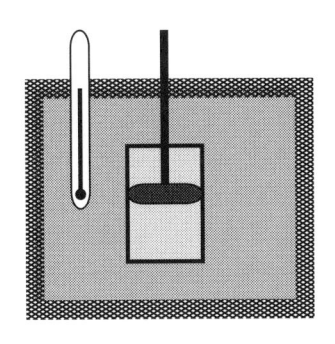

図 C.1　熱量計 (calorie meter) の原理を示す概念図。断熱壁で囲まれた水の中に注目する熱力学的な系がある。把っ手を介して熱力学的な系に操作を施しても，水の量が多いので，水と注目する系の温度はほとんど変化しない。操作の前後での水の温度の（わずかな）変化 ΔT を測定すれば，$-Q = C\Delta T$ が注目する系から水に熱として移ったエネルギーである。ここで，C は今の温度での水の熱容量である。

どのように答えるかは，立場の問題であろう。本当に $\lambda \to \infty$ の極限をとってしまえば，熱浴の温度は変化しないから，そこから奪われる熱 Q を知る術はないというのが一つの論理的な立場である。ただし，測定可能な Q_λ について，$\lambda \to \infty$ の極限が存在するという事実には意味がある。それを重視すれば，いかに $\lambda \to \infty$ といっても，それはあくまで X 系にとって温度変化が無視できる程度に十分大きな λ をとれという指示にすぎず，実際には λ は有限であり，極めて精密な温度測定を行なえば $Q \simeq Q_\lambda$ は原理的には測定可能だとする立場も可能である[5]。

最後に，等温操作の「可逆性」について簡単に注意しておく。本書では，「可逆」という概念は断熱操作のみについて用いることにしてきた。しかし，6-2 節，6-4 節でも触れたように，多くの教科書に，熱浴に接した系での「可逆操作」（あるいは「可逆過程」）といういい方が登場する。熱浴に

---

[5] この点について，多くの教科書の記述は，首尾一貫しないと感じる。通常，熱浴は「非常に大きいので熱が出入りしても温度がまったく変化しない系」と定義される。とすると，これは，温度一定の環境，あるいは $\lambda \to \infty$ で得られる真の熱浴を指すと考えられる。ところが，同じ教科書の別のところでは「熱浴に移動した『熱』」というものが測定可能であるように議論したり，さらには，「熱浴 A から Q の『熱』を熱浴 B に移す」といった「熱を操る操作」を利用したりする。このような場合には λ が有限の「近似的な熱浴」を考えていると思うしかないが，そういった宣言や，それに関連するデリケートな問題の議論は見られない。

接した系での操作が「可逆」であるとは，その操作に対して，「系の状態を出発点に戻すばかりでなく，『熱浴』の状態も完全に元に戻すような」操作が存在することだとされる．しかし，熱浴とは元来「非常に大きいので熱が出入りしても温度がまったく変化しない系」だったはずである．それなら，「熱浴の状態を元に戻す」という宣言にどういう意味があるのか？念頭にあるのはあくまで λ が有限の「近似的熱浴」であり，操作が可逆かどうかというのは，注目している系と熱浴を合わせた系全体の断熱操作が（本書での定義と同じ意味で）可逆かどうかということなのだと考えるべきだろう[6]．

D. 熱機関の効率の上限

5-5 節では，Carnot による熱機関の効率の普遍的な上限についての結果 5.3 を議論した．ここでは，6-6 節の複合状態についてのエントロピー原理を用いて，5-5 節よりはるかに一般的な状況で，しかも厳密に，Carnot の上限 (5.42) を証明する．ここでの証明の基本的なアイディアは Lieb と Yngvason [14] による．

示量変数の組 X をもつ系を熱機関とする．低温の熱源，高温の熱源は，温度一定の環境ではなく，それぞれ，示量変数の組 Y と Z をもつ有限の大きさの熱力学的な系（熱浴）として実現する．付録 C のように，これらの大きさを無限大にして温度一定の環境に昇格させても，ここでの結果は成立する．

サイクルの出発点での機関，低温の熱源，高温の熱源の状態を，それぞれ，$(T; X)$, $(T_\mathrm{L}; Y)$, $(T_\mathrm{H}; Z)$ とする．熱機関が一巡してはじめの状態に戻るまでの一連の操作は，いかに複雑でも一つの断熱操作

$$\{(T;X)|(T_\mathrm{L};Y)|(T_\mathrm{H};Z)\} \xrightarrow{\mathrm{a}} \{(T;X)|(T_\mathrm{L}';Y)|(T_\mathrm{H}';Z)\} \qquad (\mathrm{D}.1)$$

として表される．状態を仕切る縦の棒は断熱壁を表す（6-6 節参照）．機関の状態は完全に元に戻り，二つの熱源は機関と (熱の形で) エネルギーをやり取りした．低温の熱源 (Y 系) が受け取った熱は $Q_\mathrm{L} = U(T_\mathrm{L}';Y) - U(T_\mathrm{L};Y)$,

---

[6] ただし，(C.4) のように無限に大きな熱浴に出入りする熱が定義できるという立場を取れば，「熱浴から系に Q の熱が流れた」ことによる変化は「系から熱浴に Q の熱が流れた」ことで完全に打ち消されると考えられる．

D. 熱機関の効率の上限

高温の熱源（Z系）が放出した熱は $Q_\mathrm{H} = U(T_\mathrm{H};Z) - U(T'_\mathrm{H};Z)$ である。エネルギー保存則から，断熱操作 (D.1) の間に系が外界に行なう仕事は $W = Q_\mathrm{H} - Q_\mathrm{L}$ となる。以下では，熱機関として望ましいエネルギーのやり取りが行なわれたとして，$Q_\mathrm{L} > 0$ と $Q_\mathrm{H} > 0$ を仮定する。よって，$T_\mathrm{H} > T'_\mathrm{H}$, $T_\mathrm{L} < T'_\mathrm{L}$ である。

複合状態についてのエントロピー原理 (結果 6.6) より，断熱操作でエントロピーは減少しないから，

$$S((T;X)|(T_\mathrm{L};Y)|(T_\mathrm{H};Z)) \leq S((T;X)|(T'_\mathrm{L};Y)|(T'_\mathrm{H};Z)) \tag{D.2}$$

がいえる。エントロピーの相加性 (6.56) より，(D.2) は，

$$S(T_\mathrm{L};Y) + S(T_\mathrm{H};Z) \leq S(T'_\mathrm{L};Y) + S(T'_\mathrm{H};Z) \tag{D.3}$$

となる。同じ系についての量をまとめると，

$$S(T_\mathrm{H};Z) - S(T'_\mathrm{H};Z) \leq S(T'_\mathrm{L};Y) - S(T_\mathrm{L};Y) \tag{D.4}$$

となる。$T'_\mathrm{H} \leq T \leq T_\mathrm{H}$ の範囲で $S(T;Z)$ が T について微分可能と仮定し，(6.16) を使うと (D.4) の左辺は，

$$\begin{aligned} S(T_\mathrm{H};Z) - S(T'_\mathrm{H};Z) &= \int_{T'_\mathrm{H}}^{T_\mathrm{H}} dT\, \frac{\partial S(T;Z)}{\partial T} = \int_{T'_\mathrm{H}}^{T_\mathrm{H}} dT\, \frac{1}{T} \frac{\partial U(T;Z)}{\partial T} \\ &\geq \frac{1}{T_\mathrm{H}} \int_{T'_\mathrm{H}}^{T_\mathrm{H}} dT\, \frac{\partial U(T;Z)}{\partial T} \\ &= \frac{1}{T_\mathrm{H}}\{U(T_\mathrm{H};Z) - U(T'_\mathrm{H};Z)\} = \frac{Q_\mathrm{H}}{T_\mathrm{H}} \end{aligned} \tag{D.5}$$

と評価できる。積分の範囲では $T \leq T_\mathrm{H}$ であることを用いた。同様にして，(D.4) の右辺は，

$$S(T'_\mathrm{L};Y) - S(T_\mathrm{L};Y) \leq \frac{Q_\mathrm{L}}{T_\mathrm{L}} \tag{D.6}$$

と評価できる。これらを，(D.4) に代入すれば，$Q_\mathrm{H}/T_\mathrm{H} \leq Q_\mathrm{L}/T_\mathrm{L}$，あるいは

$$\frac{Q_\mathrm{L}}{Q_\mathrm{H}} \geq \frac{T_\mathrm{L}}{T_\mathrm{H}} \tag{D.7}$$

が得られる。これを効率の定義 (5.33) に代入すれば，求める普遍的な上限 (5.42) が導かれる。

以上の考察では，熱源が機関に比べて大きい，あるいは，熱源の温度がつねに一定であるといった仮定を用いていないことを強調しておく。さら

に，サイクルの途中で，熱機関や熱源が平衡に達することもいっさい仮定していない．これは 5-5 節の結果よりもはるかに強力である．実際，これによって，**平衡に達することなく，延々と運転し続ける現実的なサイクルも扱うことができる**．そのようなサイクルについては，はじめに平衡状態から出発し，十分多い回数連続して運転し，最後に運転を止めて平衡状態に戻す．最初と最後に効率のロスがあり得るが，途中で運転する回数を増やせば，全体の効率も，（非平衡で）連続運転している際の効率に限りなく近づく．この過程全体を，一回のサイクルとみなせば，この付録の結果により，Carnot の普遍的な上限 (5.42) を適用することができる．このように，幅広い状況に厳密に適用できるのが，複合状態についてのエントロピー原理を用いる方法の圧倒的な利点である．

E. 三重点について

純物質の相図に，固体，液体，気体が共存する三重点が出現することを，7-7 節で述べた（図 7.7 (b) を参照）．ここでは，三重点について少し詳しく見ておこう．

温度 T_3，圧力 p_3 では，考えている物質は固体，液体，気体として存在し得るとする．これが三重点である．このとき，各々の相での単位物質量あたりの体積とエネルギーを，それぞれ，v_S, v_L, v_G および u_S, u_L, u_G とする．全物質量を N とし，固体，液体，気体のそれぞれの物質量を N_S, N_L, N_G とする．全体の体積 V とエネルギー U は，

$$V = v_S N_S + v_L N_L + v_G N_G, \quad U = u_S N_S + u_L N_L + u_G N_G \tag{E.1}$$

で与えられる．ここで，$N = N_S + N_L + N_G$ を満たす範囲で N_S, N_L, N_G を変化させると，(E.1) で決まる V, U は図 E.1 のような三角形の領域を動く．図からもわかるように，左右の二つの頂点（$N_S = N, N_L = N_G = 0$ および $N_G = N, N_S = N_L = 0$）以外では，全体の体積 V を変化させずに，ある範囲で系の組成と全エネルギーを変化させられる．ここで考えている一連の平衡状態の温度はつねに T_3 なので，本文での記述法を用いると，これらの状態はいずれも $(T_3; V, N)$ と表される．これでは異なる状態を区別できない（図 E.1）．

三重点の内部も含めたすべての平衡状態を忠実に記述するには，$(T; V, N)$

E. 三重点について

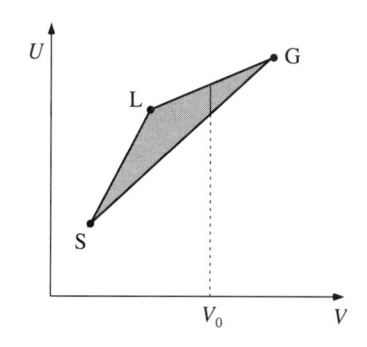

図 E.1 U-V 平面では，三重点は図のような三角形の領域になる。S, L, G という三つの頂点が，それぞれ，純粋な固相，液相，気相であり，それらの座標は (Nv_S, Nu_S), (Nv_L, Nu_L), (Nv_G, Nu_G) である。図に示した垂直な線上の状態の体積は V_0 なので，これらの状態はすべて $(T_3; V_0, N)$ と表される。

表示ではなく，エネルギーを変数とした (U, V, N) という平衡状態の表示を用いるのが標準的だ[1]。これは見通しのいい方法だが，温度一定の環境を利用して直感的に熱力学の体系を構成していく本書の方針からは外れてしまう。本書の流儀のままで三重点を扱うには，三重点の内部についてだけ，指定する示量変数に固体の体積 V_S を付け加え，$(T_3; V, V_S, N)$ のように状態を表せばよい[2]。これによって三重点内部の状態が過不足なく指定できることは例えば図 E.1 を見ればわかるだろう。さらに，この記述に基づいて三重点を含むすべての領域で熱力学関数を構成できる。詳しくは，本書のサポート web ページ[3]にある『三重点における熱力学の操作的構成』という文書を参照されたい。

　三つの異なった表示で三重点の近傍での相図の概略を描いておこう。図 E.2 (a) は基本的には図 7.7 (b) と同じもので，$1/p$ を横軸[4]，T を縦軸にした相図である。固相 (S)，液相 (L)，気相 (G) が三つの線分で仕切られている。このような相図はもっとも一般的だが，相図上で状態が忠実

---

[1] エントロピーを変数とした (S, V, N) という表示も理論形式の上からは優れている。
[2] この表示法は本書の英語版の共著者である Glenn Paquette 氏が考案した。
[3] https://www.gakushuin.ac.jp/~881791/td/ (「田崎 熱力学」で検索すればこのページが上位に出る。)
[4] $1/p$ を横軸にすることで，V を横軸にした後の二つの相図と相の位置関係が同じになる。

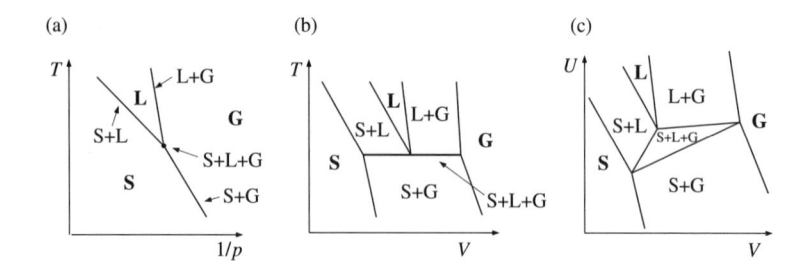

図 E.2　三重点の近傍での相図の概略。(a) 横軸は $1/p$ で縦軸は T である。見慣れた図 7.7 (b) のような相図と基本的に同じものである。しかし、二相が共存する領域はすべて線に押し込まれており、三相の共存領域はたった一つの点（三重点）になっている。(b) 横軸は V で縦軸は T である。二相の共存領域は忠実に表現されているが、三相共存の領域は線分になっている。(c) 横軸は V で縦軸は U である。平衡状態と相図上の点は一対一に対応する。これが、忠実な平衡状態の表現である。

に表現されているのは、純粋な固相、液相、気相の領域だけであり、これらの共存領域 (S+L, S+G, L+G) は線状の領域に縮退している。そして三相が共存する領域は、たった一つの三重点になってしまった。図 E.2 (b) では、本文での状態の記法に対応して、横軸を V、縦軸を T にした相図を描いた。固相、液相、気相の配置は (a) と同じだが、これらを隔てる二相共存の領域は帯状に広がっている。三相共存の領域以外では状態が忠実に表現されている。三相共存の領域は線分になっているが、これが完全な記述ではないことはすでに見た。図 E.2 (c) は、横軸を V、縦軸を U にした忠実な状態の記述である。つまり、この相図上の点と物質量 N の系の平衡状態とは一対一に対応する。(b) の相図との定性的な差は、線分だった「三重点」が三角形になったことである。

最後に、三つの表示法をとったとき、二相、三相の共存領域を通過する際に様々な状態量の連続性を表にまとめておく。「連続」は「つねに連続」を意味し、「不連続」は「不連続になり得る」を意味する。T, V, N-表示や T, p, N-表示が状態の指定の方法としては不完全でも、完全な熱力学関数 $F[T; V, N]$ や $G[T, p; N]$ は連続であることに注意しよう。これは Legendre 変換の性質の現れとみてもよい（付録 F, H を参照）。

表示	状態量	二相共存領域（相境界）	三相共存領域（三重点）
U, V, N-表示	$S[U, V, N]$	連続	連続
	$T(U, V, N)$	連続	連続
	$p(U, V, N)$	連続	連続
T, V, N-表示	$F[T; V, N]$	連続	連続
	$p(T; V, N)$	連続	連続
	$U(T; V, N)$	連続	不連続
	$S(T; V, N)$	連続	不連続
T, p, N-表示	$G[T, p; N]$	連続	連続
	$U(T, p; N)$	不連続	不連続
	$S(T, p; N)$	不連続	不連続

F. 完全な熱力学関数のまとめ

　m 成分の流体系において，完全な熱力学関数（Gibbs の用語では，基本的な方程式）の相互の関係や性質をまとめておく[1]。第 7 章と第 8 章で述べた Helmholtz の自由エネルギーと Gibbs の自由エネルギーの関係，そして，微分形式による関数の（自然な）引数と導関数の表現の方法を理解してから，この付録を読めば，完全な熱力学関数の美しい数学的な構造が見えてくるだろう。以下で議論する五つの関数のうち，Helmholtz の自由エネルギーと Gibbs の自由エネルギーは本文中でも完全な熱力学関数として登場したが，残りのエネルギー，エントロピー，エンタルピーは本文では単なる状態量であった。たとえば，エンタルピーという一つの物理量に，いくつかの物理的な意味をもつ単なる状態量 $H(T; V, \mathbf{N})$, $H(T, p; \mathbf{N})$ などの側面と，系についての全ての情報をもった完全な熱力学関数 $H[p; S, \mathbf{N}]$ としての側面の双方がある。これは，熱力学の興味深い特徴である。

　付録 E で述べたように，三重点などを含む一般の状況に適用できる形式では，示量変数だけを用いて $(U, V, \mathbf{N})$ のように平衡状態を表す。このとき，エントロピー $S[U, V, \mathbf{N}]$ は完全な熱力学関数である。$S[U, V, \mathbf{N}]$ は変数 $(U, V, \mathbf{N})$ について，示量性と相加性をもち，1 回微分可能で，上に

---
[1] 問題 8.1, 8.2, 8.3, 8.4, 8.5 を参照。

凸である。また U について増加関数である。

V と $\mathbf{N}$ を固定すれば，$S[U,V,\mathbf{N}]$ は U の増加関数である。その逆関数を $U[S,V,\mathbf{N}]$ と書く。エネルギー $U[S,V,\mathbf{N}]$ は，以下の議論の出発点となる完全な熱力学関数である[2]。$U[S,V,\mathbf{N}]$ は変数 $(S,V,\mathbf{N})$ について，示量性と相加性をもち，1回微分可能で，下に凸である。変数についての微分を，微分形式で表すと，

$$dU = T\,dS - p\,dV + \sum_{i=1}^{m} \mu_i dN_i \tag{F.1}$$

となる。変分原理の不等式は，

$$U[S+S', V+V', \mathbf{N}+\mathbf{N}'] \leq U[S,V,\mathbf{N}] + U[S',V',\mathbf{N}'] \tag{F.2}$$

である。

エネルギー $U[S,V,\mathbf{N}]$ を変数 S について Legendre 変換した[3]

$$F[T;V,\mathbf{N}] = \min_{S}\{U[S,V,\mathbf{N}] - TS\} \tag{F.3}$$

は，完全な熱力学関数の Helmholtz の自由エネルギーである。$F[T;V,\mathbf{N}]$ は変数 $(V,\mathbf{N})$ について，示量性と相加性をもち，1回微分可能で，下に凸であり，変数 T については，連続で，上に凸である。変数についての微分を，微分形式で表すと，

$$dF = -S\,dT - p\,dV + \sum_{i=1}^{m} \mu_i dN_i \tag{F.4}$$

となる[4]。変分原理の不等式は，

$$F[T;V+V',\mathbf{N}+\mathbf{N}'] \leq F[T;V,\mathbf{N}] + F[T;V',\mathbf{N}'] \tag{F.5}$$

である。

エネルギー $U[S,V,\mathbf{N}]$ を変数 V について Legendre 変換した

$$H[p;S,\mathbf{N}] = \min_{V}\{U[S,V,\mathbf{N}] + pV\} \tag{F.6}$$

---

[2] 断熱の概念が確立した後では，エネルギーは，もっとも理解しやすい状態量であろう。ところが，直接の実験で得られるのは，完全な熱力学関数としてのエネルギー $U[S,V,\mathbf{N}]$ ではなく，単なる状態量としてのエネルギー $U(T;V,\mathbf{N})$ である。つまり，虚心坦懐にエネルギーを測定しても，熱力学の全貌は明らかにならない。完全な熱力学関数としてのエネルギーを求めて，熱力学の全体像を把握するためには，やはり Helmholtz の自由エネルギーやエントロピーを理解する必要がある。

[3] これからの一連の考察に必要な数学的な道具については，続く付録 G, H で述べる。

[4] (F.1) とこの式を関係づけるには，$F = U - TS$ として (8.20) で示した微分形式の計算法を使うのが能率的である。(F.7), (F.10) についても同様。

は，完全な熱力学関数のエンタルピーである．$H[p;S,\mathbf{N}]$ は変数 $(S,\mathbf{N})$ について，示量性と相加性をもち，1回微分可能で，下に凸であり，変数 p については，連続で，上に凸である．変数についての微分を，微分形式で表すと，

$$dH = T\,dS + V\,dp + \sum_{i=1}^{m} \mu_i dN_i \tag{F.7}$$

となる．変分原理の不等式は，

$$H[p; S+S', \mathbf{N}+\mathbf{N}'] \leq H[p;S,\mathbf{N}] + H[p;S',\mathbf{N}'] \tag{F.8}$$

である．

エネルギー $U[S,V,\mathbf{N}]$ を変数 S と V について Legendre 変換した

$$\begin{aligned} G[T,p;\mathbf{N}] &= \min_{S,V}\{U[S,V,\mathbf{N}] - TS + pV\} \\ &= \min_{V}\{F[T;V,\mathbf{N}] + pV\} \\ &= \min_{S}\{H[p;S,\mathbf{N}] - TS\} \end{aligned} \tag{F.9}$$

は，完全な熱力学関数の Gibbs の自由エネルギーである．$G[T,p;\mathbf{N}]$ は変数 $\mathbf{N}$ について，示量性と相加性をもち，1回微分可能で，下に凸であり，変数 (T,p) については，連続で，上に凸である．変数についての微分を，微分形式で表すと，

$$dG = -S\,dT + V\,dp + \sum_{i=1}^{m} \mu_i dN_i \tag{F.10}$$

となる．変分原理の不等式は，

$$G[T,p;\mathbf{N}+\mathbf{N}'] \leq G[T,p;\mathbf{N}] + G[T,p;\mathbf{N}'] \tag{F.11}$$

である．

これ以外にも，$\mathbf{N}$ についての Legendre 変換を行なって，$(\mu_1,\ldots,\mu_m)$ を変数にした関数を作ることもできる．

G. 凸関数

凸関数や Legendre 変換は，熱力学や統計物理学を記述するための自然で役に立つ数学的な概念だが，物理の教科書では不思議なほど取り上げられることが少ない．付録 G, H で，これらについての最低限必要な知識を

まとめて解説する。数学の予備知識としては，大学初年級で学ぶ解析学程度で十分である。証明は，数学的に厳密に書いた。また，この二つの付録は，それだけで独立して凸関数と Legendre 変換についての簡単な解説として読めるように書いたので，本文中での具体的な考察と重複する部分もある。

まず，ここでは，凸関数についてまとめる。

G.1　凸関数の定義と基本的な性質

実変数 x の実数値関数 $f(x)$ を考える。x の動く範囲は，$x_{\min} < x < x_{\max}$ とする。$x_{\min}$ は有限でも $-\infty$ でもよく，$x_{\max}$ も有限でも $+\infty$ でもよいとする。関数 $f(x)$ が下に凸（とつ）(convex) であるとは，$x_1 < x_2$ を満たす任意の x_1, x_2 と $0 \leq \lambda \leq 1$ を満たす任意の λ について，

$$f(\lambda x_1 + (1-\lambda)x_2) \leq \lambda f(x_1) + (1-\lambda)f(x_2) \tag{G.1}$$

が成り立つことである[1]。この定義は，抽象的に見えるが，図 G.1 を見て考えれば，何を言おうとしているのかがわかるだろう。

もし $-f(x)$ が下に凸なら，関数 $f(x)$ は上に凸であるという[2]。以下では下に凸な関数についてのみ議論するが，すべての結果は（符号や不等号の向きについての当たり前の修正を行なえば）そのまま上に凸な関数にあてはまる。

$x_{\min} < y_1 < y_2 < y_3 < x_{\max}$ を満たす任意の y_1, y_2, y_3 をとる。$y_2 = \lambda y_1 + (1-\lambda)y_3$ となるように，λ を $\lambda = (y_3-y_2)/(y_3-y_1)$ と選ぶ。$x_1 = y_1, x_2 = y_3$ として (G.1) を使うと，

$$(y_3 - y_2)f(y_1) - (y_3 - y_1)f(y_2) + (y_2 - y_1)f(y_3) \geq 0 \tag{G.2}$$

となる。$f(x)$ が下に凸であるとは，$x_{\min} < y_1 < y_2 < y_3 < x_{\max}$ を満たす任意の y_1, y_2, y_3 について，(G.2) が成り立つことであるといってもよい。

以下に凸関数についての重要な性質をまとめる。証明は G.3 節でまとめて行なう。

---

[1] $\lambda = 0, 1$ のとき (G.1) は自明なので，λ の範囲は $0 < \lambda < 1$ としてもよい。
[2] 英語では「下に凸」を convex といい，「上に凸」を concave という。日本語でもこれにならって，「下に凸」を単に「凸」，「上に凸」を単に「凹」と表現することがある。しかし，これではグラフの形と（象形文字である）漢字の形の対応が逆転してしまうので居心地が悪い。

G. 凸関数

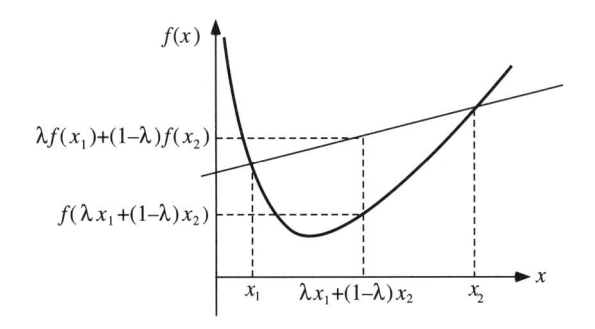

図 G.1 $f(x)$ が下に凸であるということの意味。2 点 $(x_1, f(x_1))$ と $(x_2, f(x_2))$ を結ぶ直線と $f(x)$ のグラフを比較すると，$x_1 \leq x \leq x_2$ の範囲では $f(x)$ がつねに下にある。これを式で表すと，(G.1) となる。

まず，2 階微分を使った「普通の」定義と，ここで見た定義の関係を見ておこう。

定理 G.1 (凸性と 2 階微分) 下に凸な関数 $f(x)$ が，ある x において 2 回微分可能なら，$f''(x) \geq 0$ が成り立つ。逆に，$f(x)$ がすべての x について 2 回微分可能で $f''(x) \geq 0$ を満たせば，$f(x)$ は下に凸である。

この定理を見ると，ややこしい定義 (G.1) などは使わず，(物理の普通の教科書のように) $f''(x) \geq 0$ を下に凸な関数の定義とすればよいと思うかもしれない。しかし，再三注意してきたように，相転移点では，熱力学関数は 2 回微分可能でなくなる。微分を用いない定義 (G.1) を採用することには，**物理的な必然性**があるのだ。

次の定理は，凸関数をもとにして新しい凸関数を作る二つの方法を示している。証明は，定義をあてはめるだけなので，省略する。

定理 G.2 (凸関数から凸関数を作る) $f(x)$ と $g(x)$ を下に凸な関数とする。任意の実数 a, b について，$f(ay + b)$ は y について下に凸な関数である。また，a, b を任意の正の実数とすると，$af(x) + bg(x)$ は x について下に凸な関数である。

次の定理は強力である。

定理 G.3 (凸関数の連続性) 下に凸な関数 $f(x)$ は，すべての x におい

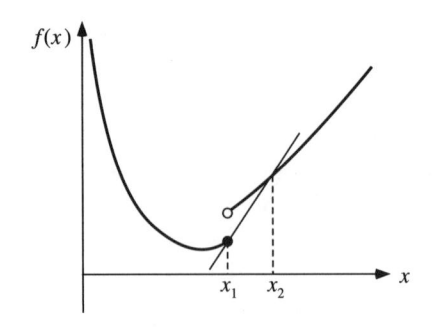

図 G.2 不連続関数 $f(x)$ は下に凸であり得ないこと。図のように x_1, x_2 を選ぶと，不等式 (G.1) は決して成り立たない。

て連続である。

証明は次節で行なうが，図 G.2 のように，不連続な関数のグラフを描いてみて，それが下に凸になり得ないことを見れば定理の内容は納得できるだろう。

最後に凸関数の微分についての強い結果を示すため，右微分，左微分という概念を導入する。任意の関数 $f(x)$ について，

$$f'_+(x) = \lim_{\varepsilon \searrow 0} \frac{f(x+\varepsilon) - f(x)}{\varepsilon} \tag{G.3}$$

という極限が存在するとき，$f'_+(x)$ を $f(x)$ の x における右微分[3]と呼ぶ。ここでの極限は，ε を正の側から 0 に近づけることを意味する。同様に，極限

$$f'_-(x) = \lim_{\varepsilon \searrow 0} \frac{f(x) - f(x-\varepsilon)}{\varepsilon} \tag{G.4}$$

を左微分と呼ぶ。右微分，左微分の直観的な意味は明らかだろう。たとえば，関数

$$f(x) = \begin{cases} x, & x \leq 0 \text{ のとき} \\ 2x, & x \geq 0 \text{ のとき} \end{cases} \tag{G.5}$$

では，$f'_-(0) = 1$ で $f'_+(0) = 2$ である。関数 $f(x)$ が x において微分可能というのは，x における右微分と左微分が存在しかつ一致することに他ならない。

---

[3]正しくは，右側微分係数 (right differential coefficient)。

G. 凸関数

定理 G.4 (凸関数の左右微分と接線) $f(x)$ を任意の下に凸な関数とする。任意の x において右微分 (G.3) と左微分 (G.4) が存在する。任意の $x_1 < x_2$ について，

$$f'_-(x_1) \leq f'_+(x_1) \leq f'_-(x_2) \leq f'_+(x_2) \tag{G.6}$$

が成立する。また，任意の x_0 に対して

$$f'_-(x_0) \leq \alpha \leq f'_+(x_0) \tag{G.7}$$

を満たす α をとると，

$$f(x) \geq f(x_0) + \alpha(x - x_0) \tag{G.8}$$

がすべての x について成立する。

こうして，凸関数については，微分可能性がなくても，かなり微分に近いものが考えられることがわかった。たとえば，Gibbs の自由エネルギーは相転移点において圧力について微分不可能になるが，それでも相転移点に左右から近づいてくるときの「微分」はきちんと定義できるのである。

上の定理を，特に $f'(x)$ が存在する場合に適用すると，次の便利な結果が得られる。証明は，書き換え程度なので，省略する。

定理 G.5 (凸関数の微分と接線) $f(x)$ を任意の下に凸な関数とする。$f(x)$ が 1 回微分可能であるような任意の $x_1 < x_2$ について，

$$f'(x_1) \leq f'(x_2) \tag{G.9}$$

が成立する。つまり，$f'(x)$ は（定義されている集合上で）非減少関数である。また，$f(x)$ が 1 回微分可能な任意の x_0 をとれば，

$$f(x) \geq f(x_0) + f'(x_0)(x - x_0) \tag{G.10}$$

がすべての x について成立する。

(G.10) の右辺は点 $(x_0, f(x_0))$ を通る傾き $f'(x_0)$ の直線，つまり接線の方程式である。不等式 (G.10) は，図 G.3 のように，$f(x)$ のグラフが必ず接線よりも上にあることを示している。

凸関数の接線についての結果を使うと，下に凸な関数の極値は自動的に最小値であることが示される。この事実は，熱力学におけるつり合いの条件を導く際に，本質的に重要な役割を果たした。

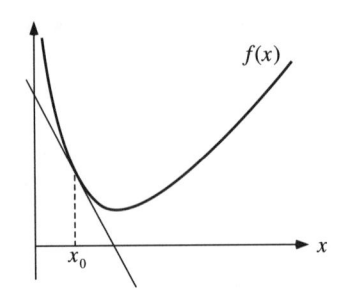

図 G.3 凸関数は，接線よりも上にある。曲線は，$f(x)$ のグラフであり，直線は (G.10) の右辺に現れる $(x_0, f(x_0))$ を通る傾き $f'(x_0)$ の直線である。

定理 G.6 (凸関数の極値と最小値) $f(x)$ を任意の下に凸な関数とする。$f'(x_0) = 0$ なら，$f(x)$ は $x = x_0$ において最小値をとる。

証明は自明。$f'(x_0) = 0$ より (G.10) は $f(x) \geq f(x_0)$ となり，確かに $f(x_0)$ が最小である。

G.2 多変数の凸関数

ここでは，多変数の場合の凸関数の定義と，ごく基本的な性質を見ておこう。

n 次元 Euclid 空間 $\mathbb{R}^n$ の部分集合 C が**凸集合** (convex set) であるとは，任意の $\mathbf{x}_1, \mathbf{x}_2 \in C$ と任意の $0 \leq \lambda \leq 1$ について，$\lambda \mathbf{x}_1 + (1-\lambda)\mathbf{x}_2 \in C$ が成り立つことである。定義の意味は図 G.4 を見れば明らかだろう。$\mathbb{R}^n$ そのもの，また熱力学の示量変数の組の作る空間 $(\mathbb{R}_+)^n$ は，もちろん凸集合である（$\mathbb{R}_+$ は正の実数の集合）。以下では C は凸集合とする。

C 上の実数値関数 $f(\mathbf{x})$ が下に凸であるとは，任意の $\mathbf{x}_1, \mathbf{x}_2 \in C$ と任意の $0 \leq \lambda \leq 1$ について，

$$f(\lambda \mathbf{x}_1 + (1-\lambda)\mathbf{x}_2) \leq \lambda f(\mathbf{x}_1) + (1-\lambda)f(\mathbf{x}_2) \tag{G.11}$$

が成り立つことである。

1 変数の場合の定理 G.2 に相当する次の定理も，定義から直ちに証明できる。

定理 G.7 (凸関数から凸関数を作る) $f(\mathbf{x}), g(\mathbf{x})$ を C 上の下に凸な関数

G. 凸関数

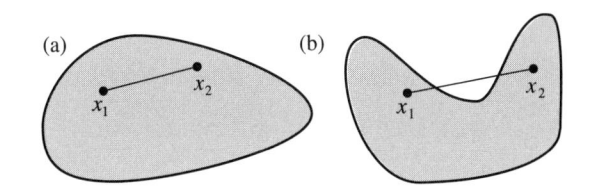

図 G.4 2次元 Euclid 空間 $\mathbb{R}^2$ の部分集合。(a) は凸集合であり，(b) は凸集合ではない。

とする。M を任意の $n \times n$ 行列，$\mathbf{a} \in \mathbb{R}^n$ を任意の定ベクトルとすると，$f(\mathrm{M}\mathbf{y} + \mathbf{a})$ は $\mathbf{y}$ の下に凸な関数である。任意の正の実数 a, b について，$a f(\mathbf{x}) + b g(\mathbf{x})$ は $\mathbf{x}$ の下に凸な関数である。

多変数の凸関数と1変数の凸関数の間には，たとえば，次の関係がある。

定理 G.8 (多変数の凸関数から1変数の凸関数へ) $f(\mathbf{x})$ を C 上の下に凸な関数とする。任意の $\mathbf{x}_1, \mathbf{x}_2 \in C$ について，

$$\tilde{f}(y) = f(y\mathbf{x}_1 + (1-y)\mathbf{x}_2) \tag{G.12}$$

により定義される1変数関数 $\tilde{f}(y)$ は下に凸である。

証明は，定義をたどるだけなので，省略する。この定理の特別な場合として，$f(\mathbf{x})$ で $\mathbf{x} = (x_1, \ldots, x_n)$ の n 個の成分のうち x_i だけが変化できるようにし，残りの $(n-1)$ 個を固定したものは，x_i の下に凸な関数になることがいえる。

定理 G.3 により上の $\tilde{f}(y)$ は連続なので，当然もとの $f(\mathbf{x})$ も連続だろうと考えられる。本書であらわには用いないが，次の定理がある。(証明は，1変数の場合と違って簡単ではない。)

定理 G.9 (多変数の凸関数の連続性) C 上の下に凸な関数 $f(\mathbf{x})$ は連続である。

最後に，下に凸な関数の極値と最小値の関係についての定理を示しておく。この定理は，熱力学における様々なつり合いの条件を導く際，本質的に重要な役割を果たした。

定理 G.10 (多変数の凸関数の極値と最小値) $f(\mathbf{x})$ を C 上の下に凸な関

数とする。ある $\mathbf{x}_0 \in C$ において

$$\mathrm{grad} f(\mathbf{x}_0) = (0, \ldots, 0) \tag{G.13}$$

が成り立つなら，$f(\mathbf{x}_0)$ は $f(\mathbf{x})$ の最小値である。

証明は簡単。仮に $\mathbf{x}_1 \in C$ があって，$f(\mathbf{x}_1) < f(\mathbf{x}_0)$ だったとする。1 変数関数

$$\tilde{f}(y) = f(y\mathbf{x}_1 + (1-y)\mathbf{x}_0) \tag{G.14}$$

は下に凸で，$\tilde{f}'(0) = (\mathbf{x}_1 - \mathbf{x}_0) \cdot \mathrm{grad} f(\mathbf{x}_0) = 0$ を満たす。よって，定理 G.6 により，$\tilde{f}(y) \geq \tilde{f}(0)$ だが，これは $\tilde{f}(1) < \tilde{f}(0)$ という仮定に矛盾する。

G.3 証 明

G.1 節で述べた定理を証明する。G.2 節の定理は（証明しない定理 G.9 を除けば）すでに証明してある。

定理の証明に入る前に，凸関数についての次の性質を示しておくと便利である。

補題 G.11 $f(x)$ を下に凸な関数とする。任意の $x_1 < x_2$ について，点 $(x_1, f(x_1))$ と点 $(x_2, f(x_2))$ を通る直線を表す 1 次式

$$\begin{aligned} g(x) &= f(x_1) + \frac{f(x_2) - f(x_1)}{x_2 - x_1}(x - x_1) \\ &= f(x_2) + \frac{f(x_2) - f(x_1)}{x_2 - x_1}(x - x_2) \end{aligned} \tag{G.15}$$

を作ると，

$$f(x) \begin{cases} \geq g(x), & x < x_1 \text{ のとき} \\ \leq g(x), & x_1 < x < x_2 \text{ のとき} \\ \geq g(x), & x_2 < x \text{ のとき} \end{cases} \tag{G.16}$$

が成立する。

不等式 (G.16) の意味は，図 G.1 を見れば一目瞭然であろう。図中の斜めの直線が，$g(x)$ のグラフである。証明も極めて簡単である。たとえば，

G. 凸関数

$x_1 < x < x_2$ のときは，$y_1 = x_1, y_2 = x, y_3 = x_2$ として (G.2) を使うと，

$$f(x) - g(x) = f(x) - f(x_1) - \frac{f(x_2) - f(x_1)}{x_2 - x_1}(x - x_1)$$

$$= \frac{1}{x_2 - x_1}\{(x_2 - x_1)f(x) - (x_2 - x)f(x_1) - (x - x_1)f(x_2)\}$$

$$= -\frac{1}{x_2 - x_1}\{(y_3 - y_2)f(y_1) - (y_3 - y_1)f(y_2) + (y_2 - y_1)f(y_3)\} \leq 0$$

(G.17)

となる。残る二つの場合も，大小関係に注意して同じように (G.2) を使えばよい。

定理 G.3 の証明：図 G.2 に示した方針には従わず，$f(x)$ が連続であることを直接示す。$f(x)$ が下に凸とする。任意の $x_- < x_0 < x_+$ を固定し，$f(x)$ が x_0 において連続であることをいう。証明の方針は，図 G.5 を見ればわかる。$x_0 < x < x_+$ を満たす任意の x について，補題の (G.16) の二つ目の不等式を $x_1 = x_0, x_2 = x_+$ として用いると，

$$f(x) \leq f(x_0) + \frac{f(x_+) - f(x_0)}{x_+ - x_0}(x - x_0) \tag{G.18}$$

となる。また，(G.16) の三つ目の不等式を $x_1 = x_-, x_2 = x_0$ として用いると，

$$f(x) \geq f(x_0) + \frac{f(x_0) - f(x_-)}{x_0 - x_-}(x - x_0) \tag{G.19}$$

となる。よって，固定した x_-, x_0, x_+ について，定数 C, C' を $C = \{f(x_+) - f(x_0)\}/(x_+ - x_0), C' = \{f(x_0) - f(x_-)\}/(x_0 - x_-)$ とすると，

$$C(x - x_0) \geq f(x) - f(x_0) \geq C'(x - x_0) \tag{G.20}$$

が任意の $x_0 < x < x_+$ について成り立つ。よって，$x \to x_0 + 0$ とすれば $f(x) \to f(x_0)$ でなければならないので，$f(x)$ は x_0 において右側連続である。x_+ と x_- の役割を入れ替えて上の議論をくり返せば，$f(x)$ は x_0 において左側連続，よって連続。x_0 は任意だったから，証明が終わった。

定理 G.4 の証明：$f(x)$ を下に凸とする。任意の $x < y$ について

$$\gamma(x, y) = \frac{f(y) - f(x)}{y - x} \tag{G.21}$$

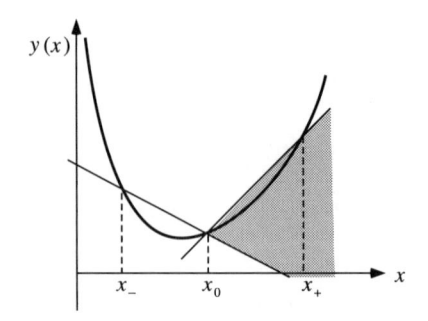

図 G.5 凸関数は連続であることの証明の方針。$x_0 < x < x_+$ を満たす x について，$f(x)$ は2本の直線に囲まれた灰色の領域を通る。よって，$x \to x_0 + 0$ とすれば2本の直線に「挟み撃ち」にされ，必然的に $f(x) \to f(x_0)$ となる。

とする。これは，$(x, f(x))$ と $(y, f(y))$ を通る直線の傾きである。$\gamma(x, y)$ は，x, y それぞれについて非減少である。これを示すには，$x < y < y'$ として，

$$\gamma(x, y') - \gamma(x, y) = \frac{(y' - y)f(x) - (y' - x)f(y) + (y - x)f(y')}{(y' - x)(y - x)} \geq 0 \tag{G.22}$$

となることを見ればよい。(G.2) を使った。$x < x' < y$ についても，同様にして $\gamma(x', y) - \gamma(x, y) \geq 0$ が示される。

任意の x と $\delta > 0$ を固定し，$\gamma(x, x + \varepsilon)$ を $\varepsilon > 0$ の関数とみなす。$\gamma(x, x + \varepsilon)$ は $\varepsilon > 0$ について非減少であり，かつ（$\gamma(x, y)$ の非減少性から）$\gamma(x, x + \varepsilon) \geq \gamma(x - \delta, x)$ を満たす。よって，下限のある単調列についての収束の定理から，極限 $\lim_{\varepsilon \searrow 0} \gamma(x, x + \varepsilon)$ が存在する。これは右微分 $f'_+(x)$ である。左微分についても同様。

また，$x_1 < x_2$ とすれば，$0 < \varepsilon < x_2 - x_1$ について，非減少性から，

$$\gamma(x_1 - \varepsilon, x_1) \leq \gamma(x_1, x_1 + \varepsilon) \leq \gamma(x_2 - \varepsilon, x_2) \leq \gamma(x_2, x_2 + \varepsilon) \tag{G.23}$$

が成り立つ。ここで $\varepsilon \searrow 0$ とすれば，(G.6) が得られる。

再び $x_1 < x_2$ とする。(G.16) により，$x < x_1$ あるいは $x > x_2$ を満たす任意の x について，

$$f(x) \geq f(x_1) + \gamma(x_1, x_2)(x - x_1) \tag{G.24}$$

G. 凸関数

が成り立つ。ここで，$x_1 = x_0$ として $x_2 \to x_0 + 0$ とすれば (G.8) で $\alpha = f'_+(x_0)$ とした関係が，また，$x_2 = x_0$ として，$x_1 \to x_0 - 0$ とすれば (G.8) で $\alpha = f'_-(x_0)$ とした関係が得られる。(G.7) を満たす中間の α についても (G.8) が成り立つことは自明。

定理 G.1 の証明：$f(x)$ は下に凸で，x において 2 回微分可能であるとする。x の近傍では $f'(x)$ が存在し (G.9) を満たすから，

$$f''(x) = \lim_{\varepsilon \searrow 0} \frac{f'(x+\varepsilon) - f'(x)}{\varepsilon} \geq 0 \tag{G.25}$$

となる。前半の証明が終わった。

次に，$f(x)$ がすべての x において 2 回微分可能で $f''(x) \geq 0$ とする。ある x_0 をとったとき，仮に $f(x_0)$ と $f'(x_0)$ が与えられ，すべての x について $f''(x)$ が知られているものと思って[4]，任意の x における $f(x)$ を求める。まず 1 回積分して，

$$f'(x) = f'(x_0) + \int_{x_0}^{x} dy\, f''(y) \tag{G.26}$$

であり，さらに積分して

$$\begin{aligned} f(x) &= f(x_0) + \int_{x_0}^{x} dz\, f'(z) \\ &= f(x_0) + (x - x_0)f'(x_0) + \int_{x_0}^{x} dz \int_{x_0}^{z} dy\, f''(y) \\ &\geq f(x_0) + (x - x_0)f'(x_0) \end{aligned} \tag{G.27}$$

が示される。つまり，図 G.3 と同様に $f(x)$ のグラフは $(x_0, f(x_0))$ における接線よりも上にあることがわかる。これだけで，$f(x)$ が凸であることが示される。任意の $x_1 < x_2$, $0 \leq \lambda \leq 1$ について，$x_0 = \lambda x_1 + (1-\lambda)x_2$ として (G.27) を使うと，

$$f(x) \geq f(\lambda x_1 + (1-\lambda)x_2) + \{x - (\lambda x_1 + (1-\lambda)x_2)\} f'(x_0) \tag{G.28}$$

となる。この式で $x = x_1$ として全体を λ 倍した

$$\lambda f(x_1) \geq \lambda f(\lambda x_1 + (1-\lambda)x_2) + \lambda(1-\lambda)(x_1 - x_2)f'(x_0) \tag{G.29}$$

と，$x = x_2$ として全体を $(1-\lambda)$ 倍した

$$(1-\lambda)f(x_2) \geq (1-\lambda)f(\lambda x_1 + (1-\lambda)x_2) - \lambda(1-\lambda)(x_1 - x_2)f'(x_0) \tag{G.30}$$

---

[4] Newton 力学で，初期位置，初期速度とその前後の加速度を知っているのと同じ。

を足し合わせれば, $f'(x_0)$ を含む項はキャンセルして凸性の条件 (G.1) が得られる。

H. Legendre 変換

ここでは, 関数の凸性を活用した Legendre 変換の定式化を述べ, 熱力学において有用ないくつかの性質を証明する。

H.1 Legendre 変換の定義

$f(x)$ を, 前章と同様, $x_{\min} < x < x_{\max}$ の範囲で定義された下に凸な関数とし,

$$\alpha_{\min} = \lim_{x \searrow x_{\min}} f'_+(x), \quad \alpha_{\max} = \lim_{x \nearrow x_{\max}} f'_-(x) \tag{H.1}$$

という量を定義する。ここで, $\alpha_{\min}$ は $-\infty$ または有限, $\alpha_{\max}$ は ∞ または有限である[1]。(G.6) より, $\alpha_{\min} \leq \alpha_{\max}$ が成り立つ。

以下, $\alpha_{\min} \neq \alpha_{\max}$ とし[2], 変数 α が $\alpha_{\min} < \alpha < \alpha_{\max}$ の範囲を動くとする。

α を固定する。任意の x_0 について, $(x_0, f(x_0))$ を通る傾き α の直線を考える。直線の方程式は,

$$y = \alpha(x - x_0) + f(x_0) = \alpha x + y_0 \tag{H.2}$$

である。ここで, y 切片は $y_0 = f(x_0) - \alpha x_0$ である。α は固定したまま, x_0 を動かして y 切片 y_0 の最小値 y_0^* をさがす。関数 $f(x)$ が決まっていれば, 最小値 y_0^* は α のみで決まるので, $-y_0^*$ を $f^*(\alpha)$ と呼ぶことにする。図 H.1 を見よ。

変数 α を $\alpha_{\min} < \alpha < \alpha_{\max}$ の範囲で動かすことで, α の関数 $f^*(\alpha)$ が得られる。これを, 関数 $f(x)$ の **Legendre 変換** (Legendre transformation) と呼ぶ。式で表現すれば,

$$f^*(\alpha) = -\min_x \{f(x) - \alpha x\} = \max_x \{\alpha x - f(x)\} \tag{H.3}$$

となる。式を簡単にするため, これまで x_0 と呼んできたものを単に x と書いた。ここで, min, max という記号は, 許される範囲で x を動かして,

---

[1] (G.6) より $f'_\pm(x)$ は非減少関数なので, 極限は ($\pm\infty$ を含めれば) かならず存在する。
[2] $\alpha_{\min} = \alpha_{\max}$ となるのは関数 $f(x)$ が 1 次式のときである。

H. Legendre 変換

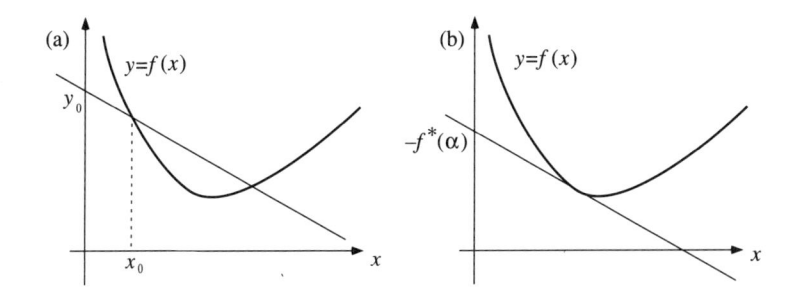

図 H.1 Legendre 変換の定義。下に凸な関数 $y = f(x)$ のグラフを描いた。(a) $(x_0, f(x_0))$ を通る傾き α の直線をとり、その y 切片を y_0 とする。(b) x_0 を動かしたときの y_0 の最小値を $-f^*(\alpha)$ とする。

次に書かれている x の関数の最小値や最大値を求めよという意味である[3]。

仮に $f'(x)$ が連続で x について増加するとして[4]、$f^*(\alpha)$ を求めよう。(H.3) によれば、$g(x) = f(x) - \alpha x$ という量の最小値を求めればよいのだから、$g'(x) = 0$、つまり、$\alpha = f'(x)$ の唯一の解を $x^*(\alpha)$ とする。(H.3) に戻して、

$$f^*(\alpha) = \alpha x^*(\alpha) - f(x^*(\alpha)) \tag{H.4}$$

となる。これが多くの物理学の教科書に現れる Legendre 変換の「定義」である。しかし、これは $f'(x)$ が存在しない場合や $x^*(\alpha)$ が一意的に決まらない場合には適用できない。ここで、次の定理にあるように、$f(x)$ の凸性が重要になる。

定理 H.1 (Legendre 変換と関数の凸性) 任意の下に凸な関数 $f(x)$ に対して、(H.3) で定義される Legendre 変換 $f^*(\alpha)$ が存在する。$f^*(\alpha)$ は α の下に凸な関数であり、よって連続である。また Young の不等式

$$f(x) + f^*(\alpha) \geq x \alpha \tag{H.5}$$

が成り立つ。

定理の証明は H.4 節でまとめて行なうが、(H.5) の証明だけは簡単なの

---

[3] 数学の文献では、min, max のかわりに inf, sup を用いることが多い。今の場合には、最大値、最小値の存在が保証される（定理 H.1）ので、より初等的な最大、最小の概念だけを用いる。

[4] これは、凸性よりも強い条件である。

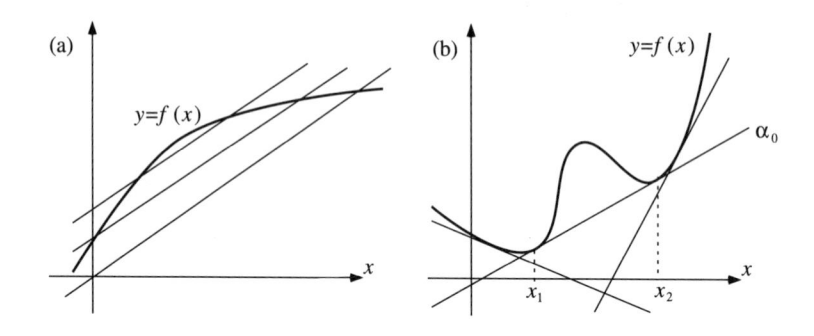

図 H.2 下に凸でない関数 $f(x)$ を取るとどういうところで困るか。(a) の場合, y 切片 y_0 の最小値が存在しない。(b) の場合, $f^*(\alpha)$ は有限に定義される。しかし, $\alpha < \alpha_0$ では $f^*(\alpha)$ は $x < x_1$ の部分の情報だけを反映し, $\alpha > \alpha_0$ では $f^*(\alpha)$ は $x > x_2$ の部分の情報だけを反映する。結局, $x_1 < x < x_2$ の範囲での $f(x)$ についての情報は $f^*(\alpha)$ に反映されない。

で済ませてしまおう。(H.3) より, 任意の α, x について

$$f(x) + f^*(\alpha) = \max_y \{f(x) + \alpha y - f(y)\} \geq \alpha x \tag{H.6}$$

となる。ここで, y を動かすかわりに $y = x$ とおいてしまえば, 最大値以下の値が得られることを用いた。

$f(x)$ の凸性がどのように役立つか知るために, ためしに下に凸でない $f(x)$ から (H.3) によって $f^*(\alpha)$ を作ってみよう。図 H.2 の (a) のように上に凸な関数（たとえば $x > 0$ について $f(x) = \sqrt{x}$ など）の場合, 傾き α を固定したまま交点 x_0 を右へずらしていくと, y 切片 y_0 は限りなく小さくなっていく。つまり, y 切片の最小値が存在しない。

図 H.2 の (b) のような $f(x)$ の場合には, 下に凸という条件は破っているものの, y 切片の最小値はいつも有限で $f^*(\alpha)$ の定義そのものに問題はない。ここで $f^*(\alpha)$ がどのように決まるか考えてみよう。図のように $f(x)$ の二つの「へこみ」に共通に接する直線の傾きを α_0 とする。$\alpha < \alpha_0$ のときには, 図中の $x < x_1$ の領域での $f(x)$ のふるまいから $f^*(\alpha)$ が決まり, $\alpha > \alpha_0$ のときには, 図中の $x > x_2$ の領域での $f(x)$ のふるまいから $f^*(\alpha)$ が決まる。つまり, $x_1 < x < x_2$ の範囲での $f(x)$ についての情報は $f^*(\alpha)$ に反映されないことになる。$f(x)$ の情報の一部が失われてし

H. Legendre 変換

まう。

H.2 逆変換

再び図 H.1 の $f^*(\alpha)$ の定義を説明した作図法を思い出そう。直線の傾き α が $\alpha_{\min} < \alpha < \alpha_{\max}$ の範囲を動くとき, y_0 の最小値を与えるような x_0 は $x_{\min} < x_0 < x_{\max}$ の範囲をくまなく動いていく。これは, $f(x)$ が下に凸であることの重要な帰結である（図 H.2 の (b) の反例を思い出そう）。こうして, $f(x)$ のもっていた情報は, 余さず $f^*(\alpha)$ に「書き込まれた」と期待される。

では, $f^*(\alpha)$ が与えられたとき, そこから $f(x)$ を再現することを考えよう。α を一つ固定し, 傾き α, y 切片 $-f^*(\alpha)$ の直線

$$y = \alpha x - f^*(\alpha) \tag{H.7}$$

を作る。$f^*(\alpha)$ の作り方から考えて, $y = f(x)$ のグラフは少なくとも (H.7) の直線よりは上にあり, どこかでこの直線と接している。別の α の値についても同じように直線 (H.7) をとれば, $y = f(x)$ のグラフは二つの直線よりも上にあり, 両者に接する。参照する α の個数をしだいに増やしていけば, 図 H.3 のように, 何本もの直線の集まりの包絡線として, $y = f(x)$ のグラフが再構成できそうである。

今の考察を, 式を使って書き直してみよう。仮に一つの x を固定して, $f(x)$ の値を知りたいとする。$y = f(x)$ のグラフが直線 (H.7) より上にあるのだから, 任意に選んだ α について

$$f(x) \geq \alpha x - f^*(\alpha) \tag{H.8}$$

が成り立つ。これは Young の不等式 (H.5) に他ならない。この不等式は, α をいろいろに動かしたときつねに成立しなくてはならない。また, 少なくとも一つの α については等式として成立する必要がある。よって, 求める $f(x)$ は,

$$f(x) = \max_{\alpha} \{x\alpha - f^*(\alpha)\} \tag{H.9}$$

で与えられることになる。(H.9) の右辺をよく見ると, これは単に x と α が入れ替わっただけで, $f(x)$ から $f^*(\alpha)$ を作った式 (H.3) と同じ形をしている。つまり, **下に凸な関数 $f(x)$ に Legendre 変換を 2 回施すと**,

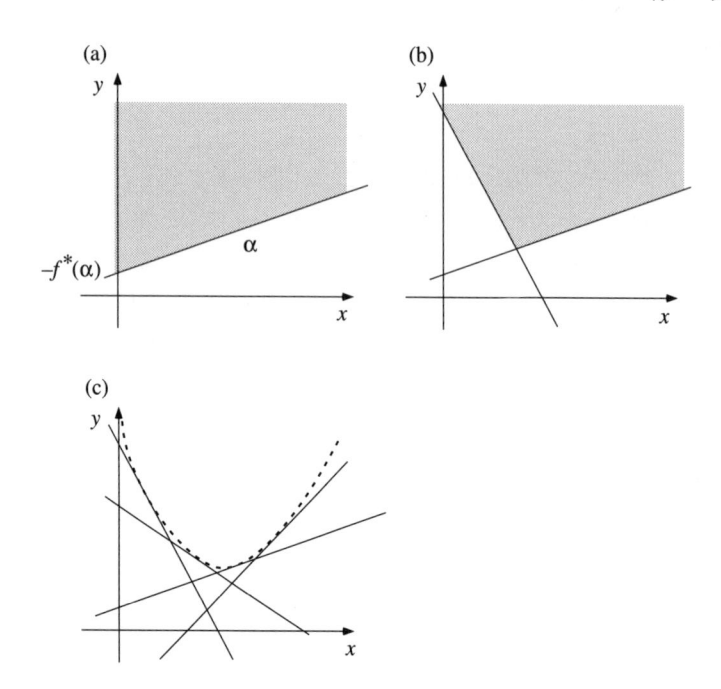

図 H.3 $f^*(\alpha)$ を知って，$f(x)$ を再構成するアイディア。(a) $f(x)$ は傾き α，切片 $-f^*(\alpha)$ の直線より上の灰色の部分のどこかにあり，直線とどこかで接している。(b) 直線を 2 本にすれば，$f(x)$ の存在範囲は少し絞り込まれる。(c) 数多くの直線をとれば，それらの包絡線として $y = f(x)$ のグラフが浮き上がってくる。

もとの関数 $f(x)$ に戻ることがわかった。簡潔に書けば，以下のようになる[5]。

定理 H.2 (Legendre 変換の逆) 任意の下に凸な関数 $f(x)$ に対して，

$$f^{**}(x) = f(x) \tag{H.10}$$

が成り立つ。

H.3　Legendre 変換の例

本文の 8-1 節で議論した Helmholtz の自由エネルギー $F[T; V, N]$ と

---

[5] 以上の説明は，厳密ではない。証明は後で行なう。

H. Legendre 変換

Gibbs の自由エネルギー $G[T,p;N]$ は，いうまでもなく，Legendre 変換で結ばれている。念のため，符号や変数の扱いを，この節での一般的な記法に合わせておこう。

Helmholtz の自由エネルギー $F[T;V,N]$ が与えられたとして，T,N を固定し，

$$f(x) = F[T;x,N] \tag{H.11}$$

により $x>0$ の関数を定義する。$f(x)$ は x について下に凸な関数なので Legendre 変換 $f^*(\alpha)$ が定義できる。α の動く範囲は，大ざっぱにいうと $f'(x)$ のとる範囲なので，この場合（$-f'(x)$ が圧力なので）負の実数である。そこで，上で固定した T,N に対して，

$$G[T,p;N] = -f^*(-p) \tag{H.12}$$

によって G を定義すると，正の p について上に凸な関数が得られる。これは (8.2) そのものである。逆変換 (8.7) も $f^{**}(x) = f(x)$ の関係によって正当化される。

解析力学において Lagrangian $L(q,u,t)$ から Hamiltonian $H(q,p,t)$ を作る変換[6]

$$H(q,p,t) = \max_u \{up - L(q,u,t)\} \tag{H.13}$$

も Legendre 変換である [16]。

他に，いくつかの標準的な例を見ておこう。$p>1$ を定数とする。$x>0$ について，

$$f(x) = \frac{x^p}{p} \tag{H.14}$$

という関数は $f''(x) > 0$ を満たす。(H.4) を使って Legendre 変換 $f^*(\alpha)$ を求めることができる。$\alpha = f'(x) = x^{p-1}$ の解は $x^*(\alpha) = \alpha^{1/(p-1)}$ だから $\alpha > 0$ について

$$f^*(\alpha) = \alpha \alpha^{1/(p-1)} - \frac{(\alpha^{1/(p-1)})^p}{p} = \frac{\alpha^q}{q} \tag{H.15}$$

となる。ここで，$q>1$ は，

$$\frac{1}{p} + \frac{1}{q} = 1 \tag{H.16}$$

---

[6] q は一般化座標，u は q に対応する速度変数（$\dot{q}$ と表記することが多い），p は，q を正準座標とみたときの，正準運動量である。

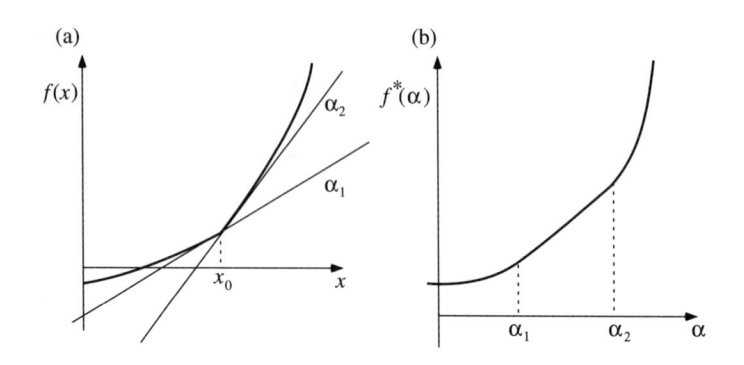

図 **H.4**: x_0 において微分可能でない関数 (a) と，その Legendre 変換。

で決まる定数。$f(x) = x^p/p$ と $f^*(\alpha) = \alpha^q/q$ は対称な形をしている。特に，$p = q = 2$ とすることで，関数 $f(x) = x^2/2$ は Legendre 変換で形を変えないこともわかる。

この例で Young の不等式 (H.5) を使うと，任意の $x > 0, \alpha > 0$ と (H.16) を満たす $p, q > 1$ について，

$$\frac{x^p}{p} + \frac{\alpha^q}{q} \geq x\alpha \tag{H.17}$$

が得られる。$X = x^p, Y = \alpha^q$ と書けば，これは，

$$\frac{X}{p} + \frac{Y}{q} \geq X^{1/p} Y^{1/q} \tag{H.18}$$

という不等式になる。これは，よく知られている相加平均と相乗平均についての不等式の一般化である[7]。

同様の計算から，すべての x について下に凸な関数 $f(x) = e^x$ の Legendre 変換が $f^*(\alpha) = \alpha(\log \alpha - 1)$ $(\alpha > 0)$ であることが示される。

Legendre 変換の定義 (H.3) では，関数 $f(x)$ の微分 $f'(x)$ に不連続性があっても何の問題もない。簡単な例を見ておこう。たとえば，$f(x)$ として図 H.4 の (a) のように，$x = x_0$ で微分に飛びがあるような関数をとろう。つまり，$f'_-(x_0) = \alpha_1 < f'_+(x_0) = \alpha_2$ ということである。図と $f^*(\alpha)$ の定義から明らかに，$\alpha_1 < \alpha < \alpha_2$ を満たす α については，y 切片を最小にする直線は常に，$(x_0, f(x_0))$ を通過する。よって，この間 y 切片の値

---

[7] (H.18) で $p = q = 2$ とおいてみよ。

H. Legendre 変換   277

は α に正確に比例する。そのため,対応する $f^*(\alpha)$ では,微分は連続だが,図 H.4 の (b) のように,$\alpha_1 < \alpha < \alpha_2$ に直線的な部分が現れる。逆に,図 H.4 の (b) のグラフから出発して,同様の作図で Legendre 変換を考察すると,確かに (a) のようなグラフが得られることも確かめてみよ(そのような考察は,8-4 節ですでに行なっている)。

H.4 証　明

二つの定理の証明を行なう。

定理 H.1 の証明: Young の不等式 (H.5) は示したので,それ以外を証明する。$\alpha_{\min} < \alpha < \alpha_{\max}$ を固定して,関数 $g(x) = f(x) - \alpha x$ を考える。明らかに,$g(x)$ も下に凸である。(H.1) より,

$$\lim_{x \searrow x_{\min}} g'_+(x) = \alpha_{\min} - \alpha < 0 \qquad (\text{H.19})$$

$$\lim_{x \nearrow x_{\max}} g'_-(x) = \alpha_{\max} - \alpha > 0 \qquad (\text{H.20})$$

だから,$g(x)$ は $x_{\min}$ 近傍では減少していて,$x_{\max}$ 近傍では増加している。$g(x)$ は連続なので,必ず途中の x で最小値をとる。これで,最小値 $-f^*(\alpha)$ の存在が証明された。

$f^*(\alpha)$ が下に凸であることを示す。任意の $\alpha_1 < \alpha_2$ と $0 \le \lambda \le 1$ について Young の不等式 (H.5) より

$$\lambda f^*(\alpha_1) \ge \lambda x \alpha_1 - \lambda f(x) \qquad (\text{H.21})$$

$$(1-\lambda) f^*(\alpha_2) \ge (1-\lambda) x \alpha_2 - (1-\lambda) f(x) \qquad (\text{H.22})$$

が任意の x について成り立つ。辺々を足し合わせて,

$$\lambda f^*(\alpha_1) + (1-\lambda) f^*(\alpha_2) \ge x\{\lambda \alpha_1 + (1-\lambda) \alpha_2\} - f(x) \qquad (\text{H.23})$$

となるが,x が任意だったので,x を動かして右辺を最大にすれば,

$$\lambda f^*(\alpha_1) + (1-\lambda) f^*(\alpha_2) \ge f^*(\lambda \alpha_1 + (1-\lambda) \alpha_2) \qquad (\text{H.24})$$

となり,$f^*(\alpha)$ の凸性が示される。

この証明から,たとえ $f(x)$ が下に凸でなくても,$f^*(\alpha)$ が有限に定まっていれば,$f^*(\alpha)$ は自動的に下に凸になることがわかる。この事実を用いると,下に凸でない関数 $f(x)$ に対して,$f^{**}(x)$ という $f(x)$ に「で

きるだけ近い」下に凸な関数を作ることができる[8]。すぐ後に導く不等式 (H.25) を参照。

定理 H.2 の証明: $f(x)$ を下に凸な関数として，$f^*(\alpha)$ をその Legendre 変換とする。Young の不等式 (H.5) より $f(x) \geq x\alpha - f^*(\alpha)$ が任意の α について成り立つから，

$$f(x) \geq \max_{\alpha} \{x\alpha - f^*(\alpha)\} = f^{**}(x) \qquad \text{(H.25)}$$

である。この不等式は $f(x)$ が下に凸でなくても成立する。

逆向きの不等式を示そう。(H.5) と (H.3) を使うと，任意の α' について，

$$\begin{aligned} f^{**}(x) &\geq x\alpha' - f^*(\alpha') \\ &= \min_{x'} \{x\alpha' - x'\alpha' + f(x')\} \\ &\geq \min_{x'} \{x\alpha' - x'\alpha' + f(x) + \alpha(x' - x)\} \end{aligned} \qquad \text{(H.26)}$$

となる。最後の不等式では，凸関数の接線についての (G.8) を使った。α は $f'_-(x) \leq \alpha \leq f'_+(x)$ を満たす任意の実数である。ここで α' を α に等しく選ぶと，右辺の x' 依存性が消えて，

$$f^{**}(x) \geq f(x) \qquad \text{(H.27)}$$

がいえる。よって (H.25) と合わせて (H.10) が示された。

---

[8] 実際，10-3 節では，下に凸でない擬似自由エネルギー $\widetilde{F}$ から，このような手続きによって下に凸な (10.17) の自由エネルギー F を作った。問題 7.8 も見よ。

関 連 図 書

熱力学は，歴史も長く，応用も様々な分野に及ぶため，膨大な数の文献が出版されている．網羅的な文献リストを作るのは，とうてい筆者の力の及ぶところではない．

以下では，筆者が目を通した文献の中で，標準的なものと，この本を執筆するにあたって特に参照したものを簡単に紹介する．

[1] 山本義隆，熱学思想の史的展開 —— 熱とエントロピー（全3巻）（ちくま学芸文庫，2008 年，2009 年）
基本的には科学史の本だが，熱力学についての一流の視点を示した本でもある．

[2] 久保亮五編著，大学演習 熱力学・統計力学（修訂版）（裳華房，1998 年）
熱力学と統計力学の例題を網羅した評価の高い演習書．1998 年に，修訂版が出た．本格的に勉強したい人は，必ず手に入れるべきだろう．ただし，この演習書は，伝統的な熱力学の定式化を前提にしているので，熱力学の基礎に関わるいくつかの問題は，本書の立場とは相性がよくない．各章に簡潔なまとめがついているので，演習書の立場を理解した上で，必要に応じて，問題を解くことが望ましい．

[3] E. Fermi, Thermodynamics (Dover, 1956)
E. フェルミ，フェルミ熱力学（三省堂，1973 年）
熱力学の古典的な名著．数理的な観点からは不備なところもあるが，確かに鋭い着眼点が多々見られる．

[4] 原島鮮，熱力学・統計力学（改訂版）（培風館，1978 年）
非常に丁寧に書いてある標準的な教科書．内容は極めて豊富である．

[5] 戸田盛和，熱・統計力学（物理入門コース 7, 岩波，1983 年）
伝統的なスタイルにのっとった標準的な入門書．本書の立場とは根本的に違うが，親しみやすい本である．

[6] 橋爪夏樹，熱・統計力学入門（岩波書店，1981 年）
サイクルを主体にした従来の熱力学の本のスタイルを退け，Gibbs の流れを汲む「解析的な」スタイルをとるユニークな教科書．1 冊の本としては驚異的なまでに多くの内容をカバーしており，普通の本には見られない題材を多く学ぶことができる．

[7] 佐々真一，熱力学入門（共立出版，2000 年）
基本的な視点をはじめ本書と共通するところの多い新しいタイプの教科書．状態方程式と熱容量を出発点にする（本書より標準的な）立場から，熱力学

を見通しよく構築している。
- [8] Herbert B. Callen, Thermodynamics and Introduction to Thermostatistics (John Wiley & Sons, 1985)

    H.B. キャレン，熱力学および統計物理入門（上，下）（吉岡書店，1998 年）

    それまでの熱力学の教科書のスタイルを破って論理的な記述を目指した有名な教科書。基本的には，Gibbs がはるか以前に到達していた形式だが，それを教科書レベルで紹介したのは，これが最初である。ただし，エントロピーを天下りに定義するやり方は，熱力学の基盤についての思考停止を招きかねないと私は考える。

    完全な熱力学関数の考え方がしっかりと生かされている点は評価できるが，熱力学関数の凸性などはそれほど生かされていない。新版でつけ加えられた Landau の擬似自由エネルギーの議論は私には明解とは思えない。

- [9] P.W. アトキンス，物理化学（第 4 版，上，下）（東京化学同人，1993 年）

    多くの内容を手際よくカバーした教科書。実例が豊富である。本書での，化学熱力学の記号や用語は，主としてこの教科書を参考にした。

- [10] K. S. Pitzer, Thermodynamics (McGraw-Hill, 1995)

    G. L. Lewis と M. Randall の古典的な名著の改訂版。記述は筋が通っていて明解。化学を中心に実例も豊富である。

- [11] Mark W. Zemansky and Richard H. Dittman, Heat and Thermodynamics — An Intermediate Textbook (McGraw-Hill, 1997)

    初版が書かれたのは 1937 年で，すでに第七版という古典的な教科書。Clausius 流の熱力学に基づいた物理よりの教科書の典型といってよいだろう。実例が豊富で，記述もしっかりしている。

- [12] E. A. Guggenheim, Theromodynamics — An Advanced Treatment for Chemists and Physicists (North-Holland, 1993)

    電気化学の分野で有名な著者が，化学と物理の専門家のために書いた教科書。すべてのテーマについて，確信に満ちた筋の通った記述が見られる。

- [13] 玉虫伶太，電気化学（東京化学同人，1967 年）

    定評ある電気化学の教科書。

- [14] E. H. Lieb and J. Yngvason, The Physics and Mathematics of the Second Law of Thermodynamics, Physics Reports 310 (1999) 1-96.

    一般の断熱操作のみから出発して，エントロピーを定義し，その基本的な性質を確立した公理的熱力学の論文。数学的に厳密なだけでなく，熱力学についての思想を明確に表した注目すべき論文である[9]。

- [15] A. S. Wightman, Convexity and the Notion of Equilibrium State in Thermodynamics and Statistical Mechanics, Introduction to *Convexity in the Theory of Lattice Gases* by Robert B. Israel (Princeton University Press, 1979)

---

[9] 様々な形態のファイルを，https://arxiv.org/abs/cond-mat/9708200 から入手可能。

関連図書

Israel による厳密統計物理学の本の Introduction として数理物理学者の Wightman が書いたものだが，熱力学における凸性の重要性と威力についての極めて明解な解説になっている。

[16] 山本義隆，中村孔一，解析力学 I（朝倉書店，朝倉物理学大系 1, 1998 年）
本格的な解析力学の教科書。ここでは，（力学を出発点にした）微分幾何学や微分形式への（やや高度な）入門書という意味で引用した。

演習問題解答

演習問題 1

1.1 $V'T^{3/2} = V(T'')^{3/2}$ より,$T'' = (V'/V)^{2/3}T > T$ となる。

1.2 (a) では,気体の圧力は p_0 なので,体積は $V = NRT_L/p_0$ である。(c) では,気体の圧力は $p_0 + mg/A$ なので,体積は $V' = NRT_H(p_0 + mg/A)^{-1}$ となる。これらを A で割ったものが高さ。後半は略。

1.3 具体的な議論に深入りする余裕はないので,私なりに重要だと思う点だけを簡単に述べる。まず,なんといっても,分子,原子の実在の証拠といわれる個々の実験に関して,その動機,内容,解釈,再現性などについての正しい理解が必要である[1]。また,今日では,分子,原子の存在が,巨大な自然科学の体系の不可欠な一部になっており,様々な領域に及ぶ無数の実験事実と完全に整合していることは,重要である。さらに,今日の自然科学の体系が,世界の広い範囲(すべてではない)について,ほぼ完璧な予言能力をもっていることも強調すべきである。

演習問題 3

3.1 この問題は読者の「お楽しみ」に残しておく。Kelvin の原理が経験法則である以上,熱力学の体系との矛盾を理由にこの機関が働かないことを論じても意味がないことに注意。気体の密度分布などを考え,どこがおかしくなるか論じる必要がある。もちろん,摩擦によるエネルギーの損失があるとか,装置が大きすぎるといった技術的な困難では論拠にならない。(実作して機能したら,特許を取るべきだ。文明(と熱力学の体系)が根本的に変わる。)

3.2 前半は略。古典的な外界からの量子力学系への操作を定式化するひとつの方法は,α をハミルトニアンの中のパラメター(力学変数ではない)とし,時間に依存するハミルトニアン $\hat{H}_{\alpha(t)}$ を考えることだ。ここで $\alpha(t)$ は,外からの操作に対応した,(われわれが手で与える)時間の関数である。操作が $t = t_i$ から $t = t_f$ の間に行なわれるとき,時間依存の Schrödinger 方程式 $i\hbar\partial\Psi(t)/\partial t = \hat{H}_{\alpha(t)}\Psi(t)$ を解き,
$$W = \langle\Psi(t_i), \hat{H}_{\alpha(t_i)}\Psi(t_i)\rangle - \langle\Psi(t_f), \hat{H}_{\alpha(t_f)}\Psi(t_f)\rangle$$
を量子系が外界に行なった仕事(の期待値)とみなすことができる。

---

[1] ただし,ある特定の実験が何らかの理論・描像の「完全な証明」を与えるという考え方には問題がある。科学には,どのような基準を満たせば「確証された」とみなすといった規則は(われわれの知る限りは)ないからだ。

3.3 $W_{\max}(T;X\to X)=0$ より明らか。

3.4 N は固定して省略する。T を与えて $\tilde{p}'(T;V)=0$ となる V （ダッシュは V 微分）をさがすのが常套手段だろうが，それだと計算が困難なので，V を決めて $\tilde{p}'(T;V)=0$ となる T を求めると，$T(V)=2aN(V-bN)^2(RV^3)^{-1}$ となる。$T(V)\geq 0$ であり，$V\searrow bN$ と $V\nearrow\infty$ では $T(V)\searrow 0$ であることから，十分低い T （つまり $T<T_c$）では，二つの V において $T(V)=T$ となることがわかる。$T(V)$ が最大値を取るのは $V=3bN$ のときであり，これが $T_c=T(3bN)=(8a)/(27bR)$ を与える。グラフは略。擬似自由エネルギーは

$$\widetilde{F}[T;V,N]=-NRT\log\frac{V-bN}{\{v(T)-b\}N}-\frac{aN^2}{V}+\frac{aN}{v(T)}$$

演習問題 5

5.1 $(T;X)$ と $(T';Y)$ を並べて断熱壁で仕切った状態を $\{(T;X)|(T';Y)\}$ と書く（6-6 節を参照）。その全体を断熱壁で囲い，X 系と Y 系を隔てる断熱壁を通常の壁（透熱壁）に置き換えると，熱的接触の断熱操作

$$\{(T;X)|(T';Y)\}\xrightarrow{\text{a}}\{(\widetilde{T};X),(\widetilde{T};Y)\}$$

が実現されることを要請する。ここで系は外界に仕事を行なわないので，エネルギー保存則から

$$U(T;X)+U(T';Y)=U(\widetilde{T};X)+U(\widetilde{T};Y)$$

が成り立ち，この式から $\widetilde{T}$ が一意的に決まる。また，

$$Q=U(T;X)-U(\widetilde{T};X)=U(\widetilde{T};Y)-U(T';Y)$$

が，X 系から Y 系へ熱として移動したエネルギーである。

5.2 (5.45) の Q の定義がもっともらしいことは，エネルギーの収支を考えれば自明。後半については，温度 T' での等温サイクル

$$(T';X')\xrightarrow{\text{iq}}(T';X'')\xrightarrow{\text{aq}}(T;X)\xrightarrow{\text{i}'}(T';X')$$

において，系が外界に行なう仕事を

$$\begin{aligned}W_{\text{cyc}}&=-W'+W\\&=F[T';X']-F[T';X'']+U(T';X'')-U(T;X)+W\\&=Q_{\max}(T';X'\to X'')+Q\end{aligned}$$

と書き，$W_{\text{cyc}}\leq 0$ より $W\leq W'$ と $Q\leq Q_{\max}(T';X''\to X')=Q'$ を示せばよい。

5.3 三つ目の操作での仕事は 0 なので，Kelvin の原理と (3.27), (4.20) より，

$$\begin{aligned}0\geq W_{\text{cyc}}&=F[T;X_1]-F[T;X_0]+U(T;X_0)-U(T';X_1)\\&>F[T;X_1]-F[T;X_0]+U(T;X_0)-U(T;X_1)\\&=-Q_{\max}(T;X_0\to X_1)\end{aligned}$$

演習問題解答

となる。(5.7) を用いた。

5.4 (a), (c) での気体の体積を V, V' とする (問題 1.2 の解答を参照)。(b) から (c) での，内部エネルギーの増加は $cNR(T_\mathrm{H} - T_\mathrm{L})$，外への仕事は $(p_0 + mg/A)(V' - V)$ であり，これらの和が吸熱量 Q_H である。(d) から (e) での，内部エネルギーの減少は $cNR(T_\mathrm{H} - T_\mathrm{L})$，外からされた仕事は $p_0(V' - V)$ であり，これらの和が発熱量 Q_L である。たしかに，$W = Q_\mathrm{H} - Q_\mathrm{L} = mg(V' - V)/A$ はおもりを持ち上げる際の仕事である。V, V' の表式を代入し，$\mu = mg(Ap_0)^{-1}$ とすれば，

$$\epsilon = \frac{W}{Q_\mathrm{H}} = \mu \frac{(1+\mu)^{-1} T_\mathrm{H} - T_\mathrm{L}}{(c+1)T_\mathrm{H} - (c+1+\mu)T_\mathrm{L}}$$

となる。μ が小さいときには $\epsilon \simeq \mu/(c+1)$ であり，効率は極めて悪い。また T_H が T_L に比べてずっと大きいときには $\epsilon \simeq \mu(1+\mu)^{-1}(c+1)^{-1}$ となる。

5.5 Carnot 冷却器については $\omega_0 = T_\mathrm{L}/(T_\mathrm{H} - T_\mathrm{L})$ であり，一般に $\omega \leq \omega_0$ が成り立つ。導出は略。(付録 D の方法で $Q_\mathrm{H}/Q_\mathrm{L} \geq T_\mathrm{H}/T_\mathrm{L}$ がいえる。)

演習問題 6

6.1 断熱準静操作の途中での温度と体積を $\widetilde{T}, \widetilde{V}$ とし，これらを，微小に，それぞれ $\Delta T, \Delta V$ だけ変化させる。その際，系が外界に行なう仕事は，$\Delta W \simeq p(\widetilde{T}; \widetilde{V}, N) \Delta V = (NR\widetilde{T}/\widetilde{V})\Delta V$，$\Delta W = -(cNR\Delta T + C_0 \Delta T) = -(c+c')NR\Delta T$ の二通りに書ける。あとは，Poisson の関係式の導出と同様にして，操作の途中では $\widetilde{T}^{(c+c')}\widetilde{V} = (\text{一定})$ が成り立つことがわかる。

6.2 断熱壁で囲った流体に，問題 1.1 の温度上昇の操作で $V' = V + \varepsilon$ としたものを，繰り返し行ない，温度を T_1 から T_2 に上げる。$\varepsilon \searrow 0$ とすれば，V を固定して温度を T_1 から T_2 に連続的に上げる操作となる。電熱線からゆっくりとエネルギーを供給しても同じ結果が得られる。これは，断熱操作なので熱の出入りはないが，エントロピーは増加する。

理想気体において，体積を ε だけ増加させる断熱自由膨張 (4-4 節) を繰り返し行ない，体積を V_1 から V_2 に増やす。$\varepsilon \searrow 0$ とすれば，T を固定して体積を V_1 から V_2 に連続的に増やす操作となる。ここでも，熱の出入りはないが，エントロピーは増加する。(理想気体でなくても，同様の例は可能。)

6.3 $(T_i; X_i) \xrightarrow{i'} (T_{i+1}; X_{i+1})$ での吸熱量 ΔQ_i を (5.45) によって定義する。$(T_i; X_i) \xleftrightarrow{\text{aq}} (T_{i+1}; X_i')$ なる X_i' をとる。温度 T_{i+1} での等温サイクル $(T_{i+1}; X_{i+1}) \xrightarrow{\text{iq}} (T_{i+1}; X_i') \xrightarrow{\text{aq}} (T_i; X_i) \xrightarrow{i'} (T_{i+1}; X_{i+1})$ について $W_\mathrm{cyc} \leq 0$ となることから，少し計算すると，$\Delta Q_i \leq T_{i+1}\Delta S_i$ が示される。ただし $\Delta S_i = S(T_{i+1}; X_{i+1}) - S(T_i; X_i)$ とした。まったく同じ考察を $(T_{i+1}; X_{i+1}) \xrightarrow{i'} (T_i; X_i)$ について行なうと，$-\Delta Q_i + O(\varepsilon^2) \leq -T_i\Delta S_i$ がいえる。よって $\Delta Q_i/T_i = \Delta S_i + O(\varepsilon^2)$ であり，これを足し合わせて $\varepsilon \searrow 0$ とすればよい。

6.4 $T < \widetilde{T} < T'$ とする。相加性より、エントロピーの変化は、

$$\{S(\widetilde{T};X) + S(\widetilde{T};Y)\} - \{S(T;X) + S(T';Y)\}$$
$$= \int_T^{\widetilde{T}} dT'' \frac{\partial}{\partial T''} S(T'';X) - \int_{\widetilde{T}}^{T'} dT'' \frac{\partial}{\partial T''} S(T'';Y)$$
$$= \int_T^{\widetilde{T}} dT'' \frac{1}{T''} \frac{\partial}{\partial T''} U(T'';X) - \int_{\widetilde{T}}^{T'} dT'' \frac{1}{T''} \frac{\partial}{\partial T''} U(T'';Y)$$
$$> \frac{1}{\widetilde{T}} \int_T^{\widetilde{T}} dT'' \frac{\partial}{\partial T''} U(T'';X) - \frac{1}{\widetilde{T}} \int_{\widetilde{T}}^{T'} dT'' \frac{\partial}{\partial T''} U(T'';Y)$$
$$= \frac{1}{\widetilde{T}} \{U(\widetilde{T};X) - U(T;X) - U(T';Y) + U(\widetilde{T};Y)\} = 0$$

最後はエネルギー保存則を用いた。

6.5 まず、気体と一方の固体を接触させ、問題 6.1 で構成した断熱準静操作を行ない、
$\{(T_f;X_0),(T_f;V_1,N)\} \xrightarrow{\text{aq}} \{(T_1;X_0),(T_1;V',N)\}$ とする。$V'=(T_f/T_1)^{c+c'}V_1$ である。次に、理想気体のみを $(T_1;V',N) \xrightarrow{\text{aq}} (T_f;V'',N)$ とする。$V''=(T_1/T_f)^c V'$ である。気体ともう一方の固体を接触させ、$\{(T_f;X_0),(T_f;V'',N)\} \xrightarrow{\text{aq}} \{(T_2;X_0),(T_2;V''',N)\}$ とする。$V'''=(T_f/T_2)^{c+c'}V''$ である。最後に理想気体のみを $(T_2;V''',N) \xrightarrow{\text{aq}} (T_f;V_2,N)$ とする。$V_2 = (T_2/T_f)^c V''' = \{(T_f)^2/(T_1T_2)\}^{c'}V_1$ である。上をすべて合わせれば、断熱準静操作
$\{(T_f;X_0),(T_f;X_0),(T_f;V_1,N)\} \xrightarrow{\text{aq}} \{(T_1;X_0),(T_2;X_0),(T_f;V_2,N)\}$ が得られる。念のため理想気体のエントロピーの変化をみると、$\Delta S' = NR\log(V_2/V_1) = C_0 NR\log\{(T_f)^2/(T_1T_2)\}$ となり、たしかに (6.62) と一致する。二つの物体の温度をもとに戻す際のエントロピーの減少が、気体のエントロピーの増加でちょうど打ち消されている。

演習問題 7

7.1 両辺を V あるいは N で偏微分して必要な関係を使えばよい。

7.2 (7.8) の全微分をとると、$dF = -pdV - Vdp + \mu dN + Nd\mu$ である。(7.12) と合わせて (7.62) を得る。よって、任意のパラメターの微小変化について、$S\Delta T - V\Delta p + N\Delta \mu = 0$ が成り立つ。特に T, N を固定することを考え、$\Delta T = 0$ として、この式を ΔV で割れば、(7.61) の一つ目が得られる。二つ目も同様。Gibbs の自由エネルギーを使った導出は略。

7.3 前半は略。van der Waals 流体については、$\partial^2 U/\partial V \partial T = 0$ つまり $\partial C_v/\partial V = 0$ が結論できる。

7.4 解であることの確認は略。エネルギー密度 $u(x,y,z,t)$ は $\varepsilon_0|\mathbf{E}(x,y,z,t)|^2/2 + |\mathbf{B}(x,y,z,t)|^2/(2\mu_0) = \varepsilon_0(E_0)^2/2\{(\sin kx\cos\omega t)^2 + (\cos kx\sin\omega t)^2\}$ である。x と t について平均すれば、求める結果となる。yz 平面には z 軸正方向に $j(y,z,t) =$

演習問題解答　　　　　　　　　　　　　　　　　　　　　　　　　　　287

$(B_0/\mu_0)\sin\omega t$ の密度の電流が流れる。よって，単位面積あたりに x 軸負の方向に $j(y,z,t)\,B(0,y,z,t)/2 = \{(B_0)^2/(2\mu_0)\}(\sin\omega t)^2$ の力が働く。t について平均すれば，求める結果が得られる。

7.5 二変数関数の 2 次の Taylor 展開を知っていれば簡単だが，ここでは一変数関数についての知識だけを用いた導出を述べる。(結局は，多変数関数の展開を導くことになる。) 任意の $(v_0, n_0) \neq (0,0)$ を固定し，一変数関数 $g(t) = f(v_0 t, n_0 t)$ を定義する。$f(v,n)$ の性質から，$g(t) \geq g(0)$ と $g'(0) = 0$ が成り立つ。$g(t)$ を Taylor 展開して，

$$g(t) - g(0)$$
$$= g'(0)\,t + \frac{g''(0)}{2}t^2 + O(t^3)$$
$$= \frac{1}{2}\left\{v_0{}^2\frac{\partial^2}{\partial v^2}f(0,0) + 2v_0 n_0 \frac{\partial^2}{\partial v\,\partial n}f(0,0) + n_0{}^2\frac{\partial^2}{\partial n^2}f(0,0)\right\}t^2 + O(t^3)$$
$$= \frac{1}{2}(v_0, n_0)\,\mathsf{D}\begin{pmatrix} v_0 \\ n_0 \end{pmatrix}t^2 + O(t^3)$$

となる。左辺が 0 以上なので，任意の $(v_0, n_0) \neq (0,0)$ について

$$(v_0, n_0)\,\mathsf{D}\begin{pmatrix} v_0 \\ n_0 \end{pmatrix} \geq 0$$

がいえた。(v_0, n_0) を，D の固有値 λ に対応する規格化された固有ベクトルに選ぶと，上の式から $\lambda \geq 0$ が得られる。

7.6 位置 θ に固定してあったピストンを自由に動くようにして，温度 T の環境で平衡に達するのを待てば，$(T;\theta) \xrightarrow{\text{i}} (T;\theta^*)$ という操作が得られる。ここでの仕事は 0 なので，最大仕事の原理から $0 \leq W_{\max}(T;\theta \to \theta^*)$ であり，これを F で書けば，$F[T;\theta^*] \leq F[T;\theta]$ となる。ここから，求める変分原理が得られる。
理想気体 ($u=0$ とする) では，

$$F[T;\theta] = -\frac{NRT}{2}\log\left\{\left(\frac{T}{T^*}\right)^c \frac{\theta}{\pi}\frac{2V}{v^* N}\right\}$$
$$\qquad -\frac{NRT}{2}\log\left\{\left(\frac{T}{T^*}\right)^c \left(1 - \frac{\theta}{\pi}\right)\frac{2V}{v^* N}\right\} + mgr\sin\theta$$

となる。簡単な計算により

$$\left.\frac{\partial}{\partial\theta}F[T;\theta]\right|_{\theta=\pi/2} = 0, \quad \left.\frac{\partial^2}{\partial\theta^2}F[T;\theta]\right|_{\theta=\pi/2} = \frac{4NRT}{\pi^2} - mgr$$

とわかるので，$T_c(m) = \pi^2 mgr/(4NR)$ とすれば，題意のことが成り立ちそうである。実際に (増減表をつくるなどして) $F[T;\theta]$ の大域的なふるまいを調べれば，それが正しいことがわかる。

$T < T_c(m)$ では $F[T;\theta]$ が θ について下に凸な関数ではなくなるので，結果 7.2 が成立しないのは，ある意味で，当たり前である。本質的なのは，本文で扱った「普通の」熱力学的な系では，変分原理と示量性から自動的に凸性が導かれたことである。ここでの体積 $(\theta/\pi)V$ については，なぜそうならないのか，検討せよ。

さいごに，チューブの一方の足を少し持ち上げれば，準安定状態が得られる。（ただし，これを手計算だけで示すのは大変である。）

7.7 問題 7.6 と同様にして変分原理 $F[T;X^*,Y] = \min_X F[T;X,Y]$ を示せば，そこから (7.68) が得られる。その両辺を T で微分すれば，

$$\frac{\partial X^*(T;Y)}{\partial T}\frac{\partial^2 F[T;X,Y]}{\partial X^2}\bigg|_{X=X^*(T;Y)} + \frac{\partial^2 F[T;X,Y]}{\partial T \partial X}\bigg|_{X=X^*(T;Y)} = 0$$

なので，(7.2) より (7.69) を得る。解釈等については略。図 8.1 では T を上げると V が増す。V が増すのは吸熱になるので，Le Chatelier-Braun の原理に従っている。Y_i を変える場合もほとんど同じ。たとえば，上端にピストンのはまったシリンダーに気体をいれ，中ほどを自由に動けるピストンでしきる。上下の体積をそれぞれ Y,X とする。上のピストンを動かし，Y を増やすと，上部の圧力が下がる。それに応じて中ほどのピストンが上がるので Y の減少が緩和される。

7.8 図 7.12 で $\widetilde{F}[V]$ が直線と接する点での V の値を V_1, V_2 とする。これらを決める条件は，$\widetilde{F}'[V_1] = \widetilde{F}'[V_2] = (\widetilde{F}[V_1] - \widetilde{F}[V_2])/(V_1 - V_2)$ である。$\widetilde{F}'[V_1] = -p_0$ とする。図 7.11 (c) で圧力一定の範囲は $V_1 \leq V \leq V_2$ であり，そのときの圧力は p_0 になる。$(\widetilde{F}[V_1] - \widetilde{F}[V_2])/(V_1 - V_2) = -p_0$ から

$$0 = \widetilde{F}[V_1] - \widetilde{F}[V_2] - p_0(V_2 - V_1) = \int_{V_1}^{V_2}\{-\widetilde{F}'[V] - p_0\}dV$$
$$= \int_{V_1}^{V_2}\{\tilde{p}(V) - p_0\}dV$$

となる。右辺は $A_1 - A_2$ なので，$A_1 = A_2$ がいえた。

7.9 サイクル (7.70) に現れる状態に順に A,B,C,D と名前をつける。気液が共存しているので，圧力は，C と D の間でつねに $p_v(T)$，A と B の間でつねに $p_v(T+\Delta T) = p_v(T) + \Delta p$ である。一般に，微小な断熱準静操作 $(T;V,N) \xrightarrow{\text{aq}} (T+\Delta T;V+\Delta V,N)$ でのエンタルピー $H = U + pV$ の変化は（エネルギー保存則 $\Delta U + p\Delta V = 0$ より）$\Delta H = \Delta U + p\Delta V + V\Delta p = V\Delta p$ である。よって $H(B) - H(C) = V_1\Delta p$, $H(A) - H(D) = V_0\Delta p$ がわかる。等温準静操作での発熱量はエンタルピーの差で書けるので，D から C に移る際に気化する物質の量を N' とすると，$Q(D \to C) = H(C) - H(D) = H_{\text{vap}}(T;N')$ である。一方，上の考察から $Q(A \to B) = H(B) - H(A) = Q(D \to C) + (V_1 - V_0)\Delta p$ である。$Q(A \to B)/Q(D \to C) = 1 + (\Delta T/T)$ に得られた表式を代入し，$(V_1 - V_0)/N' = v_G(T) - v_L(T)$ に注意すれば Clapeyron の関係が得られる。

7.10 系が外界に行なう仕事は $W = -p_H V + p_L V'$ であり，エネルギー保存則から $U(T;V,N) + p_H V = U(T';V',N) + p_L V'$ となり，エンタルピーは保存する。

演習問題 8

8.1 示量性は自明。$F[T;V,N]$ が T について微分できるとすると，与えられた S について，最大値を与える T は $S(T;V,N) = S$ の解。特に $S = S(T;V,N)$ とすれば，引数の T が解そのもの。よって $U[S(T;V,N),V,N] = F[T;V,N] + TS(T;V,N) =$

演習問題解答

$U(T;V,N)$ である．偏微分については，(F.1) を見よ．

8.2 定義より

$$U[S,V,N] = \max_T \{F[T;V,N] + TS\}$$
$$\leq \max_T \{F[T;V_1,N_1] + F[T;V_2,N_2] + T(S_1+S_2)\}$$
$$\leq \max_T \{F[T;V_1,N_1] + TS_1\} + \max_T \{F[T;V_2,N_2] + TS_2\}$$
$$= U[S_1,V_1,N_1] + U[S_2,V_2,N_2]$$

後半は略．

8.3 仕事は 0 なので，エネルギー保存則より $U[S_1,V_1,N_1] + U[S_2,V_2,N_2] = U[S,V,N]$ が成り立つ．(8.32) により，左辺 $\geq U[S_1+S_2,V,N]$．よって，$U[S,V,N] \geq U[S_1+S_2,V,N]$ であり，$S \geq S_1+S_2$ がいえる．

8.4 $p(T;V,N) = NRT/(V-aN)$ を V について解けば，$V(T,p;N) = (NRT/p) + aN$ となる．よって $F(T,p;N) = -NRT \log\{(T/T^*)^c RT/(v^*p)\}$ となり，a によらない．$G[T,p;N] = F(T,p;N) + NRT + aNp$ となる．

8.5 定義より，

$$G[\lambda T_1 + (1-\lambda)T_2, \lambda p_1 + (1-\lambda)p_2; N]$$
$$= \min_V \{F[\lambda T_1 + (1-\lambda)T_2; V, N] + (\lambda p_1 + (1-\lambda)p_2)V\}$$
$$\geq \min_V \{\lambda F[T_1;V,N] + (1-\lambda)F[T_2;V,N] + (\lambda p_1 + (1-\lambda)p_2)V\}$$
$$\geq \lambda \min_V \{F[T_1;V,N] + p_1 V\} + (1-\lambda)\min_V \{F[T_2;V,N] + p_2 V\}$$
$$= \lambda G[T_1,p_1,N] + (1-\lambda)G[T_2,p_2;N]$$

多成分の場合や $G[T,H;N]$ の扱いも同様．

8.6 $H(T,p;N)$ の表式の確認は省略．素直に微分して

$$\frac{\partial H(T,p;N)}{\partial T} = C_{\rm p}(T,p;N),$$

$$\frac{\partial H(T,p;N)}{\partial p} = V(T,p;N) + T\frac{\partial S(T,p;N)}{\partial p} = V(T,p;N) - T\frac{\partial V(T,p;N)}{\partial T}$$

を得る．最後の等式は Gibbs の自由エネルギーに関する Maxwell の関係式から出る．これと，問題 7.10 の結果 $H(T,p;N) = H(T-\Delta T, p-\Delta p;N)$ を用いればよい．

8.7 理想気体については省略．(3.37) を変形し，Taylor 展開して，

$$\frac{NRT}{\tilde p} = V\left\{\left(1-\frac{bN}{V}\right)^{-1} - \frac{aN}{RTV}\right\}^{-1} \simeq V\left\{1-\frac{bN}{V} + \frac{aN}{RTV}\right\}$$
$$= V - bN + \frac{aN}{RT}$$

を得る．(8.36) より $\mu_{\rm JT}(T,p) = \{c_{\rm p}(T,p)\}^{-1}\{2a/(RT) - b\}$ となる．逆転温度 (inversion temperature) を $T_{\rm inv} = 2a/(bR)$ と定義すると，$T > T_{\rm inv}$ なら操作に

よって気体の温度は上昇し，$T < T_{\text{inv}}$ なら気体の温度は低下する．この効果は，気体の冷却（さらには液化）に実際に利用される．

8.8 (8.12) を T で微分して（あるいは (6.32) に $V = NRT/p$ を代入して）
$$S(T, p; N) = cNR - NR\log\{(T^*/T)^{c+1}(p/p^*)\}$$
となる．$S(T, p; N) = S(T', p'; N)$ より，$p/T^{c+1} = p'/(T')^{c+1}$ を得る．

8.9 指示に従えば
$$C_{\text{p}}(T, p; N) - C_{\text{v}}(T, p; N)$$
$$= T\left\{\frac{\partial S(T, p; N)}{\partial T} - \left.\frac{\partial S(T; V, N)}{\partial T}\right|_{V=V(T,p;N)}\right\}$$
$$= T\left\{\frac{\partial S(T; V(T, p; N), N)}{\partial T} - \left.\frac{\partial S(T; V, N)}{\partial T}\right|_{V=V(T,p;N)}\right\}$$
なので，注意深く偏微分を行えばよい．

8.10 細かい条件は明示しない．$x(y, z) = x(y + \Delta y, z + \Delta z)$ より $\{\partial x(y,z)/\partial y\}\Delta y + \{\partial x(y,z)/\partial z\}\Delta z = 0$ となる．（高次の微小量は省略．）これを変形して，
$$\frac{\partial x(y,z)}{\partial y}\frac{\Delta y}{\Delta z}\left(\frac{\partial x(y,z)}{\partial z}\right)^{-1} = -1$$
条件より，$\Delta y/\Delta z = \partial y(x,z)/\partial z$ であり，また，y を固定しているので，一変数関数と同じで $(\partial x(y,z)/\partial z)^{-1} = \partial z(x,y)/\partial x$ なので，求める関係が得られる．

8.11 両式の差をとると
$$\lim_{\tau \searrow 0}\{G[T_{\text{b}}(p+\Delta p) + \tau, p + \Delta p; N] - G[T_{\text{b}}(p) + \tau, p; N]\}$$
$$= \lim_{\tau \nearrow 0}\{G[T_{\text{b}}(p+\Delta p) + \tau, p + \Delta p; N] - G[T_{\text{b}}(p) + \tau, p; N]\}$$
Δp で割り，まず $\Delta p \searrow 0$ とすれば，
$$\lim_{\tau \searrow 0}\left\{\frac{dT_{\text{b}}(p)}{dp}\frac{\partial G[T_{\text{b}}(p) + \tau, p; N]}{\partial T} + \left.\frac{\partial G[T, p; N]}{\partial p}\right|_{T=T_{\text{b}}(p)+\tau}\right\}$$
$$= \lim_{\tau \nearrow 0}\left\{\frac{dT_{\text{b}}(p)}{dp}\frac{\partial G[T_{\text{b}}(p) + \tau, p; N]}{\partial T} + \left.\frac{\partial G[T, p; N]}{\partial p}\right|_{T=T_{\text{b}}(p)+\tau}\right\}$$
よって
$$\frac{dT_{\text{b}}(p)}{dp}\frac{\partial G[T_{\text{b}}(p), p; N]}{\partial T_+} + V_{\text{G}}(T_{\text{b}}(p), N)$$
$$= \frac{dT_{\text{b}}(p)}{dp}\frac{\partial G[T_{\text{b}}(p), p; N]}{\partial T_-} + V_{\text{L}}(T_{\text{b}}(p), N)$$
あとは，(8.29) に注意して整理すればよい．

演習問題解答 291

演習問題 9

9.1 通常の壁を，物質 1 のみをとおす半透壁でおきかえる等温操作

$$\{(T;V,\mathbf{N}),(T;V',\mathbf{N}')\} \xrightarrow{\mathrm{i}} \{(T;V,\widetilde{\mathbf{N}}),(T;V',\widetilde{\mathbf{N}}')\}$$

における仕事は 0 なので，最大仕事の原理から，

$$0 \leq W_{\max}(T;\{(V,\mathbf{N}),(V',\mathbf{N}')\} \to \{(V,\widetilde{\mathbf{N}}),(V',\widetilde{\mathbf{N}}')\})$$
$$= (F[T;V,\mathbf{N}] + F[T;V',\mathbf{N}']) - (F[T;V,\widetilde{\mathbf{N}}] + F[T;V',\widetilde{\mathbf{N}}'])$$

ただし，物質 1 の成分以外は，$\mathbf{N}$ と $\widetilde{\mathbf{N}}$，$\mathbf{N}'$ と $\widetilde{\mathbf{N}}'$ は，それぞれ，等しい。これを変形すれば，変分原理とつり合いの式が得られる。

9.2 導出は略。Gibbs-Duhem の関係式は，

$$S\,dT - V\,dp + \sum_{i=1}^{m} N_i\,d\mu_i = 0$$

である。たとえば，T, p を固定して，物質量 N_j のみを変化させれば，

$$\sum_{i=1}^{m} N_i \frac{\partial \mu_i(T,p;\mathbf{N})}{\partial N_j} = 0$$

という等式が得られる。

9.3 まず $m=2$ の希薄溶液の T, V, N 表示での圧力と溶媒の化学ポテンシャルは，

$$p(T;V,\mathbf{N}) \simeq p_1(T;V,N_1) + \frac{N_2 RT}{V} + \frac{N_2}{N_1} s(T;\frac{V}{N_1})$$

$$\mu_1(T;V,\mathbf{N}) \simeq \mu_1(T;V,N_1) + \frac{V N_2}{(N_1)^2} s(T;\frac{V}{N_1})$$

と評価できる。$s(T,v) = -\partial w_2(T,v)/\partial v$ である。右側の化学ポテンシャルは，そのまま展開して，

$$\mu_1(T;V',\frac{V'}{V+V'}N_1^{\mathrm{tot}} + M) \simeq \mu_1(T;\frac{V+V'}{N_1^{\mathrm{tot}}},1)$$
$$+ M\frac{V+V'}{V'N_1^{\mathrm{tot}}}\frac{\partial}{\partial n}\mu_1(T;\frac{V+V'}{N_1^{\mathrm{tot}}},n)\bigg|_{n=1}$$

となる。左右の μ_1 が等しいことから，物質の移動量 M を決める関係

$$-M\left(\frac{1}{V}+\frac{1}{V'}\right)\frac{\partial}{\partial n}\mu_1(T;\frac{V+V'}{N_1^{\mathrm{tot}}},n)\bigg|_{n=1}$$
$$+\frac{(V+V')N_2}{VN_1^{\mathrm{tot}}}s(T;\frac{V+V'}{N_1^{\mathrm{tot}}}) = 0$$

が出る。同様にして，左右の圧力を評価すれば，浸透圧は，

$$p_{\mathrm{o}} \simeq -M\left(\frac{1}{V}+\frac{1}{V'}\right)\frac{V+V'}{N_1^{\mathrm{tot}}}\frac{\partial}{\partial n}p_1(T;\frac{V+V'}{N_1^{\mathrm{tot}}},n)\bigg|_{n=1}$$
$$+\frac{(V+V')N_2}{VN_1^{\mathrm{tot}}}s(T;\frac{V+V'}{N_1^{\mathrm{tot}}}) + \frac{N_2 RT}{V}$$

第一，二項は，それぞれ，物質 1 の移動に伴う圧力の変化，二つの物質の相互作用による圧力の変化と，解釈できる。ところが，(7.61) の二つ目より

$$\left.\frac{V+V'}{N_1^{\text{tot}}}\frac{\partial}{\partial n}p_1(T;\frac{V+V'}{N_1^{\text{tot}}},n)\right|_{n=1} = \left.\frac{\partial}{\partial n}\mu_1(T;\frac{V+V'}{N_1^{\text{tot}}},n)\right|_{n=1}$$

なので，M を決める式より，第一，二項が絶妙に打ち消し合うことがわかる。

9.4 体積を一定にして，化学反応を等温準静操作として実現したとすれば，平衡での $\tilde{\xi}$ と任意の ξ について $F[T;V,\mathbf{N}+\boldsymbol{\nu}\tilde{\xi}] \leq F[T;V,\mathbf{N}+\boldsymbol{\nu}\xi]$ がいえる。ここから平衡条件を求めると $\sum_{i=1}^{m}\nu_i\mu_i(T;V,\widetilde{\mathbf{N}}) = 0$ となる。後は略。

9.5 Gibbs の自由エネルギーを用いる方法：(9.118) の物質の移動までは，本文と同じ。ここでは A^- イオンは移動しないので，電気的に中性を保つために M^+ が移動し，N_3, N_4 は変化しない。よって，$G^{(2)} = G^{(1)}$ となり，$\Delta W = 0$ で，起電力は 0 とわかる。

電気化学ポテンシャルを用いる方法：半透壁でのつり合いの条件は (9.128) ではなく，$\mu_{\text{M}^+}^{\text{L}} + F\varphi_3 = \mu_{\text{M}^+}^{\text{R}} + F\varphi_4$ になるので，膜電位は $\varphi_3 - \varphi_4 = (\mu_{\text{M}^+}^{\text{R}} - \mu_{\text{M}^+}^{\text{L}})/F$ となる。これを (9.130) と連立させると，$\varphi_1 - \varphi_2 = 0$ が得られる。膜電位と濃度差による電位差がうち消し合ったと見ることもできる。

演習問題 10

10.1 磁場は $H = nI$ である。適当に起電力の向きを決めれば，一巻きの回路に発生する起電力は $(\pi r^2)dB(t)/dt$ であり，これに総巻き数を掛けて，$\mathcal{E}(t) = (\pi r^2 nL)dB(t)/dt = nV\,dB(t)/dt$ となる。$H(t) = nI(t)$ より，仕事は，$\int \mathcal{E}(t)\,I(t)\,dt = V\int H(t)\{dB(t)/dt\}dt = VH\Delta B + O\{(\Delta H)^2\}$ となる。次は，$\Delta B = \mu_0(\Delta H + \Delta m)$ を代入すればよい。

10.2 定義より，

$$S(T,H;N) = kNN_{\text{A}}\log\left(2\cosh\frac{\mu H}{kT}\right) - \frac{\mu H N N_{\text{A}}}{T}\tanh\frac{\mu H}{kT}$$

$$m(T,H;N) = \mu N_{\text{A}}\tanh\frac{\mu H}{kT}$$

$$c(T,H) = \frac{(\mu H)^2 N_{\text{A}}}{kT^2}\left(\text{sech}\frac{\mu H}{kT}\right)^2$$

グラフは略。$c(T,H)$ は $T \sim \mu H/k$ 付近にピークをもつ。

10.3 Taylor 展開すれば，
$(NN_{\text{A}})^{-1}G = -kT\log 2 - (\mu H)^2(2kT)^{-1} + O(\{\mu H/(kT)\}^4)$ となる。また，

$$S(T,H;N) = kNN_{\text{A}}\log 2 - \frac{NN_{\text{A}}(\mu H)^2}{2kT^2}, \quad m(T,H) = \frac{N_{\text{A}}\mu^2 H}{kT}$$

G から F を求める関係は，

$$F[T;M,N] = \max_{H}\{G[T,H;N] + HM\} = G[T;H^*;N] + H^*M$$

である。最大値を与える H^* は，$(NN_A)^{-1}M = \mu^2 H^*/(kT)$ で決まる。よって

$$F[T; M, N] = N\left\{-kTN_A \log 2 + \frac{kT}{2N_A\mu^2}\left(\frac{M}{N}\right)^2\right\}$$

となる。

10.4 断熱準静操作なので $S(T, H; N) = S(T', H'; N)$ である。問題 10.3 の系については，エントロピーの具体形から $T' = (H'/H)T$ となる。磁場を弱くすれば，温度が下がる。これは，実験室で，低温を作り出す実用的な方法の一つである。

10.5 前半は略。(10.48) に $T < T_c$ での臨界指数の定義を代入すると，$T_c - T$ が小さいとき，

$$(T_c - T)^{-\alpha'} \geq (\text{定数}) \times \{(T_c - T)^{\beta-1}\}^2 (T_c - T)^{\gamma'}$$

が成り立つことがわかる。$(T_c - T)$ の指数に着目すれば，求める不等式が得られる。

10.6 (10.32) の両辺を H で微分し，$\tau = 0$ とすると，$\lambda^b m(T_c, \lambda^b H_0) \simeq \lambda m(T_c, H_0)$ となる。H_0 を固定し，$H = \lambda^b H_0$ と書けば，$m(T_c, H) \simeq \lambda^{1-b} m(T_c, H_0) \propto H^{(1-b)/b}$ となり，(10.51) が導かれる。スケーリング則は，$\gamma = \beta(\delta-1)$，$\alpha + \beta(\delta+1) = 2$ など。

あとがき

やや私事に及ぶかもしれないが，私が熱力学と真摯に関わるようになり，この本を書くに至ったいきさつを簡単に述べておきたい。

私が，熱力学を知らなければならないと強く思うようになった一つのきっかけは，

> 統計力学が熱力学を基礎づけるのではない。熱力学との整合性こそが，統計力学を基礎づけるのである。

という言葉[2]に接したことであった。私は統計物理学を中心に研究を行なっていたが，熱力学を本質的に理解してはいなかった。それだけに，統計物理学という普遍的な構造と熱力学という普遍的な構造の関係についての「常識」を覆すこの言葉は衝撃だった。統計物理学の基礎付けについて考え始めた時期でもあり，そのためにも，統計物理学の基盤である熱力学を理解しなくてはならないと痛感した。

さらに，1997 年の夏に，数理物理学者の Lieb と Yngvason による公理的熱力学の論文 [14] が現れた。これは，数学的に厳密で美しいだけでなく，エントロピーについての明確な思想を提示した素晴らしい論文である。この論文を読み始めることは，私にとっての熱力学の勉強の出発点になった。

というわけで，私は 1997 年の後半から突発的に熱力学の勉強にのめりこんだ。Lieb-Yngvason の公理論の論文だけでなく，世に出ている様々な教科書も買い集めて，（部分的にだが）読み進めた。その結果，従来の熱力学の教科書に私は満足できないことを悟り，自分なりに熱力学を再構成しなくては，熱力学について真面目に考えることも，熱力学を教育することもできないと結論した。

1998 年になってから，自分なりの熱力学の再構成を本格的に始めた。いくつかの試みを，何種類かの未発表のノートとしてまとめていったが，挫

---

[2] 大野克嗣氏による（もとは英語）。特に 1-2 節に関連する議論がある。

折も多く，最終的に，未だ完成しない長いノート[3]と本書のもとになった講義ノートの二つが生き残った．講義ノートの最初のバージョンが完成したのは，1999年の2月だった．それを修正した草稿を1999年5月にまとまった部数印刷し，私自身が講義でのテキストとして使用し，また，多くの人に読んでいただき，コメントをいただいた．そうして得られた反省をもとにさらに大幅な改訂を加えて，本書ができあがった．

佐々真一さんと武末真二さんには，ごくはじめから，熱力学について様々な議論をしていただいた．彼らとの議論は，熱力学について無知に近かった私にとって，非常に有益であり，実に多くの影響を与えてくれた．本書の内容の少なからぬ部分が，彼らに教わったこと，あるいは，彼らとの議論から生まれたものである．

他にも，本書の草稿を読んで下さった多くの方々に，様々なことを教えていただき，種々のアドバイスをいただいた．心から感謝したい．全員のお名前を列挙する余裕はないが，特に，荒川一郎，飯島孝夫，大野克嗣，桑原武，小谷正博，小波秀雄，高麗徹，斉藤一弥，田崎一二，田中彰則，服部哲弥，早川尚男，溝口正，宮本尚彦，山中雅則，渡辺雅俊のみなさんには，改めて感謝したい．本書では，化学の分野に属する話題も取りあげることができたが，それは，専門家が化学音痴の私を粘り強く教育して下さったお陰である．また，本書の構想の初期の段階で，東北大学数学科の黒木玄さんの主催されるWWW掲示板に私の熱力学の再構成の計画について掲示を書いたところ，多くの方に興味をもっていただき，（掲示板あるいはe-mailを通じて）多くの議論をしていただいた．実際，上でお名前を挙げた内の何人かは，この掲示板を通じて知り合った方々である．素晴らしい知的交流の場を創り維持して下さっている黒木さんにも感謝したい．さいごに，私の講義に熱心に出席し素直な疑問をぶつけてくれた学習院大学物理学科の学生諸君に感謝する．

無論，本書に残っているであろう不正確な記述や誤りは，すべて筆者の責任によるもので，上に名前を挙げた人々には何の責任もない．

本書を，神経生理学者の祖父・田崎一二に捧げる．

田崎晴明

---

[3] 1998年に前半だけをまとまった部数印刷して一部に配布した．

索　引

欧　文

Black,J. (ブラック)　247
Carnot,N.L.S. (カルノー)　8, 56, 59, 76
Carnot 関数　75
Carnot サイクル　77, 151
—— の効率　84
Carnot の定理　75, 243
Clapeyron (クラペイロン) の関係　145, 151
Clausius,R.J.E. (クラウジウス)　16, 53, 94, 111
Clausius の不等式　107
Curie (キュリー) の法則　229
Dalton (ドルトン) の法則　176
Euler (オイラー) の関係式　121
Fermi,E. (フェルミ)　187
Gibbs,J.W. (ギブス)　120, 212
Gibbs の自由エネルギー　154, 259
　希薄溶液の ——　184
　多成分系の ——　178
　—— と蒸発のエンタルピー　167
　—— についての変分原理　179
　—— の簡易な定義　158
　—— の示量性　154, 178
　—— の相加性　178
　—— の微分可能性　159
　理想気体の ——　159, 180
Gibbs のパラドックス　181
Gibbs-Duhem (ギブス - デュエム) の関係式　146, 220
Gibbs-Helmholtz の関係　119
Guggenheim,E.A. (グッゲンハイム)　212

Helmholtz,H.L.F.von (ヘルムホルツ)　59
Helmholtz の自由エネルギー　48, 258
　希薄溶液の ——　177
　多成分系の ——　174
　—— と最大仕事　49
　—— の示量性　48, 174
　—— の相加性　48, 174
　—— の凸性　129
　—— の微分可能性　51, 119, 122
　—— の連続性　48
　理想気体の ——　53, 122, 176
Henry (ヘンリー) の法則　188
Joule,J.P. (ジュール)　59
Joule 熱　64, 72
Joule-Thomson (ジュール - トムソン) 係数　169
Joule-Thomson の実験　37, 151, 169
Kelvin,Lord (W.Thomson) (ケルヴィン卿, トムソン)　38, 53
Kelvin の原理　38, 54, 249
Landau (ランダウ) の擬似自由エネルギー　229
Le Chatelier (ル・シャトリエ) の原理　149, 201
Le Chatelier-Braun (ル・シャトリエ - ブラウン) の原理　149
Legendre (ルジャンドル) 変換　154, 258, 270
　—— の逆　154, 273
Lieb,E.H. (リーブ)　16, 172, 246, 252

Maxwell (マクスウェル) の関係式　124
Maxwell の等面積則　149
Mayer, J.R. (マイヤー)　59
Nernst-Planck (ネルンスト‐プランク) の仮説　202
$O(\varepsilon)$　21
Otto (オットー) サイクル　86
pH　208
Planck, M.K.E.L. (プランク)　100
Planck の原理　100
Poisson (ポアソン) の関係式　69
p-V 図　85, 87
Rushbrooke (ルシュブルク) の不等式　241
Stefan-Boltzmann (シュテファン‐ボルツマン) の法則　126
Thomson (トムソン) の原理　38
van der Waals, J.D. (ファン・デル・ワールス)　54
van der Waals の状態方程式　53, 55, 146, 149, 169, 229
van't Hoff (ファント・ホッフ) の反応箱　197
Yngvason, J. (イングヴァソン)　16, 172, 246, 252

あ 行

圧力　50
　―― の示強性　51
　―― の体積依存性　129
　―― の連続性　51
安定性　131, 133
イオン化　177
　酸の ――　208
　水の ――　206
イオン積　207
永久機関　39, 59
エネルギー　61, 167, 258
　―― の基準点　61
　―― の示量性　62
　―― の相加性　62
　―― の微分可能性　96, 118
　―― の連続性　62
　理想気体の ――　68, 125
エネルギー方程式　125
エネルギー保存則
　エントロピー増大則と ――　111
　熱力学における ――　59, 62
　力学における ――　41
エンタルピー　143, 259
　蒸発の ――　143
エントロピー　93, 257
　固体の近似的な ――　96
　―― 増大則　110, 117
　断熱準静操作と ――　95
　―― と宇宙　111
　―― と最大吸熱量　93
　―― と生命　112
　―― と定積熱容量　96
　―― と熱　107
　熱容量が一定の系の ――　96
　―― の一意性　245
　―― の温度変化　96
　―― の示量性　95
　―― の相加性　95, 113
　―― の微分可能性　96, 118
　―― の連続性　94
　複合状態の ――　113
　理想気体の ――　99
エントロピー原理　101
　複合状態についての ――　113
オーダー　21
オキソニウムイオン　206
温度　30
　絶対 ――　76
　―― の示強性　31
　理想気体 ――　52
温度計　33

索　引

温度を上げる操作の存在　57

か　行

外界　26
化学反応　194
化学平衡　197
　　—— の条件　198
　　複数の反応が共存する場合の ——　201
化学ポテンシャル　120
　　希薄溶液の ——　184
　　—— という名称について　160
　　—— と蒸発のエンタルピー　167
　　—— の示強性　121
　　—— の測定　175, 217
　　溶液の ——　185
　　理想気体の ——　122, 161, 181
可逆　100, 251
　　—— と準静的　101
活量　184
過飽和　134
過冷却　134
環境　29
還元主義　11, 12, 15
完全な熱力学関数　48, 62, 93, 120, 143, 157, 168, 257
気化熱　143
擬似自由エネルギー　55, 150, 229
基準点　47, 61, 93
気体定数　52
希薄溶液　176
　　—— の Gibbs の自由エネルギー　184
　　—— の Helmholtz の自由エネルギー　177
　　—— の化学ポテンシャル　184
基本的な方程式　120, 257
逆転温度　289
強磁性体　222
極限　21

減少関数　20
広義の等温操作　84, 87, 90, 97, 101
効率　84, 90
黒体輻射　100, 126
混合の自由エネルギー　180

さ　行

最大吸熱量　74
　　エントロピーと ——　93
　　—— の示量性　75
　　—— の相加性　74
　　—— の和の規則　74
　　理想気体の ——　77
最大仕事　44
　　化学反応における ——　197
　　—— と Helmholtz の自由エネルギー　49
　　—— の示量性　47
　　—— の相加性　46
　　—— の和の規則　46
最大仕事の原理　45, 54
三重点　32, 141, 158, 254
磁化　222
示強性　31
　　圧力の ——　51
　　温度の ——　31
　　化学ポテンシャルの ——　121
示強変数　31
　　—— と示量変数　32
次元　21
仕事
　　壁の挿入における ——　28
　　壁の撤去における ——　29
　　等温操作における ——　43
　　熱と ——　73
　　力学的な操作における ——　28
湿度　188
質量作用の法則　199
準安定状態　134, 225, 232

準静的 36
　可逆と―― 101
蒸気圧 135
状態空間 31
状態方程式 51
　理想気体の―― 53, 176
状態量 32, 48
蒸発熱 143
蒸発のエンタルピー 143
　Gibbs の自由エネルギーと――
　167
　化学ポテンシャルと―― 167
触媒 195
示量性
　Gibbs の自由エネルギーの――
　154, 178
　Helmholtz の自由エネルギーの――
　48, 174
　エネルギーの―― 62
　エントロピーの―― 95
　最大吸熱量の―― 75
　最大仕事の―― 47
　断熱仕事の―― 60
示量変数 24
　強磁性体の―― 222
　示強変数と―― 32
　――の組み合わせ 24
　――の定数倍 24
浸透圧 185, 220
　希薄溶液の―― 187, 220
水酸化物イオン 206
スケート 146
スケーリング仮説 237
　流体系の―― 239
スケーリング則 236
成績係数 91
潜熱 143
全微分 123
相 135
増加関数 20

相加性
　Gibbs の自由エネルギーの――
　178
　Helmholtz の自由エネルギーの――
　48, 174
　エネルギーの―― 62
　エントロピーの―― 95, 113
　最大吸熱量の―― 74
　最大仕事の―― 46
　断熱仕事の―― 61
相加的 24
操作 29
　壁についての―― 28
　準静的な―― 36
　力学的な―― 27
相図 140, 255
相転移 122, 128, 135, 139, 159, 165, 226
相平衡 136

た 行

対数関数 20
単位 21
単純状態 30
断熱仕事 60
　――の示量性 60
　――の相加性 61
　――の和の規則 60
断熱準静操作 57
　――とエントロピー 95
　――の逆 57
　――の連続性 57
　理想気体の―― 69
断熱消磁 240
断熱操作 56
　――が可能なための必要十分条件
　102
　――の存在 58
断熱壁 33
断熱膨張 105

索　引

超臨界　140
つり合い　37
　　局所的な ── と大域的な ──　132
　　── の条件　132, 180
定圧熱容量　162
　　── の測定　65
　　理想気体の ──　164
定積熱容量　63
　　Helmholtz の自由エネルギーと ──　119
　　エントロピーと ──　96
　　理想気体の ──　68
定積比熱　64
電気化学ポテンシャル　219
電磁場　126, 147
電池　39, 210
等温サイクル　38
等温準静サイクル　40
等温準静操作　36
　　逆向きの ──　37
等温操作　35
　　広義の ──　84, 87, 90, 97, 101
統計物理学　11, 29, 30, 52, 68, 112, 126, 204, 224, 237
透熱壁　33
凸関数　260
凸性　130, 133, 201, 223, 260
　　Helmholtz の自由エネルギーの ──　129
　　Landau の擬似自由エネルギーの ──　230

な　行

内部エネルギー　61
熱　71
　　エントロピーと ──　107
　　── と仕事　73
熱機関　21, 78, 84, 90
　　── の効率の上限　88, 252

熱素　9, 73
熱的接触　90, 115, 117, 283
熱容量
　　定圧 ──　162
　　定積 ──　63
熱浴　101, 247
熱力学関数　32, 48
熱力学史　9
熱力学の第一法則　59
熱力学の第三法則　202
熱力学の第二法則　38, 59
熱量計　251
濃淡電池　205, 210, 221

は　行

半透壁　174
反応進行度　195
反応箱　197
ヒートポンプ　91
非減少関数　20
非増加関数　20
比熱
　　強磁性体の ──　228, 241
　　定圧 ──　163
　　定積 ──　64
微分可能性　20
　　Gibbs の自由エネルギーの ──　159
　　Helmholtz の自由エネルギーの ──　51, 119, 120, 122
　　エネルギーの ──　96, 118
　　エントロピーの ──　96, 118
微分形式　122, 160
非平衡熱力学　112
不可逆　100
　　── 性の定量的な尺度　104
　　── な断熱操作の存在　100
複合状態　30, 113
沸点　140
沸点上昇　191

沸点上昇係数　194
普遍性　9, 30
　　臨界指数の――　236
普遍的な構造　10
　　臨界現象における――　236
ブラックボックス　27, 42
分圧　176
分率　180
平衡状態　29
平衡定数
　　一般の――　200
　　酸のイオン化の――　208, 210
　　水のイオン化の――　206
　　理想気体の――　199
平衡電気化学　204, 219
偏微分　20
変分原理
　　Gibbs の自由エネルギーについての――　179
　　Helmholtz の自由エネルギーについての――　127
　　エネルギーについての――　168
　　化学平衡に関する――　198
ホイッグ史観　9
飽和蒸気圧　135
ポテンシャルエネルギー　40, 65

ま 行

膜電位　212
モル　52
モル分率　180

ら 行

理想気体　53
　――の Gibbs の自由エネルギー　159, 180
　――の Helmholtz の自由エネルギー　53, 122, 176
　――のエネルギー　68, 125
　――のエントロピー　99
　――の化学ポテンシャル　122, 161, 181
　――の最大吸熱量　77
　――の状態方程式　176
　――の断熱準静操作　69
　――の定圧熱容量　164
　――の定積熱容量　68
　――の平衡定数　199
履歴現象　225
臨界圧力　140
臨界温度　139
臨界現象　228
臨界指数　228
　――の古典的な値　235
　――の普遍性　236
臨界点　140, 228, 237, 239
冷却器　91
連続性
　Helmholtz の自由エネルギーの――　48
　圧力の――　51
　エネルギーの――　62
　エントロピーの――　94
　断熱準静操作の――　57

わ

和の規則
　最大吸熱量の――　74
　最大仕事の――　46
　断熱仕事の――　60

著者略歴

田崎晴明
（たざき　はるあき）

- 1986 年　東京大学大学院理学系研究科博士課程修了
  Princeton 大学講師，学習院大学助教授を経て
- 1999 年　学習院大学理学部教授
- 1997 年　第 1 回久保亮五記念賞受賞

主要著書

統計力学 I・II （新物理学シリーズ，培風館）
くりこみ群の方法
　　　　　　（岩波講座，現代の物理学，共著）
相転移と臨界現象の数理
　　　　（共立出版，共立叢書・現代数学の潮流，共著）

Ⓒ　田崎晴明　2000

2000 年 4 月 12 日　初　版　発　行
2025 年 1 月 30 日　初版第 27 刷発行

新物理学シリーズ 32

熱　力　学
―現代的な視点から―

著　者　田　崎　晴　明
発行者　山　本　　格

発 行 所　株式会社　**培　風　館**
東京都千代田区九段南 4-3-12・郵便番号 102-8260
電　話(03)3262-5256（代表）・振　替　00140-7-44725

D.T.P. アベリー・中央印刷・牧 製本

PRINTED IN JAPAN

ISBN978-4-563-02432-1 C3342